ちくま文庫

ゴシック文学入門

東 雅夫 編

筑摩書房

目次

まえがき

東 雅夫

かくして今、貴方が手にしている黒い表紙のこの本——これこそは、魔界からもたらされた招待状に外《ほか》ならない。
そう、異国《とつくに》の言葉で〈ゴシック〉と呼ばれる、豪奢にして蒼古、絢爛として幽暗な魔界へと読むものを誘《いざな》う招待状だ。

黒々と果て知れぬ森林と、遠く峨々《がが》たる山嶺《やまなみ》、
巨大な牢獄《プリズン》めく城郭と、迷宮《ラビリンス》さながらの地下道、
寝室の血だまりと、納骨堂の白骨、
廃墟の奥処《おくが》に幽閉された乙女の欷歔《すすりなき》の声音、
それを無惨に掻き消すかのごとき、
夜嵐《よあらし》の咆吼と、飛天魔軍《ワイルドハント》の哄笑——。

極東の島国の自然や文化とは思うさま隔絶した、ゴシックの恐怖暗黒世界。
しかしながらそれゆえに、〈いま〉〈ここ〉を峻拒する魂たちにとって、そこはこよなき憧れの場所となってきた。
日本的ゴシック文学の草分けたる大乱歩は、それを〈残虐への郷愁〉と呼んだ……。

そんな江戸川乱歩が、泰西ゴシックとの出逢いを瑞々しい筆致で回顧する「「幽霊塔」の思い出」に始まる本書は、いち早く魔界からの招待状を受け取った本朝の先達諸賢が、それぞれに憧憬と共感をこめて綴った達意のエッセイと論考から成るアンソロジーだ。
本書に続けて刊行される「絶対名作」の精選集《コレクション》『ゴシック文学神髄』と併せ読めば、ゴシックと呼ばれる文学の秘鑰《ひやく》に触れることができるはずである。

うむ、魔界かな、これは、はてな、夢か、いや現実だ。

（泉鏡花「山吹」より）

ゴシック文学入門

「幽霊塔」の思い出

江戸川乱歩

　私は子供の頃、先ず巌谷小波《さざなみ》山人の世界お伽噺《とぎばなし》に夢中になり、次に押川春浪《しゅんろう》の冒険小説に夢中になり、その次に黒岩涙香《るいこう》の翻訳小説に夢中になった。子供といっても涙香を読みはじめたのは、もう中学に入る頃、明治四十年前後であった。

　その頃はまだ貸本屋というものが盛んに営業していて、私の住んでいた名古屋市にも、方々に大きな貸本屋があった。近年のような古本屋の営業ではなく、専門の貸本業、店構えも普通の本屋とは全く違っていた。その頃貸本屋の棚の人気者は涙香と村上浪六で、この二人の著者はどこの貸本屋でも揃えていたものである。私は住居から程遠からぬ一軒の貸本屋へ日参して、涙香ものを読み猟り、一年ほどの間に涙香の全作品を読んでしまった。

　その中で何が一番面白かったかと思い出して見ると、やはり大物の「巌窟王《がんくつおう》」と「噫無《ああ》情」が、最も感動的であった。そのほかでは「幽霊塔」「白髪鬼」「怪の物」「執念」（数多いボアゴベイものの内、「執念」だけは特別の怖さを持っている）などの恐怖の要素の多いもの、

「山と水」「破天荒《はてんこう》」「人外境《じんがいきょう》」などの異境もの科学ものが面白く、「野の花」などの人情ものや、「人耶鬼耶《ひとかおにか》」などの探偵ものは、前に挙げた諸作ほどの面白さは感じなかった。人情ものでは、私はずっと後に出た「島の娘」が一番面白く、探偵ものではやはり「死美人」であろう。後に出た科学もの「八十万年後の世界」なども私の好きなものの一つである。大物の内「鉄仮面」は世評ほどには好きでない。そういうわけで、私の採点では「幽霊塔」は第三位ぐらいなのだが、しかし怖さを標準にすれば「幽霊塔」が第一位になる。

私は「幽霊塔」には特別の思い出がある。中学一年生の時だったと思う。母方の祖母が熱《あた》海《み》温泉に湯治《とうじ》に行っていて、夏休みに遊びにこないかと誘われたので、名古屋から出かけて行って、一月ばかり熱海で暮したことがある。夏の熱海行きはおかしいけれども、祖母はずっと滞在していたのだし、海水浴も出来るからというわけであった。当時は無論東海道線は熱海を通らず、国府津《こうづ》で乗りかえ、それから確か小田原まで普通の支線、小田原から熱海まではおもちゃのような軽便《けいべん》鉄道というものに乗らなければならなかった。煙突《えんとつ》のヌーッと伸びた小人島の汽車で、途中で動かなくなると、客が皆降りてあと押しをするという誠に風雅を極めた代物《しろもの》であった。

熱海温泉そのものも、今に比べればまるで田舎《いなか》の淋しい町で、そこの余り上等でない宿屋へ着くと、湯に入ったり、海水浴をしたり、写真を写し廻ったりして日を暮したが、宿で寝そべっている時には、たいてい小説本を読んでいた。熱海にも貸本屋が数軒あったので、そこから借りて読んだが、その時初めて「幽霊塔」に接したのである。（名古屋の貸本屋へ日参しはじめてから、まだそれ程日がたっていなかったのであろう）それは菊判の三冊本で明治三十四年の出版（「万朝報《よろずちょうほう》」に連載したのは三十二年から三十三年にかけて）だから、私は出版後六七年たって読んだわけである。後年、涙香ものは初版で全部揃えたので、その中に当時読んだ型の三冊本の「幽霊塔」もあるが、これには菊判二頁余りの大きさの横に長い和紙の折込の口絵がついていて、永洗《えいせん》筆の着色画が、数度刷りの木版で印刷してある。一枚一枚手刷りにしたもので、裏を見るとバレンのあとが残っている。今のオフセット印刷に比べて遥かに雅味《がみ》の深いものがある。（しかし私はこんな風に綺麗《きれい》にならない前の、明治二十年代の涙香物の木版挿絵に一層興味を覚える。あの素朴な異国趣味は挿絵史上またなき一時代であろう）

その「幽霊塔」第一冊、即ち前編の口絵は、夏子がお紺《こん》婆さんに噛みつかれた手首をおさえて、現場から逃げようとしている所で、髪ふり乱した洋装美人のハンカチでおさえた手首から、タラタラと鮮血《せんけつ》が流れている。第二冊即ち後編の口絵は、ポール・レペル先生が夏子の蠟面を道九郎に見せている所、永洗の絵には大して凄味《すごみ》はないのだが、それでも、土気色《つちけいろ》の美女の蠟面には異様な恐ろしさがあり、十四五歳の私はこの絵を見ただけで、何とも云えない鬼気を感じ、堪え難きばかりの魅力を覚えたのである。第三冊、即ち続編の口絵は、時計塔の地下室で道九郎と夏子が宝物の箱を調べている所。これなど今見れば何でもない絵であるが、当時はこの絵さえも異様に物凄く感じたものである。

私は海水浴など忘れてしまって、昼も夜もぶっ続けて読み耽った。文字通り巻をおく能わずであった。熱海温泉の生活は夢で、「幽霊塔」の方が真実の世界だという錯覚に陥り、物語の中にはいり込んでしまっていた。

時計塔そのものの妖気、秀子のお能の面のように整いすぎた顔、長手袋の妙な装飾、アア何という強烈なサスペンスであったことか。壁の中から突き出される毒剣、池から引上げられた首無し死体、壁そのものがユラユラ動くように見える蜘蛛《くも》屋敷の怪異、壁に貼った美人画の目だけが生きている気味悪さ。時計塔の大緑鉄板の不可思議、「鐘鳴緑揺《しょうなりりょくようごく》、微光閃煌《びこうせんこう》」実にたまらない魅力であった。そしてポール・レペル先生の人間改造術、あの穴蔵の中の蠟仮面保管室の場面が、この物語の数々の激情の頂点となっていた。

私は真夏の宿に寝そべって、二日間というもの「幽霊塔」の世界に没入し、怪奇と恐怖の天国に遊び、涙香の小説はどうしてこうも面白いのかと、あきれ果てた程であった。その夏の熱海行きは、私にとって初めての長旅であり、汽車も、富士山も、軽便鉄道も、海も、千人風呂も、宿屋暮しも、悉《ことごと》く珍らしくないものは無かったのだが、しかし、不思議なことに、熱海旅行の印象として最も強く残ったのは、「幽霊塔」三冊と、その怪奇の世界に遊んだ二日間で、これに比べては、他の旅行風景など、夢のように淡くはかないものに過ぎなかった。現実生活のあじきなさ、空想世界のすばらしさ、私は子供の頃からそういう気質を多分に持っていたものと見える。

二十歳前後になってポーやドイルを知り、一応涙香の伝奇小説と離れたけれども、しかし、正直に云って、二十歳でポー、ドイルを読んだ時の感銘よりも、十四五歳で涙香に親しんだ時の感銘の方が、遥かに強烈であったように思われる。

「モンク・ルイス」と恐怖怪奇派

小泉八雲／平井呈一訳

大人《おとな》は子供のひねたもの、とよく言われるが、大衆の小説の好みにも、この言葉の真理を例証しているばあいがよくある。おとなも子供と同じように、恐怖の快感をよろこぶ。こうした人間の恐怖感をあおるようなものを書ける作家が、すくなくともある期間、成功作家になることがよくある。もっとも、恐怖にも、ほかのものと同じように流行があって、時代によって変化する。十八世紀に人々をひたすら怖がらした小説も、十九世紀には人々を笑わしてしまう、といったぐあいである。十八世紀という時代は、この種の傾向のものがたわいもなく喜ばれた時代で、あんまりたわいがなさすぎるので、なぜあの当時ルイス一派の作品があんなに人気があったのか、今日では理解に苦しむくらいである。まったくそれは不思議な現象で、英文学史の研究も、この恐怖派に言及しなければ完全といえないばかりでなく、その大きな影響は十九世紀文学にも尾をひいているのだから、そこでわれわれがこれから追及する問題も、当然それにつながるものなのである。

いわゆる恐怖怪奇文学と称せられるもので、とくに注目に値する作品は、六編ほどある。まず重要な作品の第一は、一八六四年に出版されたウォルポールの『オトラント城綺譚』がある。それについで出版されたもので、同じ種類の想像に拠《うつ》えた文学的産物に、ベックフォードの『ヴァセック』（一七八三年）がある。ついでラドクリフ夫人の『ユードルフォの怪』（一七九五年）、次がマシュー・グレゴリ・ルイスの『モンク』で、同じ年に出版された。さらにシェリー夫人の『フランケンシュタイン』が一八一八年、最後に特筆すべき作品がマチューリンの『放浪者メルモス』で、これが一八二〇年の出版である。もちろん、このほかにも何百編という作品があるが、それらはいずれも模倣的作品で、語るに足るほどのものはない。マチューリン以後は、ブルワー・リットンが「不思議な話」および「幽霊屋敷」という小説で、恐怖小説に完成した形をあたえた時まで、この派の文学は一時世人の評価のなかに埋没したのであるが、いま挙げたリットンの二作は、そのあいだに世情と流行がいかほど移り変わったかを、おのずから示している。

恐怖派グループのなかで、なんといってもいちばんの立て役者はルイスであるが、この人の名前が十八世紀文学と切っても切れぬ密接な関係をもっているのは、その文学的業績のせいではなくて、かれ自身よりも大きな力量をもった人たちに顕著な影響をあたえた、やや気まぐれなその言動のせいなのである。ルイスは同時代の文人のほとんどすべてとつながりがあり、スコット、バイロン、その他幾人かの作物に、いっぷう変わった流儀で影響をあたえたのである。

ルイスは西インド諸島の所有地からあがる莫大な資産の相続人であった。幼少のころ、美しいが正直で単純な女だったかれの母は、夫と折り合いが悪くて離別した。ルイスは父といっしょに暮らすことを断わって、母をしあわせにすることに生涯をささげる腹をきめた。この息子のおかげで、母は何不自由なく暮らすことができた。ルイスは子供のころからばかに小さい子で、そのまま生涯かれは、人なかでも目に立つほどの小男であった。そのくせ勇気と機智と活力は人一倍もっており、十九歳のとき「東方のインディアン」という戯曲を書き、さいわいそれが舞台に上演された。ルイスはこの劇やほかの脚本を、もっぱら母の暮らしを助けるために書いたのである。なぜなら、母は父と離別したのち、夫からの仕送りを絶たれたからで、ルイスは懸命に仕事をして、家計を保つことに成功した。二十歳のとき、ルイスは「モンク」という言語道断な小説を書いたのが、バイロンの詩や文学仲間に賞讃されて一躍有名になり、それ以来「モンク・ルイス」と呼ばれるようになった。時の矯風会などが弾圧にかかったけれども成功せず、かえってそのために本の売れ行きは増大し、ルイスは巨額の金をもうけた。ついでかれは「捕虜」という変わった一幕物を書いた。この劇の一部分は、いまでも古臭い教科書や修辞学の本などに出ているが、これはロンドンで上演されて大当りをとった。やがて父が死んで、ルイスは富豪になり、かねての念願であった母をしあわせにしてやることも叶えられた。そしてさかんに旅行をし、勉強をし、生来の芸術趣味に心ゆくままにふけり、ウォルター・スコットの処女出版を援助してやったりした。かれはスコットには詩の作法まで教えてやった。今日考えると、ずいぶんおせっかいなことのように思われるけれども、後年スコットは往時を追懐して、「あの小さな人は、ほんとに私には親切にしてくれました」といっている。そのスコットの助力と、ほかからも資料源をもらって、ルイスは"Tales of Terror"（恐怖物語）という本を著わした。この本には、幽霊を題材にしたスコットのすぐれた民謡も、何編かはいっている。ルイスは、一面、ひじょうに機にさといところがあった。かれは、時風が恐怖怪奇をよろこぶ方向にむかっていることを看て取り、この時尚を満足させることに全力を向けた。そして"The Castle Spectre"（幽霊城）のような戯曲をいくつか書いたが、いずれも商業的投機としては大当りをした。だが、われわれ後人がルイスに感謝するのは、かれ自身の作品に対してよりも、他の人たちの仕事に対して感謝する理由のほうが多いのである。ルイスはイタリーで、バイロン、シェリー、シェリー夫人に会った際、どうだね、君たちひとつ銘々で、怖い話を書いてみないかと提案した。バイロンも、シェリーも、シェリー夫人も、ルイスの気まぐれにまんまとひっかかって、バイロンは「吸血鬼」という、今では珍本になっている散文小説を書き（訳者注。――この作品はバイロンの名で発表されたが、今日ではバイロンの侍医ポリドリの作であることが明白になっている。）、シェリー夫人も一書を書いた。この夫人の作品は今では世界的古典の一種になって、各国語に翻訳され、その後多くの人たちにたくさんの焼き直しや類似品を産ませている。それが「フランケンシュタイン」の物語である。ルイスがいなかったら、この稀代の傑作は、おそらく世に出なかったであろう。

しかし、ルイスの生涯は短かかった。かれはおのれの人間性の犠牲になって倒れたといってよかろう。かれの最も深い関心事は、西インドの自分の所有地にいる奴隷の身柄のことであった。なんとかかれらを心あたたかく遇してやるような監理を、自身でしてやりたいと願い、その目的のために、二、三年おきに西インドへわざわざ出かけて行くことを、自分のつとめにしていた。かれは当時として許されるかぎりの自由解放を奴隷たちに与えてやりたかったのだが、法律の上からそれは出来なかった。一八一八年、かれは西インドに旅行中、恐ろしい黄熱病に冒されて、本国へ帰航する途中で死んだ。かれは社交界や文人仲間から、一人の紳士として、また寛容な友人として、大いにその死を惜しまれた。かれの思い出は、当時の文壇史のなかで、最も人に愛されたものの一つであった。

ルイス自身の作品については、実際のところ、あまり大した価値は認められない。かれの作品はすべて狂気、幽霊、墓地、凄惨な犯罪などを描いた小説と戯曲だが、着想はいずれもみな、色欲と殺人、恐怖と悲哀の葛藤を読者にあたえるもので、それはウェブスターやフォードのような、イギリスの古い戯曲を踏襲したものを、さらにあくどくしたもので、芸術的にも技巧的にも、はるかに低いものである。おそらく自分では卑賤なことも、残忍なこともしたことのないこの人が、十九世紀における最も嫌悪すべき小説を書いたということは、まったく不思議なことである。詩も格調や技巧からいうと、散文と同じ程度のものであるが、それがイギリスの民衆に、非常に新奇な、粗野な快感をもって受けたのである。今日では、ルイスが恐怖・戦慄と思ったものを、われわれはただ一笑に付すばかりだ。これは、ここ五、六十年の間に、イギリス人の頭が大いに進歩した証拠といえよう。やれ髑髏だの骸骨だの、血なまぐさいことや淫猥な怪物など、今日はだれも怖がりはしない。あいそをつかすだけだ。

でも、私が子供の時分には、人々はなおルイスの恐怖をうたった詩を暗誦して、なにかのおりにはそれを口にしたものである。とりわけ私がいまも憶えているのは、「勇士アロンゾと美女イモーゲン」というかれの民謡が、えらくはやっていた。ああいう詩を喜んでいた人々の幽霊についての考えかたは、どれほど未開なものであったことか！　その詩の最後の文句を引用してみると、――

While they drink out of skulls newly torn from the grave,
Dancing round them the spectre are seen;
Their liquor is blood, and this horrible stave
They howl: "To the health of Alonzo the Brave,
And his consort, the fair Imogene!"

〔大意。――墓から新しく欠いた髑髏《されこうべ》で飲んでいると、まわりでは幽霊が踊っている。酒は血の酒、「ヤンレ、めでたいな、勇士アロンゾと花嫁御寮のイモーゲン！」とみなみなドッとはやすなり。〕

ルイスの時代から見ると、われわれの超自然観もずいぶんと変わった。ルイスを高尚な人物にしていたのは、かれの文学ではなくて、むしろかれの個人的な影響力だったのである。シェリー夫人がルイスの激励で「フランケンシュタイン」を書いたことは、すでに述べたとおりだが、この本は注目に値する。わずか十六歳になるやならずの少女が書いた作品であるが、これはイギリス文学が産んだこの種の書物のなかでは最大のものである。

着想そのものは、けっして新しいものではない。——そんなことをいったら、新しい着想の本なんか、どこを捜したってあるわけのものではない。中年の錬金術師の生命創造の可能性を書いたものは、いままでにもあった。ゲーテも「ファウスト」の第二部で、中世の思想をかりて、化学者が化学の力で人間を小さくし、いわゆる矮人《こびと》にして瓶のなかで飼っていることを書いている。十九世紀においても、この種の学説はまじめに論争されている。そういう論争が最後にかわされたのは、おそらくダーウィンの発見以前、スペンサーの哲学が出現した以前のこととおもう。スペンサーはほとんど不可能にちかいこの問題の理論づけを、一歩前進させたのである。チェンバー兄弟の有名な『創造のなごり』という書物が、当時新説を打ち出した。その考えというのは、こうだ。——人体を構成する要素とその質量の割合を、的確に発見することができて、それを人体にあるとおりの比例で、その要素を混ぜ合わすことができれば、——そのさい他の力の邪魔がはいらなければ、その要素が結晶して人体になる、というのである。つまり、人間は化学によってつくることができるというのである。この説は、当時は大いに関心をよせられたけれども、進化哲学があらゆる仮説をくつがえした今日では、すでに笑いものにすぎない。

シェリー夫人が「フランケンシュタイン」を書いたときには、もちろんこの古い説も知らなかったし、「創造のなごり」の著者の奇想を予見する知恵もなかった。おそらく彼女は、あの一編の物語のプランを書物から得たのではなかったのだろう。化学も物理学も電気も知らなかった彼女は、専門的な物語を考えるには、賢明でありすぎた。そんな科学小説なんかに彼女は興味がなく、ただフランケンシュタインという学識ある医師が、科学を適用して人間をつくることに成功した、ということを諷したにすぎない。フランケンシュタインは、古往今来、世界中の人間のなかで、いちばん美しい、いちばん賢い、いちばん強い人間をつくりたいと願った。ところが出来あがってみると、ふた目と見られないものすごい、恐ろしい怪物になった。なるほどこの怪物は、自然の人間よりも力は強いし、行動的であるが、見ればまるで夢魔のようで、博士自身、この人造人間を自宅においておくに耐えられなかった。そこで博士は、人造人間にどこかへ行ってしまえと命じた。怪物は出て行ったが、一、二年たつとふたたび戻ってきて、こんなことをいった。「おれは孤独だ。人間はだれ一人言葉もかけてくれない。外へ出ると、生きているものは犬まで怖がって逃げてしまう。おれはこんなにひとりぼっちでは、とても生きていかれない。友達がほしい。あなたはおれをこしらえてくれたのだから、おれに女房をこしらえてくれ。それがあなたの義務だ」フランケンシュタインは怖いから、女房をこしらえてやることを約束した。そして人造人間の妻をこしらえにかかったが、なかば出来あがったときに、ふと考えた。「待てよ、こんなことをしてやれば、二人の間に子供が生まれるぞ。あの怪物の一族ができたら、そいつは人間の敵で、おそらく人類を滅ぼしてしまうだろう。あいつに女房をこしらえてやれば、自分は大罪を犯すことになる。いや、止めよう、止めよう」そういって博士は、半分できかけた人造人間をバラバラにこわしてしまった。こわしているところへ、怪物がそばに立って言った。「おぼえていろ。きさまの婚礼の晩には、きっと来るぞ」そういって人造人間は姿を消した。何年かたって、フランケンシュタインは結婚した。すると結婚の夜、怪物がやってきて、花嫁を八つ裂きした。フランケンシュタインは妻の仇敵《かたき》を打つために、怪物を破壊してやろうと跡を追い、世界中を旅して歩いたが、怪物を捕えることができずに、計画なかばに博士は死んだ。そのときはじめて怪物は後悔をした。そして自殺した。――これが物語のあらましの筋である。この話をよく考えてみると、そこには多くのすばらしい道徳上の教訓があるのに、諸君は気づかれるだろう。昔からあることわざや教えが、このなかにはたくさんある。その点からいっても、この小説はいつまでも長い生命をもった物語の一つといえよう。この小説の大きな教訓は、人間の行為の結果ということだ。一つのまちがったことから、百のまちがったことが派生する。正しい行ないにせよ、ふざけた行ないにせよ、その行為は水に石を投げたように、世の中全体の上に波紋をなして広がっていく。この物語は万人が読むべきもので、その価値は、この本がやさしい、誰にもわかる英語で書かれているということなどで、けっして割引されるものではない。十六歳の婦人が産んだこの古典は、イギリス文学のなかでほかに例はないと、私は信ずる。

恐怖派が産んだ作品で、これに匹敵するものは、ほかに何一つない。一時的に花やかな成功をした作品はいくつかあるし、いまも愛好者をもっている作品はある。そのなかで特に言うに足る作品は、ただ一つしかない。チャールズ・ロバート・マチューリンの「放浪者メルモス」がそれである。これはある特異な境遇のもとで、悪魔に魂を売った男の物語である。文学的価値という点よりも、着想が珍しく巧妙な点で特異な作品なので、筋を語ることはやめておくが、とにかく不思議な力強い作品であることは、安心していえる。「フランケンシュタイン」は一八一七年の出版だが、この本は一八二五年に出版された。真価からいえば、「フランケンシュタイン」よりも多分に劣るけれども、この作品は、フランスの文豪バルザックに影響をあたえたという点で、英文学では記憶されるべき作品だ。バルザックの"Peau de Chagrin"（「麤皮《あらがわ》」）という驚嘆すべき作品は、フランス文学のなかではおそらく、「フランケンシュタイン」と比較される唯一の作品だろうが、「フランケンシュタイン」と同じように、この作品もやはり教訓的な点で不朽なのである。そして部分的には、マチューリンの「メルモス」を読んで刺激された作品である。イギリスではマチューリンの讃仰者の一人に詩人のロゼッティがあり、「放浪者メルモス」の真価を証明したのは、じつはロゼッティなのだ。だが、私は諸君に、マチューリンの原作を読むよりも、むしろ「メルモス」に刺激されて書かれた、もう一つの作品を読むことをお勧めする。そのほうが有益かとおもう。それはロバート・ルイズ・スティーヴンスンの"The Bottle Imp"（「瓶の中の小悪魔」）という小説で、"Island Nights' Entertainments"という南海物語のなかにある話である。この作品を読むと、諸君はそこに無類のすぐれた文学的技巧をもって現代に移された、マチューリンの怪奇の醍醐味が味わえるだろう。

イギリスに限らず、諸外国においても、十九世紀初頭の文学が、このような怪奇小説の著しい作品群を生み、しかもそのあと、にわかにそうした作風のものが長い沈黙におちいってしまったというのは、なんとも不思議なことである。「フランケンシュタイン」のような作品のほかに、たとえばドイツでは、一八〇一年にド・ラ・モット・フーケの「ウンディーネ」（「水の精」）が出、一八一五年にはシャミッソーの「ピーター・シュレミル」が出た。前者は水の精が人間と結婚する物語、後者は自分の影を悪魔に売った男が、しだいに不幸に落ちていく話である。この三つの物語――イギリスの「フランケンシュタイン」と、今いったドイツの二作――が不朽になっている事実を考え、一方、ほかの何百編という作品がまったく忘れ去られてしまった事実を考えると、世に不朽の価値をもった作品というのは、うまく書かれているとかいないとかは別として、どうもその作に含まれている永遠の真理の多寡による、という決断に達しそうである。上にあげた三つの作品には、それぞれに三つの普遍的真理が――世人がいつまでも倦《う》まない、隠された教訓が含まれている。ところが、それに反して他の作品は、けっして下手ではないけれども、そのなかに倫理的象徴というか、人間的真理というか、それが欠けているために、忘れ去られてしまうのである。

これと同じ事実は、イギリス文学における近代ロマンティック期にも、明らかに認められる。英語で書かれたゴースト・ストーリーの最高の傑作は、これは例外なしに、ブルワー・リットンの"The Haunted and the Haunters"（「幽霊屋敷」）であり、怪奇ロマンの最高傑作は、おなじ作者の"A Strange Story"である。文章は絶妙だし、この一作を書くのに、作者は多年特異なオカルトの世界――中世の錬金術、バラ十字教団の文献、古今の魔術、東西両洋の迷信など――の研究に費したのである。まったく偉大な著作であるが、その偉大な作品にして、なおかつ今日では忘却の危険に瀕している。あと一、二代をへたら、おそらく完全に忘れ去られてしまうだろう。ところが一方、最近スティーヴンスンが書いた「ジェキル博士とハイド氏の事件」という短編は、すでにほとんど各国語に翻訳され、世界各国の家庭に話題を提供しており、もはや一つの古典になっているようだ。なるほどこの小説は、リットンの恐怖小説の迫力には比ぶべくもない。しかしリットンの小説には、普遍的な永遠の真理が盛られていないから、したがって諸君は、そこから倫理哲学はなに一つ引き出すことができない。一方、スティーヴンスンの小説は、まだ若い人の作ながら、永遠の事実の新しい解釈をわれわれに与えてくれる。——人間の性質は単一なものではなく、多様なものだ。単純なものではなく、複雑なものだ。一元的なものではなく、二元的なものだという事実の新しい解明を、読む者にあたえてくれる。教訓としても、この小説はすぐれているし、ヨーロッパ諸国の民衆は、この作品の傑作であることを認めたのである。

それはそれとして、私は諸君に、文学における寓意小説、もしくは象徴的小説に関するひじょうに大事な事実を痛感させることを忘れてはならない。ほんとうの文学者は、道徳的目的だけのために、作品を書こうとしやしない。どの時代、どこの国でも、それを試みようとした作品は、結果としてつねに失敗している。さもなければ、まったく無意味なものになっている。偉大な作家は、不朽の道徳を蔵した不滅の物語を書いたが、教訓を書こうとはしていない。教師気どりをしようなんて料簡はおこしはしない。偉大な作家は無意識のうちに、その効果をつかんでいるのだ。偉大なる真理は、無意識のうちに口に言われなければならない。たとえば、シェクスピアほど多くの道徳的真理をひきだせる作者は、どこにもいないだろう。そのくせシェクスピアは、道徳をおしえる目的で芝居を書いていやしない。かれは見物を喜ばすために書き、しかもどんな種類の教義、どんな種類の教訓ともまったく無関係に、真実を書こうとしたのである。この事実は奇異に見えるかもしれないが、すぐれた批評家はみな今日ではそれを認めている。すなわち、諸君がもしすぐれた物語が書きたかったら、あるがままの自然、あるがままの事実、あるがままの人生、その真実、それのみを考えなければいけない。そして真実を見、真実を感ずるとおりに、だれにも人生の真実を考えさせることができれば、道徳はしぜんその真実を大事にしてくれる。およそ大真理には、諸君の助けがなくても、おのずから顕われる隠れた教訓がそのなかにあるのである。そのかわり、諸君が道徳を書こうとしたら、ほとんど例外なく失敗するだろう。ここにおいて、芸術家は自身の力を信じてはならぬ、自然と神を信じなくてはならぬ、と言えるのである。

恐怖美考

種村季弘

一種の集団心理学的研究である『集団と権力』というエッセイの冒頭で、エリアス・カネッティが集団の形成を裏返された接触恐怖という観点から分析しているくだりがある。それ自体恐怖の感情の根源についての犀利な洞察となっていると思われるので、以下にしばらくカネッティの文章を引用してみよう。

「未知のものに触れられることほど人間を怖れさせるものはない。わたしたちは自分に摑みかかるものを見ようとする、それを認知するか、すくなくとも整理するかすることができればと思う。いたる所で人間は見知らぬものによる接触を回避する。夜や暗闇のなかでは、予期せざる接触への驚愕はほとんど恐慌状態に昂まることさえある。着ている物でさえも十分に安全を保障してはくれない。衣服はなんと引き裂かれやすく、攻撃される人間の、裸の、なめらかで無防備の肉までなんと容易に侵入を許すことであろう。」

カネッティの簡明な語調は、簡明であるだけに、文明の諸世紀を一挙にたちこえて、私たちを洞窟の奥の暗がりに息をひそめていた穴居人や、原始林の錯綜たる混沌のさなかを野獣や見知らぬものの攻撃にさらされて本能のすべてを緊張させながら歩行していた、原始時代の人間のもとへと連れ戻すかのようである。闇と混沌の恐怖は、眼に見える対象との間に介在するあらゆる距離が呑み込まれて黒一色に塗りつぶされ、主体と客体との間の截然たるへだたりを失うことへの恐怖である。未知のもの、見知らぬものの突如たる侵入を予防するためには、ひとは住居を建て、光のとどく範囲でだけはせめて客体との距離を明視しうるように灯火を発明しなくてはならない。まさにアット・ホームな安全感は、かくて接触恐怖の反対物たる距離の感情の上に立脚していることになる。

「人間が自分の周囲に形成してきたあらゆる距離は」とカネッティはいう、「この接触恐怖の厳命の所産である。ひとは、誰も立入ることを許されない家屋のなかに閉じ籠り、そのなかでだけ半ば安心感を感じる。突如たる闖入者にたいする不安は、かならずしも闖入者の掠奪のくわだてに該当するのみではない。それは暗闇からの突然の予期しなかった接触《グリッフ》にたいする恐怖なのだ。鉤爪の形になった掌がこの不安の象徴としてしばしば使用される。」

　夜、ひとり孤独に家のなかに閉じ籠っているとき、突然影のような人物が背後に立っていまにも此方の身体に手を触れようとする。あるいは暗い夜道をひとり歩いていると、物陰になにものかがじっと待ち伏せ窺っているような恐怖に駆られる。がいして私たちが幼年時から身に覚えがあるのも、そんな性質の恐怖ではないだろうか。接触の恐怖は、しかしひとりでいるときだけとはかぎらない。カネッティは人混みのなかでもこの恐怖が発動する場合があることを観察している。路上でも、あるいはレストランや駅やバスの人混みのなかでも、見知らぬ人と個人的に接触することは極度に怖れられている。それだから予期しない接触が起こった場合、「相済みません」と謝罪の言葉のひとつもなければ、ことはおさまらなくなるのである。なにか理由のはっきりした好意を感じて、此方から接触を求める気分になっているのでなければ、見知らぬ人との接触は忌避されるのだ。

　それでは、たとえば満員電車に乗ったり、立錐の余地もない集会や映画館に入ったりすることは、四方を見知らぬ男女に囲まれるのだから、接触の恐怖は募りまさるばかりで到底耐えられないことになりはしまいか、と考えられそうなものだが、それは違う。集団は、あるいは集団だけが、接触の恐怖を恐怖の反対物に転化せしめるからだ。集団のなかでは個人としての差違が消滅する。自分に身体をこすりつけている人間が自分自身と同じように感じられ、すべてのものが突然「ひとつの肉体の内部」にあるかのごとくになるのである。こうして身体を密接にこすりつければつけるほど、逆に不安は解消して安心感に変わっていく。カネッティはこの集団内部に特有の安心感をいみじくも「接触恐怖の裏返し」と定義している。

　ここには恐怖に関するいくつかの考察の端緒が開けているようにみえる。すなわち第一に、ある個体が恐怖を覚えるのは、彼が個体（ペルソナ＝仮面）としての限界を消失し、無防備の素肌を見知らぬものとしての外界にさらされるときであることだ。個体は、あたかも卵の黄味が卵殻に包まれているように、その仮面（ペルソナ）に覆われている。仮面や卵殻が鞏《きょう》固《こ》である限り、その内容は外部の世界から隔離され、不連続性を保持しているが、一旦外被が外されてしまえば、たちまち外部と同化してしまう。個体としての不連続性の消失こそは個体にとって最大の恐怖なのである。なぜなら、申すまでもなく、それなしには個体は個体ではありえなくなるからであり、言葉を変えていえば、自らの虚無に直面することになるからだ。

　やや七面倒くさい議論をいましばらくご辛抱願いたい。ところで私が先程来かなり漠然と、「未知なるもの」、「見知らぬもの」、あるいは「見知らぬものとしての外部」などと名づけてきた存在は、正確にいえば、一体何を意味しているのだろうか。これまでの説明では、いわば否定形で叙《の》べられてきたわけである。いわく、「個体がそれとの接触を極度に恐怖するあるもの」であり、あるいは逆に、「それとの接触が厳然と忌避されているかぎりにおいて、個体の個体としての自由な活動が保障されているような何物か」であった。二つのものは相互に厳然と隔離され、絶縁されている。相互の接触は極度に怖れられている。接触は致命的であり、とりも直さず個体の消滅と死を意味するからだ。

　古代人たちはこの「触れるべからざるもの」を一般に「聖なるもの」と名づけてきた。安逸にして安全な俗界がつつがなく存立していくことができるためには、聖なるものが俗なるものから厳酷に絶縁され隔離されていなくてはならない。それはたとえば物理学者が危険な放射性物質を厚い鉛の容器に隔離している消息にも似ていて、強力なエネルギー源であるだけに、儀式にもくらべられる複雑精緻な方程式や呪文を思わせる数々の記号によって密封しておかなくてはならないのである。万一、素手で接触すれば致命的な結果が起こるだろう。

むろん「聖なるもの」がそのまま恐怖の対象ではない。社会学者たちは「聖なるものの多義性」について語っている。すなわち聖なるものにたいする感情は、一方で王、僧侶、英雄のような純粋なものにたいする崇拝の感情に通じているが、一方ではまた最下層の賤民、犯罪者、屍体など不浄で病的な存在にたいする嫌悪にみちた恐怖にも通じている。中間的な領域たる俗なるものの世界は、この最上限と最下限との間に、両者からひとしく厳格な距離を保ちながら限界づけられているのである。個人の衣服や家屋にひとしい絶縁体は、社会における各種の儀礼、法、宗教体系にひとしい。

聖なるもの（sacer）は語源的にはもともと「汚された」ことを意味していた。したがって古くは、聖なるものの純粋なものと不浄への多義的分裂は知られておらず、両極はひとつのものとして「聖なるもの」とされていたのである。両者が上限と下限に分離されたのは、おそらくなんらかの身分制の形成と同時であろう。

ところで、上限と下限との身分的懸隔が固定的なものとなり、近代合理主義の抬頭（本質的には、それは俗なるものの領域の拡大である）によって聖なるものの衰弱が、神々の黄昏《たそがれ》が決定的になったとき、当面の問題である文学の領域に限っても、英雄叙事詩や君主頌詩や宗教詩は一途に没落の道を辿り、かわって賤民や病者やあまつさえ犯罪者を主人公とした小説（推理小説）さえもが出現した。聖なるものの言語による神格化としての文学の機能の衰弱現象をうんぬんするのは容易である。それはいうまでもないことだ。だが、ひとたび観点を変えて、もしもこの衰弱と通俗的大衆化現象そのものに積極面を見出すとなれば、これらの文学ジャンルが往時の君主、父、神官、独裁者などについて模索した聖なるものの原像を、下限の不浄なる存在を手がかりにしてアイロニカルに追究する営みにこそ文学的デカダンスの真の意図があると想定しなくてはなるまい。崇拝の、ではなくて、恐怖の感情がデカダンス文学の好個のモチーフとして取り上げられた主たる理由もここに胚胎しているはずである。たんなるセンセーショナリズムが恐怖文学の売物ではなく、まして本質でもないのは、華麗豪奢な文体に飾られた内容空疎な英雄叙事詩が、それ本来の名に価しないのと同日の談であろう。

トーマス・マンの『魔の山』に登場するあの無気味にして魅惑的な聖職者ナフタの反語を聞きたまえ。「私の先祖は屠殺夫。そう、私はかの神聖なる職業の末裔だ」と彼はいう。同じアイロニーがすくなくとも少数の恐怖文学作家をめぐって成立する。

最近西ドイツで出た恐怖小説アンソロジーに『フランケンシュタイン、その殺し方と笑い方』といういささか人を食ったタイトルの本があって、題名のわりにはメアリ・シェリーのフランケンシュタインからわが江戸川乱歩の『人間椅子』まで、かなり本格的な編集意図でまとめてあるのだが、ここで問題にしようと思うのはこのアンソロジーそのものの話ではない。アンソロジー末尾にエド・リーヴィスという編者が要領を得た解説を書いていて、そのなかに一七九七年に出た『比較文学雑誌』に掲載されたという面白いパロディーが紹介されている。題して「調理法」――つまり当時流行の恐怖小説のお手軽な作り方のコツ教えます、というほどの意味であろう。


なかば朽ちはてた蒼古たる城館。

大方が秘密に閉ざされている、無数の扉が並んだ長い廊下。

血化粧をした、生暖かい屍体三個。

念入りに仕上げた骸骨三個。

咽喉を刃口で一突きされて、天井から吊り下げられている、老婦人一個。

悪漢、盗賊、一袋。

囁き声、呻き声、すさまじい響き、山もり一杯。

すべてこれらの成分をよく混ぜ合わせ、三部作もしくは三巻本に分割すれば、就眠前や浴室にて元気回復のため読む絶妙のカクテルとは相なる。特効保証！ ただし要注意！

憂鬱家は服用無用のこと！


ホレス・ウォルポールの『オトラント城綺譚』が世に出て、十八世紀末の通俗的恐怖趣味が確立されたのは一七六四年のことであったから、右のパロディーの作られた一七九七年までわずか三十数年しか経過していないことになる。しかもこうした揶揄がはやくも出生していたのは、一面ではいかに恐怖小説が隆盛をきわめていたかを物語るものであろうし、同時にまた早くも流行のキワ物として内容空虚な頽廃に陥っていたかをも意味しているであろう。

文学的ファッションというものの通例であるからには、ことさら恐怖小説にかぎって目くじら立てるまでもあるまいが、参考までに、一八一〇年に書かれたもうひとつの恐怖小説カリカチュアをも紹介しておこう。これはやはり同時代に流行した感傷的な恋愛小説を恐怖小説に書き替える、いたって簡便な手口を公開したものである。

「家」のかわりに
　「城館」、「城塞」を、
「緑陰の園亭《あずまや》」のかわりに
　「洞穴」を、
「愛のため息」のかわりに
　「苦痛の呻き」を、
「父親」のかわりに
　「巨人」、「怪物」を、
「扇子」のかわりに
　「(血まみれの)短刀」を、
「そよふく南西風」のかわりに
　「嵐の咆哮」を、
「髯のない優男」のかわりに

「騎士」を、
「すごい眼つき」のかわりに
「暗殺者」を、
「老家僕」のかわりに
「修道僧」を、
「美辞麗句」、「情趣」のかわりに
「骸骨」、「髑髏」を、
「恋文」、「涙にぬれて」のかわりに
「血ぬられた魔法書」を、
「外国語」のかわりに
「神秘の声」を、
「あだな流し目」のかわりに
「秘密の呪咀」を、
「高利貸し」、「検事」のかわりに
「さまよう亡霊」を、
「老家政婦」のかわりに
「魔女」を、
「口づけ」のかわりに

「傷」を、
「結婚」のかわりに
「真夜中の殺人」を、

この一覧表はもちろんそのまま裏返しにもできる。さまざまの興味深い感想がここから引き出せるような気がするが、とりわけ「父親のかわりに怪物、巨人を」などという項は、裏返しにすればそのまま怪物の精神分析にも通じているはずである。要するに、文学上のロコ趣味からゴシック趣味への転換が手にとるように図解されているわけで、たとえば「高利貸し、検事のかわりにさまよう亡霊を」などというのは、わが『金色夜叉』などの硯友社によった小説から泉鏡花の幻想的怪異小説への推移と転回をじつに鮮やかに説明してくれる公式とさえいえそうではないか。

いずれにせよ西欧近代文学において十八世紀中葉頃、美意識のある決定的な転換がおこなわれたのであった。一言にしていえば、これまで美を形成すべき感情としては下位に貶《おと》しめられていた「恐怖」が、突然、美の不可欠の要素として舞台前面に登場してきたのである。恐怖としての美、戦慄美、美しき戦慄が、穏やかな中庸の美にかわって主役を演ずることになる。こうした消息を総括的に厳正な美学的体系にまで形成して、高度の文学的流派をなさしめたのは、ややのちの十九世紀ロマン派文学であったが、さしあたりはウォルポールやマシュー・G・ルイス（『修道僧』一七九七年）を筆頭とする、多少とも通俗的なゴシック小説の大家と亜流たちによって旗上げがおこなわれた。ロマン派による恐怖美の確認について語った文章のなかで、黒いロマン派の研究家マリオ・プラーツはいっている、「コリンズの『恐怖へのオード』と、中世の狂熱的な崇拝者たるウォルポールが書いた『オトラント城綺譚』が、この新しい感情の奔出の出発点に立っている」と。そこで、さしあたりこの原点からはじめることにしよう。

一七六〇年代のある真夏の夜、ストローベリー・ヒルの疑似ゴシック風の城館で、ホレス・ウォルポールは就眠中に奇怪な夢を見た。夢のなかで彼は、階段の昇り口の手すりの上に中世騎士の甲冑を装具した巨大な腕を見たのである。いうまでもなく、この夢が『オトラント城綺譚』の構想の核心に導入され、以後の恐怖小説の里程標を形作る文学的実験のために神秘の扉を開いたのであった。

「ゴシック」という言葉は、ウォルポールの『オトラント城綺譚』以後、完全に装いをあらたにした。時代遅れの中世的様式をあらわしていたこの語は、突如として賤称から敬重すべき呼称へと変容してしまったのだ。「《ゴシック》とは、ウォルポールにとって、迷信と教権支配のさなかに埋没していた蒙昧なる中世であったばかりではなくて、騎士道と十字軍のヒロイズムの謂でもあったのである」（E・リーヴィス）。

鼻祖ウォルポールにとってはたしかにその通りであった。しかしウォルポールが中世的雰囲気を再現するためにしきりに援用した、幻影城とか、地下の牢獄とか、孤塔とか、甲冑の騎士とか、さらには黒魔術とか――総じて時代錯誤的なものものしい背景や小道具は、一般の市民的読者にとっては、別に中世の栄耀へと夢幻的に復帰するよすがとなる秘密の間道である必要はなくて、たんに物珍しい、超自然的な現象にほかならなかった。驚異を好む読者の好尚に投ずるために、亜流のゴシック小説作者たちがいたずらにこのジャンルの幻影的な側面ばかりを誇張し、そのために中世本来の香り高いロマンツェの色どりを消失せしめていったのも、当然といえば当然であろう。こうしてゴシック小説そのものもまた、「中世」とは本質的にはなんの関係もない、いたずらにグロテスクなもの、超自然的・超人間的なもの、幻影・亡霊的なものの同義語と堕しさっていく。

ゴシック小説の遺産はその後二分された。すなわち、一方ではロマン派文学に吸収され、他面では探偵小説のなかに活路を見出したのである。後者については、ここに、現代ドイツの哲学者エルンスト・ブロッホの『探偵小説の哲学的考察』というエッセイのなかのユニークな分析があるので、以下に引用しておこう。

「……年毎の大市のモリタートや、その絵や歌にいたるまで、極彩色の犯罪画へのプリミティヴな興味に変わりはなかった。セネカを範として、血腥《ちなまぐさ》いバロック演劇の余勢は、家具としての毒薬や短刀とともになお維持されていたし、さらにまたこれより新式の恐怖小説というお愉《たの》しみは、一七六四年のウォルポールの『オトラント城綺譚』を筆頭として、多感な感性のもうひとつの側面としての徴候を垣間見せていた。銀の月のかわりには嵐の雄たけび、なげきぶしのかわりには身の毛もよだつ戦慄があり、大安売りのオシアン風（三世紀頃の古代ケルトの伝説的詩人）の雰囲気や、反面またいまなお探偵小説にははなだ似つかわしいものとなっている、例の雨の夜とかイングランドの嵐とかいった書割りまでこと欠かない。幽霊こそ出なくなったものの、探偵小説は恐怖小説からその廃屋や隠し扉をいろどっている色彩を借用し、これが時代遅れともなれば、波止場やイースト・エンドや点滅する灯などのための色彩さえ借りてきている。」

十八世紀のパロディストと口裏を合わせたように、この現代のマルクス主義哲学者が「銀の月のかわりに嵐の雄たけび、なげきぶしのかわりには身の毛もよだつ戦慄」などと揶揄しているところも大変興味深いが、論旨としてはむしろ古代の残酷劇（セネカ）からバロック演劇をへて、ゴシック小説―探偵小説とつづく、恐怖美の系譜を簡明に指摘していることの方が重要であろう。恐怖美の頽落、もしくは大衆化のこの経路は、今日マリオ・プラーツやG・R・ホッケやマリアンネ・タールマンなどによってもひとしく確認されている。

古典古代文学にまで遡る余裕は目下のところない。だが、十六、十七世紀マニエリスム文学に猖獗《しょうけつ》した恐怖美と十八世紀以降のそれとの対応については、簡単にもせよふれておく必要があろう。十六世紀末にはじまるマニエリスム文学もたしかにサディズムと恐怖美の追究に寧日《ねいじつ》なきもののような観を呈していた。たとえばあのプレイヤードの優美な詩人ロンサールでさえ、アリオストの『狂えるローラン』の旅人を捕えてその肉や皮をずたずたに引き裂く巨人の描写に暗示を受けて、『ポルックスとカストールの頌詩』のなかで巨人アミクスの洞穴の場景を次のように描写している。

彼は巨岩の下に深き洞窟を住家となせり、
そは太陽の美しき光も立ち入らぬところ、
洞窟の表には屠殺されし者の臓物の、
腐れたる死者の骸骨の悪臭ただよい、
此処には脚の骨、かしこには腕の骨、
入り乱れて堆高く白みたり、
その嫌うべき戸口の天頂には、
これ見よがしにつぎつぎに、鮮血したたる、
なめらかな細糸に吊り下げた、
屠られた旅人たちの死の脱け殻が掛り、
怖ろしきかな！　打ち砕かれた肉体の脱け殻の、
見るも痛ましい傷口からねばつく脳漿をふりまいている。

おなじく同時代イタリアの魔術的言語を駆使した詩人ジャムバッティスタ・マリノの『無《む》辜《こ》の殺戮』の死の宮殿の描写も悽惨をきわめている。

「四壁は点々と血に汚され、切断された首やばらばらにした肢体にすっかり覆われている……仕切り壁にはおびただしい拷問具が吊り下がっている。車輪、鎖、絞首台、槍、薪、釘、鉞《まさかり》、血まみれの包丁……この酸鼻の家は、陰惨な樹々がその不吉な影をひろげている木立ちに囲繞されている。その植物の一本一本はひとつの病いであり、花の一基はそれぞれが毒

だ。凪はため息、水は涙……」

右の例は詩作品から採ったものであるが、この時代、大衆的な規模において恐怖と残酷を展示したのは、いうまでもなく主として劇場であった。『マニエリスム絵画』の著者ジャック・ブースケは、詩、絵画、演劇の諸分野にわたるこの時代の恐怖芸術の数々をおびただしく蒐集しているが、それによるとイタリアではJ・B・ジラルディが、イギリスではシェークスピアを筆頭とするエリザベス王朝劇作家たちが、ドイツではグリフィウスが、競って拷問と流血の見世場をこれでもかこれでもかとばかり開陳してみせたのだった。有名なシェークスピアの『タイタス・アンドロニカス』では、兄弟が二人して若い身持ちのよい娘ラヴィニアを襲って強姦し、ことが露見するのをおそれて娘の舌を抜き、字が書けないようにと両腕を切断してしまう。だが、豈計《あにはか》らんや、ラヴィニアは舌のない口に鉄筆をくわえて砂の上に暴漢たちの名を書き残す。ことの次第を悟ったラヴィニアの父親は、復讐の鬼と化して二人の犯人を惨殺し、屍体をコマ切れにして肉パイを作り、それを兄弟の母親に食わせるのである。

シェークスピアとほぼ同時代にイタリアで活躍していた物語作者イル・ラスカの小説『残虐物語』のなかにもすさまじいエピソードが語られている。先妻との間にできた青年の息子と若い後妻との密通の現場を押えた父親が、激怒のあまりその邪《よこ》しまな寝台の上で即座に二人の眼をえぐりとり、舌を殺《そ》ぎ、両手と両足を切断してしまう。かくて芋虫のようなグロテスクな肉の塊となった恋人たちは、父親の去っていった後、血の海のなかでたがいに息も絶えだえに、胴体だけをじりじりと動かしながら相手を求め合う。

ここまでくるともはや恐怖や残虐をそれ自体として記録しているというよりは、なにかしら淫蕩な底意のようなものが執拗に作者たちをつき動かしていたのではあるまいか、という疑惑を抑えることができない。いや、あきらかに恐怖は倒錯的快楽の口実として提示されているのである。より正確には、恐怖と快楽とがたがいに厳然と区別され、相互に排斥し合う感情ではなくて、隠密裡に通底し、ときとして交換可能な姉妹であることの秘密が、すでにマニエリスム期の大心理家たちによってくまなく探究されていた、というべきなのであろう。ジャン・ブースケは、この時代特有の怖ろしい、醜悪な、いとわしい限りの形象が、「官能への執着と無縁ではなく」、のみならず「残酷やサディズムと同様に、新しい感覚を体験し、よしそれが忌わしい限りの対象によるものであろうと、あらゆる代価を払って感官を興奮させようとする要求に呼応するものであった」ことを指摘している。いみじくも後にノヴァーリスが定義したように、「奇妙なことに、残酷の本来の基盤は官能的悦楽にある」のである。

同じ消息を、マリオ・プラーツは、（ロマン派詩人たちがその名を神格化し、さらにモーリス・バレスが「罪を歌った最大の詩人」と名づけた）十七世紀詩人トルカート・タッソーを例にとって見事に解明している。

「タッソーの時代は、事実、殉教の美を礼讃し、教会の祭壇を血に渇いた絵画で飾った、あの反宗教改革期の精神に満されていた。だがタッソーの詩が、美が死と融け合う場面にその頂点を届かせているのはいわれのないことではない。タッソーの眼にもまた、苦痛こそが美を洗練し、殉教によって美に激情的な表現を籍しあたえるように思われたのだ」(『愛と死と悪魔』)。
タッソーの登場人物オリンドオは恋人ソフロニアとともに火刑台の上に立たせられるが、末期に際して、おのが信仰に殉じて処刑される高邁にして純潔なこの殉教の徒は、わずかに角度を変えてみれば、その貞潔な信仰とはおよそ相容れないとさえ見える燃えるような愛と快楽の言葉をつぎつぎに口にするのである。オリンドオの傍らには白い腕を鉄鎖にいましめられながら愛する男を苦悩に満ちた眼差しで眺めやっているソフロニアが、彼女を押えつける死刑吏の腕の下でますます美しくなりまさり、ますます欲望を唆る姿態をのけぞらせる。死さえもが、ではない――死こそが二人の愛に戦慄という新たな刺激を授けているかのようである。

おお、わが死よ、たぐいなき欲望《のぞみ》よ!
おお、甘美《あま》き死刑吏! かくも歓びを授け給う苦悩よ!
いましわが口を汝《な》が口につけ、
汝が胸に最後の吐息を吐き出すことを
許されしかば……

いみじくもJ・ブースケが当時の殉教画(フランチェスコ・フリーニ作『若き殉教の女』)についていった言葉が、タッソーの作中人物についてもいえるだろう。――「この柔肌をむき出しにすることがどうあっても必要だったろうか? 宗教はこれらの作品にあっては、サデイスティックな見世物の口実にほかならず、サディズムそれ自身は肉欲の口実にほかならないように思える。」

マリオ・プラーツは、より直截にタッソーにおける屍体愛好癖《ネクロフィリア》について語っている。死がエロティシズムと結びつき、屍体と苦痛、拷問具と殺戮行為が性愛の対象となる。恐怖と美とが「相反するものの合一」をなしとげた消息と軌を一にしつつ、この時代ほど畸型や汚辱への好みが公然と歓ばしげに語られたこともなかった。

先にもふれたように、精神史的には、死と愛の密通や恐怖美への右のような好尚は、十六世紀マニエリスム期から十八世紀末の通俗ゴシック小説隆盛時代へと受け継がれたが、ほどなくしてパロディストたちに軽蔑されたような俗悪きわまる怪奇趣味のいたずらな誇張に終わった。同時にしかし、「良質な恐怖作家たちはいくつかの本質的なモチーフをロマン派に遺した」のであり、「ゴシック・ロマンスの題材、文体、精神、その形象、テーマ、登場人物の性格、ならびに背景は、粗放な外皮を脱ぎすてたあと、ロマン派文学のより洗練された要素としてふたたび浮び上がってきた」（E・リーヴィス）。

面白いことに、通俗恐怖小説が「粗放な外皮」を脱ぎすてて、より洗練されたロマン派文学へと錬金術的に精錬されていくこのプロセスは、ロマン派詩人たちの幼時期の読書体験を触媒にしていたのである。十八世紀末、ドイツにおいても騎士、盗賊、幽霊などを主題にした一連の通俗小説が流行した。『近代娯楽小説の生成』の著者マルチン・グライナーによれば、これは相対的安定期に入ったブルジョア社会への一種の反動現象で、「平板な日常性との対話において、幽霊小説の不羈奔放な空想が非現実的・亡霊的な世界に突入し、フランス革命前後の数年の社会革命的騒乱との対比において、騎士小説が大天才の身振りをまじえつつも未来に向かって前進するかわりに過去に向かって退行した」ことの当然の所産であった。問題はこれらの通俗小説がロマン派の旗手たる「ヴァッケンローダーとティークにはじまってE・T・A・ホフマンにいたる幼年時代に……むさぼり読まれた」（M・タールマン）ことである。

マニエリスム期の恐怖文学はかくて各世代の幼年時の読者体験を通じて継承される。マリアンネ・タールマンも指摘しているように、「一五四〇年―一六六〇年の間にも、ホッケが通俗マニエリスムと名づけた恐怖文学が存在した。（十八世紀通俗小説の）この新たな通俗マニエリスムの裡にも、啓蒙主義者にも驚異探究家にも、各人の趣味に合致するような何物かがひそんでいる」この何物かとは、要するに、迷宮、地下世界、社会の隠された暗黒面などにたいする「怖いもの見たさ」の衝動を――すなわち恐怖嗜好をさしているといってしかるべきだろう。

いずれにせよ騎士小説が「過去に向かって退行した」ように、ロマン派文学とその読者が発見したのは失われた過去の世界、廃墟や忘れられた神話・伝承の背景であった。ゴシック小説そのものも十八世紀中葉頃につぎつぎに発掘された神話や迷信、民謡や儀式に関する実証的研究の刺激に俟《ま》つところが大であった。ロマン派詩人たちの失われた民話やとりわけ「廃墟」にたいするまさに屍体愛好癖的な興味についてはいうまでもない。ついでながら恐怖美がふたたびめざましい関心の的となるサンボリスム文学運動の同時代も、シュリーマンのトロイ発掘をはじめとする遺跡発掘が相いついでおこなわれた時代であった。

一般に、こうした遺跡や死滅した文化財の再発見は、ヨーロッパにおのれ自身の知られざる貌《かお》をあらためて認知させた。そして当然のことながら自身の属する文明のあまりにも狭隘な限界に気づき、自身が滑稽にも相対化される危険に直面する。ヨーロッパ自身の知られざる過去、植民地征服によって知られはじめたアジア・アフリカの異種文化が、ようやく停滞期に入った市民社会を十重二十重に囲み、その未知の闇から機さえあれば嬉々として悪鬼のようになだれ込んでこようと隙を窺っている無気味な気配にいまにして慄然とするのである。植民地獲得による空間意識の拡大や学問的業績（たとえば考古学や遺跡発掘）のような文明の「進歩」そのものが自らの死をいよいよ明確に指し示すことになるという背理が、まごうかたない宿命と化したのである。ヨーロッパ市民社会という一個の個体が限界の消滅によってまさにおのれ自身の虚無に直面する。

しかしまさに内的解体のこの危機の瞬間に、これまで相互に隔離されていた諸価値が限界を解消されて結びつき合い、恐怖と美、官能的悦楽と残酷がかつてない相愛関係に入るのだ。この異種混淆のバルサムとなるのは、周知のようにロマンチック・アイロニーである。たとえばノヴァーリスがつぎのようにいうとき、ロマンチック・アイロニーの極点において、官能的悦楽や残酷のような低質の価値から聖なるものを再建しようとする、詩人の壮大な企図が流露するさまに私たちは立ち合うだろう。

「奇妙なことに、近年において、肉欲と宗教と残酷の結びつきは、これらのものが内的親近関係を有し且つ通有の傾向を有していることを、人びとをして気づかせしめたのである。」

このアイロニカルな肉欲と宗教と残酷の循環は、近代以降の恐怖文学をことごとく呪縛している。かりにジャンルとしての衰弱が、恐怖小説を、一面、見るも無惨な痴呆的白痴夢にまで堕さしめるとしても、一面ではその頽廃の底で同時代の子供たちの幼時体験に接合され、次代の詩人たちの夢の形式を深層的に決定することが絶無ではないという次第は前にも述べた。アイロニーはここにもあるというべきだろう。

ゴシックの炎

紀田順一郎

作家として唯一の栄誉は、〈最後の作家〉として死ぬことである。彼の死にあたっては、ひとつの思想が消滅したという悼辞《とうじ》がいっさいの償いとなるであろう。しかし、没人格的でないすべての作家の死は程度の差こそあれ、それによってすくなくとも個々の「文章表現というささやかな神秘」（M・ブランショ）だけは消滅することになる。ひとつの声が口をつぐむということは、必ずしもむずかしいことではない。彼の死は、ただちに彼を過去の深みへ送りかえすのである。

これに反して〈最初の作家〉は、送りかえさるべき安息所をもたない。彼の死体はむらがるエピゴーネンと史家の要請により掘り起こされ、洗いなおされ、現在と未来の錯綜した時間の中で解体を余儀なくされる。ひとつの声はさまざまの奇想異風な倍音効果を伴って増幅され、すでに他の章に属したがっている彼に絶えず世俗的な呼び出しの声がかけられる。かつて彼の好尚をみたす手段《ルスルス》にすぎなかったテーマは、いまや彼につづく作家にとってふだんに涸れることのない源泉《ススル》である。おそらく彼は自らが発見したジャンルが、汲みつくしがたき生命力をもったものであることを意識していない。これは彼にとってみれば、迷惑なる逆説であるかもしれない。なぜなら、そのことは彼の天才よりも、多く凡庸を立証することになるからだ。後継者をもたぬ独創性のゆえに彼は価値あるのではなく、よりすぐれた追随者をもった凡庸性のゆえに、彼は文学史の片隅に居心地のわるい座を占めることになる。——このような例をわれわれは、ホレス・ウォルポールという作家において、典型的に見出すことができる。

＊

交叉穹窿《グロイン・ヴォールト》の形づくる神秘的な稜線、飛梁《フライング・バットレス》の生みだす律動的な軽快さ、巨大で繊細な複合柱が粛然とそそりたち、末は分岐してほのぐらい穹窿の翳に消え去る。玻璃窓には聖人が彩りゆたかな沈黙を凍結している。アントニー・ア・ウッド、トマス・ハーンら古物愛好家を魅惑したのは、このようなゴシック建築のもたらす中世の暗鬱なイメージであった。トマス・グレイ、ロバート・ブレア、ダビッド・マレットらいわゆる墓畔詩人たちは、その数百年前のはるかな空気のなごりを、辺地の苔むした修道院や廃墟の崩れた壁の中に見出し、讃美した。これは、すくなくともゴシック建築を野蛮かつ醜悪としかみなかった同時代（十八世紀初頭、アン女王時代）のイギリス人の一般の水準よりすれば、かなり異質で大胆な感情的発露であった。

バロックの立体的な流動感、ロココの洗練された絵画的な美を見なれた者には、中世の信仰がそこに超自然空間への無限の解放を求めたゴシック特有の高く鋭い稜線も、細長い窓も、柱を飾る彫像も、うねくった装飾も、すべて「昔の人々が思慮ぶかく巧みに定着させた気高さと荘厳さを失い、豪放かつ優美な感覚を喪失している」（クリストファー・レン）と映らざるをえなかった。

しかし、すべての感覚が、同時代の閉ざされた空間に安住することはない。悪しき空間は、一方では好ましい自由と静謐を保証する内的空間となりうる。グレイと親交のあったウォルポールが一七三九年の仏伊旅行で見出したものは、古城や廃墟の暗い中世的な情緒であり、ノートルダムの穹窿脚台《ピュドロア》の立像が表現する変化に富んだ造型美であり、聖《サンタ》マリア・ノヴェルラや聖クローチェの壮大華麗な無限空間の表現であった。彼の眼は開かれた世界を見た。自分自身の広がりが、これらの暗い回廊や幻想的な礼拝堂や、構造を無視した神秘的な鐘楼のたたずまいの中に息づいているのを知った。

ここから何が起こるだろう？　すでにゴシック趣味は好事家や墓畔詩人の専有たることをやめ、公共建築のある部分や富豪の邸宅の意匠に使用される段階にきていた。宰相でのちのオーフォード卿は、息子のホレスにかなりの財産をのこしていた。それは、人が魅せられた表象を再現し所有するに十分とはいえぬまでも、ひと通りの満足は期待しうる額であった。ホレスがテムズ河を広々と見わたす農場ストロベリヒルを購い、その地に自己の奔放なユートピアを再現しようとするのに、なんの障害もなかった。

ただし、ホレスはゴシックの真摯な研究家というよりも、耽溺者《アディクト》にすぎなかった。彼にとってゴシックは建築の技術でなく、オブジェにすぎなかった。中世の終末観にかかわる造型としてのゴシックは、度外れな趣味家の道楽のまえに表現的なモチーフのグロテスクな組み合わせとしてのみ理解されることになった。したがって穹窿《グロイン》や階段の雷文模様《フレットワーク》をつくる費用が欠けているのを知ったとき、彼は躊躇することなくそれを壁紙に描かせ、石膏壁の上に貼らせた。銃眼つきの城壁を再現するためには、それらしきものを描かせたボール紙を外壁に釘づけさせた。「ホリーは城壁より長生きするだろう」とは、当時社交界で流行した毒舌のひとつであったのだ。

珍籍を一堂に蒐めた図書館のほか、食堂、画廊、柱塔、大廊下を含むこの奇怪な迷路体系が完成したのは二十一年後である。各部分の様式は、そのつどウォルポールまたは友人の好みにしたがって恣意的に決定された。ステンド・グラスが輸入され、壁龕《へきがん》には鎖帷子《かたびら》や犀皮の楯、段平《だんぴら》、箙《えびら》、長弓のたぐいが所狭しと配列された。これらのいっさいはゴシック精神への回帰ではなく、十八世紀人の考えたゴシック的情緒の一表現にすぎなかったが、むしろそれゆえにこそ同時代大衆の否定的なゴシックのイメージを積極的なものに転換する機縁をつくったといえる。古怪で浪漫的な、すこしばかり頽廃的で感傷的な、しかしきわめて興味ぶかい様式というわけだ。かくてゴシックの十八世紀的、世俗的解釈――〈ゴシック趣味〉は確立する。

イメージの猟人は、いまや自ら紡ぎだしたイメージに自足する王侯となって現われる。彼にはすべてが可能だ。神話をつくることすらも。事実、彼はそれをつくった。創出というより、ゴシックの濃密な空気が彼をして一種の待命状態に置かしめ、霊感による自動記述の機会をあたえたのである。

「七月のはじめ、ある朝わたしは夢からさめました。記憶しているかぎりでは（ゴシックの物語で充満しているわたしの頭脳にふさわしく）、夢の中でわたしは古城の中におり、大階段のてっぺんの柱から甲冑の中に巨大な手がのぞいているのを見たように思います。その夕方から、わたしは机に向かって書きはじめました。何を語ろうとするのか、自分自身でもわかりませんでした。しかし仕事は捗《はかど》り、私は自分の物語に熱中したので、仕上げるのに二カ月とはかからなかったようです。ある晩などは六時ごろ茶の時間に書きはじめ、夜中の一時半をすぎて指が疲れ、ペンを持っていられなくなるまで続けたことさえありましたが、そうしてからもマチルダやイサベラが行間から語りかけてくるような気がしました」（牧師ウィリアム・コールへの書簡）。このディレッタントは、自分が作家であることを発見したのである。

ともあれ、耳を傾けるに価する一個の新しい神話であった。それはかくも容易に、さしたる才能に訴えることもなく、ゴシックの魔神が支配する夢の圏内で成就された。ボール紙と石膏で固めた安ピカのオブジェを介して、彼は豊饒な源泉へと接近したのだ。

＊

今日の眼からは、にわかに理解しがたいことではあるが、『オトラント城綺譚』（一七六四年）は単に時代の諸問題にかかわることのない一ブルジョアジーの道楽によって、知的なペダンチックな方法により構成された戯作というのではなく、その動機からしても現実的効果からしても、明白にひとつの反時代的精神の産物であった。このことはなによりも十八世紀という時代を考えて見ればよい。ルソーやヴォルテールは、ウォルポールの同時代人であった。彼ら啓蒙運動の旗手が掲げる合理主義は、ようやく精神文化の全領域を支配しつつあった。その影響のもとに生まれたといわれるフランス革命は、『オトラント城綺譚』の出現後二十五年目に起こっている。「合理主義と写実主義の行きすぎに対する反逆として、ゴシック・ロマンスは発生した。過度の正確さと抑制とによって、人々はそれに見あう自由を欲求するにいたったのだ」（D・スカボロー『近代英国小説における超自然性』一九一七年）。

合理精神の普及が、かかる荒唐無稽な恐怖物語を受容する環境をも一変しなかったかどうかという疑問もわくが、事実は逆であった。啓蒙思想の必要なることじたい、この世紀がなお前近代的世界であることを示すものであった。当時の最先進国イングランドが、その利益の大半を奴隷売買によってあげていたという時代である。宗教的、伝統的生活の領域にも、未開は色濃い翳《かげ》をおとしていた。超自然現象は一般に広く信じられ、怪異を扱った民話や伝説のたぐいが数多く残存していた。

「ひとつには、当時の人々は暇をもてあましていたのである。あかあかと燃えさかる暖炉の炎が、こうした話の受けうりに絶好の舞台を提供した。それは現代のスチーム暖房などが及ぶべくもない効果を発揮した。十八世紀人は恐怖を愉悦するのに率直であったし、ゴシック小説はこの恐怖と怪異に対する自然の愛好癖を解き放った」(同上)。天才ではない彼らの作品は、後代の読者はともかく、すくなくとも同時代の読者には保証されたのである。

個性の放恣な追求がそのまま社会的身ぶりとなる事情は、ウォルポールよりもむしろ『ヴァセック』の作者ウイリアム・ベックフォードによって明白に示される。彼のオリエント趣味より発したこの作品は『オトラント城綺譚』に八年遅れて執筆されたが、一見グロテスクな狂文《エクストラヴァガンザ》に芸術的価値を投影しているのは、現実に人妻との不倫の恋によって反社会的立場に追いつめられた作者自身の苦悩なのである。小説の主人公ヴァセックとヌーローハールの運命は、そのままベックフォードと彼の従兄の妻ルイザ・ピットリヴァースの運命を象徴しているのであるが、作者の意図に反してゴシック趣味の一変種と受けとられ、彼の嫌悪する世俗の読者に迎えられた。晩年彼は巨万の財産を費してフォントヒルにゴシック風の僧院を建造したが、それがウォルポールの場合より更に大規模なものであったことは、なにも巨万の富のゆえばかりではあるまい。一世から指弾された彼は、その代償としてストロベリヒルを凌駕する常規の逸脱を必要としたのである。しかし、人工的荒廃の洗練された模範例をめざし、造型的価値よりも絵画的、情緒的効果をねらった点で、彼の道楽はウォルポールのそれと一卵性双生児の関係にある。

建築にせよ小説にせよ、彼らにとってゴシック的世界の創出は、おのれという異端の生の主張であり、存在証明であった。しかし、後継者たちは必ずしも同一の契機によってゴシック・ロマンスを書いたのではない。すでにゴシック趣味は時代の本能と結びついた暗い部分とかかわっていた。ごく些細な動機さえあれば、作家たちがこれら共通語を学びとり、表現に高めることができた。『ユドルフォの秘密』の作者アン・ラドクリフは、ジャーナリストである夫の帰宅までの時間をもてあまし、小説に筆を染めた。幽霊物語の執筆は、ほかならぬ彼女自身の恐怖を中和するものであった。『老男爵』のクララ・リーヴは、『オトラント城綺譚』に刺激され、よりリアリスティックな幽霊の創出をめざしたものであるし、M・G・ルイスは、ウォルポール、ラドクリフ、それにシラーの『群盗』に影響されて『マンク』を書いた。こえて十九世紀にはいると、ジョン・ポリドリはジュネーヴのバイロンの別荘において、バイロンの示唆によって『吸血鬼』を仕上げたし、彼らとともに幽霊物語の語らいに熱中していたメアリ・シェリーは、一夜の夢をヒントに『フランケンシュタイン』を創造した。これはやはり『オトラント城綺譚』が作者の夢をもとに作られた事情に照応する。

＊

ゴシック・ロマンスが、とりわけその初期においてはきわめて標準化しやすいモチーフを持っていたことは、ラドクリフやルイスのような文学上の素人にも容易に模倣が可能であった理由である。神秘、幽暗、恐怖の場としてのゴシックの城には、いたるところに秘密の通路、地下の納骨場、落とし戸などがあり、黴《かび》くさい鐘塔、仄暗い蠟燭の揺らめく礼拝堂、そこにたちこめる乳香、没薬《もつやく》の香り、薄幸の美女が幽閉される土牢、黒き水松《いちい》の枝陰に梟《ふくろう》のひそむ深夜の墓場、蝮《まむし》が子を産む夜の森といった趣向が配されることによって、独自の恐怖のパターンが完成する。ラドクリフの描いた城や僧院、館の内部をのぞいてみると、壁には朽ちかけたタペストリーがかかり、歳月の重みにひしがれた家具には部厚い埃が堆積し、黒い羅紗の緞帳が怪しい風にはためいている。いまにも崩れそうな階段が秘密の部屋に通じ、納骨所を開く鍵の音が黒大理石の広間に恐ろしい谺《こだま》をつたえる。『城のロマンス』のヒロインはいう。「わたしがこのゴシック風の門をくぐったとき、一陣の冷たい風がなにかの予感のように私の血を凍らせ、胸をしめつけたので、ほとんど息がつまりそうだった。」

Ｔ・Ｊ・ホースリー＝カーティスの『聖オズワイス僧院の古記録』の舞台は、「何千もの迷信ぶかい恐怖と、ぞっとするような想像上の妖怪が巣食っているような、じめじめした暗い広間」である。マチューリンの『メルモス』の背景は多彩であるが、「悪魔的な刑罰の行なわれている僧院、真夜中に死んだ僧侶が司祭として結婚式をあげている修道院、狂人の住む家、宗教裁判所」などが現われる。ディカー夫人の『ゾフロイヤ』はシェリーの『ザストロッツィ』の母胎となった作品だが、ここでは地下の洞窟に幽閉されている処女がヒロインである。

これらの作家たちが開拓したさまざまの超自然的効果《スーパーナチュラル・エフェクト》は、なにもゴシック的な景物に限定されるものではない。第一に幽霊そのもののタイプにしても、登場人物のいずれもが眼にしうる明白なる幽霊や、病的な興奮や良心の傷みによって生ずるような想像上の亡霊などのほか、たちの悪い冗談としての幽霊すらも考案された。また、ある幽霊は人が呼んだ時にのみ現われ、あるものは自分自身の意思によって出没する。一定の居処をもち、特定の家にのみ憑く亡霊、所を選ばず彷徨するもの、殺害されたときの状況を暴露するために現われるもの、逆に自らの罪を告白するために出現するものもある。かと思えば、祈りに敗れ去る幽鬼もあれば、悪魔祓いの式に対抗する妖魔もある。これらのなかでも『オトラント』に登場する甲冑をまとった巨人の亡霊は、ゴシック建築の指向した無限大の結構にふさわしく、他の作者の思い及ばぬ独創性をもっている。クララ・リーヴの『老男爵』の亡霊は、承認されぬ世継ぎの息子が正当に領地を得て結婚すると消滅する点で『オトラント』の亡霊と同類であるが、巨人でないため印象が薄い。ラドクリフの『ブロンドビルのガストン』に登場する騎士の亡霊は、馬上試合に出場して仇敵を打ち倒すという役で、より行動的な性格をもっている。

幽霊ほどではないが、魔女や妖術師もすでにゴシック・ロマンスの重要なバイプレイヤーとなっている。『メルモス』では、奇怪な超能力をもった女医者が登場するし、同じ作者の『ビゲン派』には、『マクベス』もどきの三人の魔女が出現する。『マンク』のマチルダは魔女的な能力を発揮して主人公の僧侶を誘惑するし、『ヴァセック』のカラシスは全能の巫女である。ホッグの『エイルドンの狩り』には数人の魔女や妖術師が現われ、最後には捕えられて洗礼か火刑かの二者択一を迫られるが、絶叫とともに聖水をはねのけて火中に投ぜられる。

　悪魔が人の形をとって現われるという着想も、ゴシックの常套手段である。彼らはダンテやミルトンの悪魔よりも、カルデロンの魔術師やマーローのフォースタス博士の親類である。ふだん幽霊ほど戦慄的ではないが、機会を得ると畏怖すべき正体をあらわにする。『エイルドンの狩り』の悪魔は異国の老人の姿をとって現われ、王以下だれにも気易く接近するが、最後に見破られて聖水をかけられる。「怪物の全身と形相はたちまち恐ろしい魔物に一変した。彼は寺院を土台からゆるがすような鋭い叫び声をあげながら、炎につつまれて宙にはねあがると、審問の場に右手を振り、燃えさかる頭をぐらぐらさせながら昇天していった。」

　人間以外の生物が超自然を体現するという趣向も、ゴシック得意の手法である。けものは人間よりも物《もの》の怪《け》の存在に敏感であるから、家で飼われているペットが恐怖の表情を示すことによって、幽霊の登場が予告される。犬は鋭い嗅覚によって怪しいものの接近を知り、鴉《からす》は邪悪なる力の存在を指し示す。人狼もこの種のテーマに含めるとすれば、マチューリンの『ビゲン派』に登場する美しい女の夫においてはじめて姿を現わす。この小説にはまた、自身を猿と信じこんでいる狼つき《ライカンスロープ》の例が示されている。

　さらに怪異を強調するために典型的な小道具を駆使する技法も発達した。『オトラント』には、恐怖のシーンになると重々しい音をたてる甲冑や、人間を圧しつぶすほどの巨大な剣が黙示録のように登場する。壁から抜けだす肖像画という趣向も多い。『メルモス』の肖像画は炎にくべられると、身悶えしながら額縁から抜けだす。肖像画のある部屋の鍵は、まるで死者の叫びのような無気味な音を発する。このほか遠く離れた場所や未来を写す鏡やガラス球、象形文字を解読可能とする魔法の剣などもある。

ゴシックはまた、錬金術、占星術、催眠術、腹話術などの超自然科学が頻繁に登場する。『ヴァセック』の母親は富裕な市民を絞殺して解剖し、臓物を蛇の油で煮つめて特効薬をこしらえる。その息子は占星術や錬金術、魔術などを研究し、飲むと一時死んだようになる薬を用いる。これは『ロミオとジュリエット』に先駆があり、のちに『マンク』に模倣された。ディカー夫人の『ゾフロイヤ』に現われるムーア人は、惚れ薬や気狂い薬を調合する。この薬を飲んでしまったある男は、魔女を愛人とまちがえて結婚し、真相を知って自殺をはかる。メアリ・シェリーが『フランケンシュタイン』を創造する裏付けに用いたのは、超自然的な生物学であった。腹話術はチャールズ・ブロックデン・ブラウンの『ウィーランド』において活用され、夢遊病者は同じ著者の『アーサー・マービン』の中で、催眠術は『ゾフロイヤ』においてそれぞれ効果的に使用されている。

二十世紀の恐怖小説が武器とする精神異常、錯乱のたぐいもすでにゴシックに現われている。チャールズ・ルーカスの『ケイスネスの城』では、誤って人を殺した男が悔恨のあまり発狂し、牢獄の壁に頭を打ちつけて死ぬ。ホースリー＝カーティスの『エセルウィナ』には、娘を卑劣漢に売りとばして死に至らしめた父親がその亡霊に悩まされ、ついに狂人になる場面がある。『メルモス』では結婚式の当日、花嫁を殺された男が精神に異常をきたす。精神病院を最初に取りあつかったのもマチューリンである。しかし、この分野を拡大したのは『エドガー・ハントリー』において殺人狂を描いたブロックデン・ブラウンであろう。彼の『ウィーランド』には、悪魔的な腹話術に長じた狂信家が現われる。サイコロジカルな恐怖というものを、彼は初期のゴシック作家よりもよく知っていた。

プロットの重視から、伏線の置き方もゴシックにおいて発達した。ラドクリフの小説には、黒い緞帳《どんちょう》やアラス織りの壁掛けが「謎」を提示しているし、『森のロマンス』という作品では古文書が読者の興味をひきつける。音楽の利用もこの範疇に含めるとすれば、ハープ、フルート、ヴァイオリン、人声《ヴォーカル》などが怪異の存在を予告し、沈黙以上の恐怖感をもりあげる。

これらゴシックのモチーフは、厳密にいえばすべてが独創ではない。前代までの劇曲や民話、伝承のたぐいが粉本となっている場合が多い。むしろゴシックのモチーフは、これら文化的、土着的遺産の豊饒さに根ざし、それを貪婪《どんらん》にとりこむことにより、独自の効果をうみだした。そのため一面には懐古趣味に流れたが、見方によっては現実の支配的な一面を反映した文学となった。千年にわたって民衆の唯一の医者であった魔女の存在は、いまだに彼らの記憶の中に息づいていたし、中世の「死を思え《メメント・モリ》」の教義は、曖昧な死の幻像となって人々の胸に蟠《わだかま》っていた。ホイジンガは macarbre という言葉が現われたのが十四世紀であることを指摘している（『中世の秋』）が、これは幽霊に出あったときの総身に鳥肌の立つ恐怖感、冷水を浴びせられたようにぞっとするおじけ心を意味する。中世末期にひとつの時代精神とまでなったこのマカーブルの概念は、当時の修道僧たちが大衆に示そうとした死についての通俗的イメージであったが、それを宗教的教訓から引き離して文学的表現の一手段にとりいれ、生きた感情として再生したのは、やはりゴシック作家の功績といえる。

しかし、これがすべてであろうか？　おそらく彼らの最大の功績は、十八世紀末葉という薄明の時代――いまだ夜が支配的な時代――に、〈もう一つの夜〉を創り出したことにあったのではないか。いまだ解かれぬ呪いが、葬られぬ死者が、焚殺されぬ魔女が空虚な夜の中にひしめき、人々に不透明な眠りを強いていたとき、幻像への恐怖を祓い、呪縛を解き、死者を鎮《しず》め、充足した休息の夢をもってそれにかえたのではなかったか。これらの作者たちは、かつて神聖とされながら、いまは頽廃の極にうち棄てられて顧みる者もない「城」の扉を開け放ち、人々をめくるめく闇の祭典へと招きいれたのである。かくて人々は闇の庇護により夜を占有し、自ら恐怖を求め賞味する能力を発見した。

＊

人工的荒廃の表出をめざしてベックフォードがフォントヒルに建造した僧院は、二十六年後彼の財政上の理由により、三十七日間を費して家財にいたるまでのいっさいが売却された。そして建物は新しい持主の手に移って三年め、三百フィートの高さを誇る中央の塔が崩壊したのがもとで、ほとんどすべての部分は一瞬にして瓦解した。一方、かつてゴシック詣での人々を蝟集《いしゅう》せしめたストロベリヒルのオトラント城も、すでに大方の記憶から去っていた。

このことは、文学としてのゴシックの動向をも象徴するものだった。フォントヒルの僧院が売却される直前の一八二〇年、マチューリンは『放浪者メルモス』を発表してこの一派の作風を集大成し、事実上後続作品の出現を絶ったのであるが、それは必ずしも彼の意図ではなかったにしても、もはやゴシックじたいが時代の夜を指向した祖先の肉声を失い、安ピカの廃墟と化していたのである。この事態をジェーン・オースチンは、早くもラドクリフの全盛時代、『ノーザンガー寺院』において諷刺した。そこではゴシックの主要なパターンが総ざらいされてはいるが、彼女の特性たる天衣無縫の写実性によって日常の光の中にひきださされ、見せかけの神秘性を完膚なきまでに剝奪されている。舞台のゴシック僧院じたい、現代生活に適した安楽性をあたえられており、主人公に対立する父親も邪悪な存在ではなく、単にへそまがりというだけである。

ヒロインを悩ませる執念ぶかい男も、退屈で無邪気な人物に変貌している。そのヒロインからしてソネットに描かれるような楚々たる美人でもなければ、格別に教養のある女性でもない。しかも、作者の小説の流儀にしたがい両親にあてがわれた素性正しい恋人をもっており、けっして領主の未承認の跡とり息子などに煩わされることもない。

作者の最大の皮肉はヒロインが、当時のゴシック・ロマンス（マリア・レジナ・ロッシェの『クラーモント』、パーソンズ夫人の『奇怪な警告』、フランシス・レイザムの『真夜中のベル』、グロッセ侯爵の『怖ろしき秘密』等）に影響され、スリルの期待にみちてノーザンガー僧院を訪れる個所にある。怪奇の潜《ひそ》むとみえた両翼の小部屋は陽あたりのいい居間にすぎず、そこには囚われた妻もいなければ孤独の狂人も見あたらず、ましてや虐殺された尼僧の骸骨などは影も形もなかった。真夜中に黒い抽出しをあけてみると、黄色に変色した古文書がみつかり、すわこそと読もうとしたとたん蠟燭が消えてしまった。ところが翌朝調べてみると、それはむかしの召使が書きとめた洗濯のメモだったのである。また彼女が好意を抱いた青年はおあつらえむきに母親が死んでいたが、それはけっして邪悪な父親に地下牢などでいびり殺されたのではなく、胆汁症で亡くなったにすぎなかった。

この才気あふれるパロディは一七九七年、ラドクリフのゴシック『イタリア人』と同年に書かれたが、出版社は刊行をためらい、作者の死後一八一八年になってようやく刊行された。ベックフォードが僧院処分を考えだしたころである。ゴシック趣味の凋落を予言したこの先駆的作品が、ようやく人々に理解される段階に到達したのである。

夜は消え去った。しかし、その夜の底を通過した死者どもは新たな生命力を獲得し、執念ぶかい蘇りを見せていた。彼ら魑魅魍魎《ちみもうりょう》を受けいれる夜の空間は、いちじるしく拡大されていた。たとえばW・カイザーの指摘によれば、ほんらい装飾画の一様式であった「グロテスク」がその他の領域へ浸透し、概念が拡大されたのは十八世紀においてである（『グロテスクなもの』一九五七年）。グロテスクは秩序と均衡の転倒を意味し、世界の無気味な疎外を表現するための視点《トポス》となった。ここにゴシック文学が、西欧諸国一般に受容された一つの有力な背景があるが、とりわけイギリスと風土的、社会的血縁性のあるドイツにおいては、主として演劇という回路を経てこの流行がつたえられた。

　前後するが、ゴシック小説の開祖ウォルポールは、また『奇怪な母親』（一七六八年）においてゴシック演劇最初の作家となった。このジャンルはただちにジェファソン、カンバーランド、マクドナルド、クレイトヒード、ノースらの追随者を生みだし、ドイツに運命劇というジャンルを創始させ、そこから逆にルイスの『幽霊城』や『無法者アデルモーン』やジョアンナ・ベイリーの『オルラ』などこの分野の秀作に影響を及ぼしたのである。ちなみにドイツ作家の中で、小説という回路からイギリスゴシックの洗礼を受けたのはE・T・A・ホフマンで、彼の『悪魔の霊薬』にはルイスの『マンク』から得たモチーフが使用されている。英本国への影響は、主としてロマン派詩人により継承された。ワーズワース、シェリー、コールリッジ、バイロンらにうかがわれる積極的なゴシック没入の姿勢は、大部分演劇を通じて獲得されたものである。このうちスコットは『オトラント』に熱烈な序文を寄せたほど天性のゴシック主義者であり、自ら『護符』ほか数篇の小説をものした。とはいえ、彼の作品はゴシックのせまい一面を代表したにすぎない。ゴシックの研究家D・P・ヴァーマの示唆によると、スコットの作風はクララ・リーヴによって強調されたゴシック歴史小説の系譜に属するもので、そこでは史的な因縁をもった幽霊が、騎士道をバックに活躍する。さらにこの一派に並行していたのが怪奇派《スクール・オブ・テラー》と恐怖派《スクール・オブ・ホラー》であり、前者はラドクリフのように迷信的恐怖や超自然的なるものの暗示を絶えず読者にあたえて引っぱっていく正統派タイプで、後者は暴力や残虐性をプロットにした一派である。この両者はやがてマチューリンの天才により、『メルモス』の中に総括される(『ゴシック・フレーム』一九五七年)。

この系譜化を今日の小説形式より逆にたどると、第一のスコットへつながる流れは歴史、時代小説、第二の怪奇派は怪奇小説、第三のいわば煽情派はスリラー、サスペンス類に連絡する筈である。むろん、これは単なる文学史的整理にすぎない。とりわけ第二、第三の流れは、結節点にポオという作家の存在なくして、近代小説としての洗練を考えることはできないのである。

文学を階級化し、写実的な物語を最下位に、効果《エフェクト》をねらう物語を中間に、真の詩を最上位に置くべきだと信じていたポオは、その効果に情熱、恐怖、驚きなどのモチーフを採択した。もともと彼の文学理念は「快」の獲得にあり、詩は「美」によって、小説は「真」によってそれに到達すべきものであると考えていた。詩のめざす「美」が、その制約上汲みあげることのできぬ領域を小説で塡補しようという発想が、彼をして新しい小説ジャンルに赴かせる。そのさい効果は単一的、有機的でなければならない。しかも起筆から結びの一語にいたるまで、すべてはある一定の効果に奉仕するよう、古典芸術風の集中と選択の理法により慎重に構成されねばならない。——このような要求が、伝統的ゴシックの贅肉を切り捨てた短篇怪奇小説と、直観的な理知の表出をめざす推理小説とを生みだしたのである。

もっとも、そうした彼の方法論により、ゴシックの創始者がほんらい持っていたいくつかの本質的部分は消滅してしまう。時代の一面的合理思想に対する反逆、社会的、道徳的な抑制の外に奔放な自己表出を行ないたいという欲求である。この面をゴシックと類縁性の濃いカテゴリーの中で継承したのが、ユイスマンスである。彼の存在がデカダンスと象徴派運動に力をあたえ、やがて二十世紀の超現実主義文学に直結しえた理由は、時代におけるいっさいの合理主義を拒否し、カトリック的中世の中に反逆者としての精神的平衡を求めた精神に発している。いわば彼は、近代におけるゴシック作家の変種的な再生ということができよう。

＊

少年ラヴクラフトは、眠られぬ夜、天文学書を片手にロードアイランドの田舎家の窓から天空を眺める。何千という星が秩序づけられ、空間に凝集し、彼の孤独と一体をなしている。だが、しばしばあまりに輝きすぎる夜の暗黒以上に彼を楽しませるのは、〈もう一つの夜〉である。ギリシア、ローマの歴史、アラビアン・ナイト、十八世紀のイギリス、——そして必然的にゴシック・ロマンといった領域が、彼の内面の宇宙を形成する……。

孤独で内向的な少年が、過保護の母親や口うるさい縁者どもの眼をのがれ、たてこもった場所は祖父の書斎であった。そこはウォルポールにおけるストロベリヒル、ベックフォードにおけるフォントヒルであった。事実、彼は祖父の膨大な蔵書の中から、これら真の縁者たちを発見したのである。

ウォルポールからマチューリンにいたる始祖たちの暗い情熱、ホフマンからエーベルス、マイリンクにいたるドイツ戦慄小説《シャウエル・ロマーン》の旗手たちの悪魔的な幻想、レファニュを経てマッケン、ブラックウッド、ジェイムズにいたるイギリス怪奇小説派の妖美の探求、そして彼の国にはポオをはじめ、早咲きの幻想小説をものしたブロックデン・ブラウン、それにビアースという大物が憑かれたように神秘への郷愁を吐露していた。早熟な少年がこれら魔法使いの弟子として、大人の世界に復讐してやろうと考えたのは必然である。第一の習作『洞窟の怪獣』が書かれたのは、彼が十五歳のときであった。

K・H・シュトローブルは、恐怖小説の書き手は多感な魂と鋭い知性を必要とするといっている。ゴシックの精神的伝統を見てきたわれわれにとって、その知性とは反逆する知性であり、魂とは時代の主流を嫌悪するアウトサイダーの魂であることを知っている。すでに彼と社会とのあいだの協定は破壊されていた。それを回復する唯一の機会であった愛人との結婚も、わずか二年たらずで破局を見た。その後、死に至るまで一般社会に対して所属感、安定感をもたなかった彼は、ごく少数の友人と交渉をもったほかは日中たりとも部屋にカーテンをおろし、暗い電灯のもとでおのれのイメージを紡ぎつづけるという生活を送った。そのイメージが異妖であったのは、彼自身の解釈によれば「生まれつきの自我がもたらした災難《アクシデント》」にすぎなかったが、じつは自我と世界との不一致による当然の結果だったのである。

生活苦にあえいでいた彼にとって、十八世紀のブルジョアのように豪勢な異端の城を築くことはかなわぬ夢であったが、自らの異端の夜を占有し、横領するための広大な幻影の城をおのれの内部に築くことは可能であった。それは時の腐食による陳腐化と崩壊を免れた、堅固な魔神の王城であった。Cthulhu Mythos なる悪魔の神話体系の創出こそは、彼が汚辱《おじょく》にみちた外部の世界からの栄光にみちた脱出と、呪詛にみちた反撃とをいっきょに獲得するための「投企」だったのである。

彼は否定神学の中に秘蹟を見いだした。「神秘主義者が神のあらゆる属性をつぎつぎと否定することによって、筆舌につくしがたいものに達しようとしたように、ラヴクラフトの主人公たちは、次第にはげしくなる恐怖を経験することによって、徐々に聖なるものの暗黒の極に達する」（ルイ・ヴァックス『幻想の美学』一九六〇年）。この主人公は彼自身である。暗黒の極には人類出現以前の地球上の支配者が存在するのだ。Cthulhu, Tsathoggaa, Yog-sothoth, Shub-Niggurath――ほとんど判読不可能なこれら邪神の跳梁の痕跡が、黒ずんだ木造家屋と病める植物に腐食された石造建築の中に、または近親結婚によって衰滅した寒村や旧支配者の降臨した南極の寂寥たる地点に、邪神のまどろむ海底都市やその彫像の刻された南海の火山島などに、グロテスクな詩を浮かびあがらせる。

このような詩がパルプ・マガジンに掲載された結果、言わずとも明らかであろうが、あたかもゴシック作家が安物のオブジェを介して本源的空間に接近したように、彼もまた三文雑誌を媒体として世界の創造に関与したのである。この世界はただちに実在性を発揮した。出版社や図書館には彼の創作にかかる文献の所在を問い合わせる声があいつぎ、ついにそのうちの一冊『ネクロノミコン』が、ある古書店の目録に登場したのである！

「アルハザード・アブダル著『ネクロノミコン』一六四七年、スペイン刊。仔牛皮表紙、多少ヤレのあるほか保存良好。本文に多数の木版画、神秘的な記号、サインあり。ラテン語にて黒魔術を論じたものと思われる。見返し蔵書票にミスカトニック大学より払下げ品との記載あり。特別提供品」——。ラヴクラフトの高弟オーガスト・ダレスをして驚倒せしめたこの広告は、虚構が現実になり、ときに現実以上の迫真性を帯びる〈もう一つの領域〉の実在を雄弁に立証するものかもしれない。

＊

彼の詩は、けっして希望の描きだす幻影ではない。しかし、すくなくともポオにおいて意図されたものとは別の「真」は持っている。死の真理である。この真理はもはや暗黒を現実世界の秩序のうちに包括しようとはしない。それどころか、われわれの世界像に有効な観念を打破しようとつとめる。十八世紀ゴシック文学いらいの伝統にみられた、幽霊にさえも宗教的、道徳的秩序を適用する（いわば勧善懲悪）思想は完全に払拭される。むろんこのことは彼の独創ではなく、十九世紀末いらいの英独の恐怖小説が徐々にかちとった世界観ではあるが、彼において極点に達し、最も鋭く時代条件に対立することとなる。

だが、自ら恐怖小説の鬼と化したラヴクラフトにとって、死の真理などはすでに自明の理にすぎなかった。彼は貧困と死の病にとり憑かれながら、炎のような想像力を駆使して魔神を呼び出し、現実をくつがえし、腐敗させ、そのことによって世界を「清祓」したのである。

バベルの塔の隠遁者

澁澤龍彦

十八世紀ゴシック小説の先駆的作品の一つに数えられる奇書『ヴァテック』一巻をあらわし、詩人バイロンをして「英国《アルビヨン》の最も富裕なる公子」と歎ぜしめたほどの、一代の遊蕩児としての名をほしいままにしたウィリアム・ベックフォードの生涯は、勃興期の市民社会の圧力に屈しまいとして、巨大な夢のなかにひたすら逃避した、近代のナルシシスト的芸術家の最初の悲劇を示すものとして、かねてからわたしの興味を惹いていた。晩年、ベックフォードはみずから造営したフォントヒルの僧院に閉じこもり、そこから一歩も外へ出ず、孤独な近づきがたい権力のイリュージョンを楽しんでいたが、それはちょうど同じ頃、海を隔てた大陸で、サド侯爵が牢獄のなかで味わっていた状況を思わせるものがあった。むろん、一方はみずから求めた幽閉であり、他方は強制された幽閉であるにしても、その孤絶的な状況のなかで、彼らが育て上げたとおぼしい夢想の質は同じものであった。

すでに生きているうちから、ベックフォードの名前は多くの伝説と結びつけて語られたが、死んでからも、彼の足跡の及んだイギリスで、フランスで、ポルトガルで、その伝説はますます殖えた。その妻を毒殺したというような陰惨な伝説もあれば、ポルトガルの貴族の娘に惚れ、娘の父親に求婚を拒絶され、傷心をいだいてイギリスへ帰ったというような通俗小説まがいの伝説もあり、また悪魔礼拝に関するもの、男色に関するもの、奇怪な孤立生活に関するもの等、数え立てれば切りがないほどである。

彼の父は大ピットの友人で、一時ロンドン市長をつとめたこともある、大衆に絶大な人気のあったホィッグ党の政治家であった。その家系は古く、西インドのジャマイカ島で砂糖黍の栽培をして巨万の富を築いたブルジョワである。母は著名なハミルトン家の出で、スコットランドの王室につながる輝かしい先祖をもっていた。このように、十八世紀のイギリスの子弟としては、又とない由緒正しい家柄と環境に生まれたというのに、その出生の年月と場所について定説がないのは、異例なことと言わねばなるまい。最近の伝記作者の考証によれば、どうやら一七六〇年九月二十九日説が正しいようであるが、異説も多くあり、生まれた場所もロンドン説と、父の領地であったウィルツシャー州のフォントヒル説と二つある。

両親とも息子の教育にきわめて熱心で、幼いベックフォードは、ギリシア・ラテンの古典語はもとより、あらゆる学芸に早くから親しみ、異常な早熟ぶりを示したという。建築学をウィリアム・チェンバーズ卿に、数学・絵画をアレクサンダー・カズンズにそれぞれ習わせられたが、とくに音楽の教師として邸に招かれたのは、当時八歳のモーツァルトで、この天才少年が当時五歳のベックフォードにピアノを教えたというから、二人の早熟ぶりは察せられるであろう。後年、ベックフォードは自慢げに、歌劇『フィガロの結婚』のなかの有名な「もう飛ぶまいぞ蝶々」のメロディーは、自分が少年のころ即興的に作った曲であり、モーツァルトがこれを歌劇のなかに使いたいと手紙で申しこんできたから許可したのだ、と語っているが、その手紙は誰も見た者がなく、あるいは、これはベックフォード一流の法螺話ではないかと思われる。

一七七〇年に父が死んでからは、同年輩の友人もなく、母親の溺愛のため正規の勉学はなおざりにされた。少年は母を"Begum"と呼んでいたが、これは回教徒の貴婦人に対する呼称である。この永きにわたった母親傾倒から、後年の彼のナルシシズム、失われた幼時の王国への追慕などが説明されるだろう。もう一人、少年の魂に、東洋のお伽話や絶対権力への夢想や、贅沢な浮世離れの暮らしや、神秘学や、洗練された官能の快楽に対する執着などを掻き立てたのは、絵画の教師であったカズンズであった。カズンズはピョートル大帝の宮廷で成人し、オリエント諸国を縦横に歩きまわった男で、その永い東洋暮らしのため、非ヨーロッパ的なモラルを身につけていたらしい。メスメルやカリオストロの同時代人であったこの年長の神秘学愛好家から、少年は、生涯にわたって衰えることのなかった超自然的なものに対する趣味を植えつけられた。

母がイギリスの大学を好まなかったので、青年ベックフォードは十七歳でスイスのジュネーヴに遊学、ここで自由思想の王者ヴォルテールに親しく接し、ルソーの思想に感激し、あらゆる人文主義的教養を深めた。処女作『ロング・ストーリイ』を書いたのも、この頃である。それは東洋風の衣をかぶせたメルヘンで、世界の謎を解くための魔術的な奥義伝授が中心テーマであった。

一七七九年夏、イギリスにもどると、彼は親類のコートネイ家代々の邸であるパウダラム城を訪れ、そこで当時十一歳のコートネイ家の息子ウィリアムと相識った。十二人の姉妹の下で柔弱に育った美貌の少年ウィリアムを見て、十九歳の彼の情熱に火がついた。この八歳年下の少年とのいかがわしい交渉が、ベックフォードの生涯の前半の中心であり、やがて彼の政治生活を破滅にみちびく原因となったのも、当時の厳格主義のイギリス社会に大きな波紋を投じた、この恥ずべき男色事件のスキャンダルだったのである。

少年とベックフォードとの関係を中心にして、三人の男女の脇役が登場する。前に述べた画家のカズンズと、文学秘書ともいうべき友人のサミュエル・ヘンリ卿と、いつ頃からか（たぶん一七八一年夏以後であろう）彼の情婦になったルイザという女性である。ルイザは彼の従兄の妻で、結核の夫に顧みられず、烈しい情熱の擒《とりこ》となってベックフォードを盲目的に愛し、彼の情欲にすすんで奉仕する婢《はしため》のような存在となった。ベックフォードに宛てたカズンズの書簡は破棄されて残っていないが、ルイザと彼とのあいだに取り交された書簡には、彼を中心として少年と、上述の三人の脇役とが、ひそかにフォントヒルの邸に集まり、イタリア人の楽手や歌手をも混えて、盛大な黒ミサの儀式を行ったらしいことが記されている。それは一七八一年のクリスマスの夜であった。「不幸にして、あたしはあなたの祭壇に捧げるべく育てなければならない小さな生贄をかかえています。あたしの息子が、早くそれにふさわしい年齢に成長することを祈ってやみません。彼は日ごとに美しくなり、やがてあなたの計画を十分に満たしてくれることでしょう」（一七八二年二月）――この文面から察すると、ベックフォードはルイザに悪魔学の原理を教えこみ、あわれな女に、その息子を黒ミサの生贄として提供することを要求していたようである。彼女の手紙には、さらに「あたしの愛する魔王」などといった呼びかけの言葉も見られ、彼女が愛する男の地獄の教説に、完全に魂を奪われ、眩惑されていたらしいことが読み取れる。

ベックフォードが一代の奇作『ヴァテック』を執筆した時期は、一説によれば十七歳、あるいは二十歳というが、二十二歳が真相らしい。「私はそれを一息にフランス語で書いたのです。三日と二晩で書き上げました。その間じゅう着物を着たままでした」と作者自身が晩年に書いているが、この三日と二晩は眉唾ものであろう。主人公ヴァテックは、絶大な権力をもった若いアラビアの教王《カリフ》で、官能の快楽をひたすら追い求め、ついに怖ろしい堕地獄の罪によって破滅する。いわゆる東方物語の体裁をおびているが、この物語の筋に原典はなく、ベックフォード自身の背徳生活や、不倫な恋愛や、神秘学への親近や、権力への夢がそこに雑然と投入されている。ゴシック小説の古典『僧侶《モンク》』を書いたM・G・ルイスが、やがてモンク・ルイスと呼ばれるにいたったように、いつしか作者と主人公とは混同され、罪ふかいヴァテックの名前はベックフォードそのひとの人格を表わすようにさえなった。

『ヴァテック』の結末に近い数ページの、陰惨な地獄の宮殿を描写した部分は、この書物の核心であるが、美術史学者アンリ・フォションやオルダス・ハックスレイの意見によれば、当時英国で出版されたばかりの銅版画家ピラネージの「牢獄」シリーズから直接に暗示を受けたものであるという。（ちなみに、『ヴァテック』にはマラルメの序文を付した有名な一八七六年版があり、日本には翻訳が二種類あって、一つは昭和初期の矢野目源一氏のもの、もう一つは戦後の小川和夫氏のものである。）

＊

ベックフォードは一七八三年、二十二歳で結婚している。母親が彼の常軌を逸した放蕩生活を案じ、息子を説得して、情婦ルイザと手を切るように懇願したのである。ドイツ、イタリアの各地を旅行した際には、母の従兄ウィリアム・ハミルトン卿の夫人にも、その不行跡を諄々《じゅんじゅん》と説諭された。母の選んだ花嫁は、スコットランドの貴族アボイン伯の娘マーガレット・ゴードンで、当時十九歳、素朴で忍耐づよく、彼にとって予期した以上に良き伴侶であった。彼女はベックフォードの心にやさしさを目ざめさせ、彼はルイザとの関係から次第に遠ざかった。それでもコートネイ（この少年を彼は「仔猫《キティ》」と呼んでいた）との間柄は、容易に断ち切ることができなかった。

一七八四年、ベックフォードはウェルズから下院議員に選出され、ほどなく男爵の爵位を得るはずだった。もとより政治生活に熱は入らなかったが、父親の生前の威光が彼の栄達を保証していた。しかるに、このとき、全く予期しない不吉な事件が持ちあがり、彼の公的生命は破壊され、やがて落着かぬ逃亡の放浪生活と、さらに孤独の隠遁へと彼の人生を運命づけることになったのである。

　その年の九月から十月にかけて、彼は妻とともにコートネイ家のパウダラム城に逗留していたが、若いコートネイ少年の家庭教師が、あるとき、ベックフォードと少年とが鍵をかけて一室に閉じこもっている現場を盗み見たのである。数カ月後に、コートネイの親戚筋のラウボロー男爵が新聞を操って、一せいにスキャンダルをあばき立て、目の前にぶらさがったベックフォードの爵位受領をふいにしてしまった。ベックフォードは有名な父の子として、ホイッグ党の大物になると目されていたので、トーリー党の野心家ラウボローが、これを敵視して、彼の公活動を挫折せしめんとしたのである。いわば政治的陰謀の犠牲となったのであった。

　その後、不幸は続いて彼を襲った。一七八五年に長女が誕生し、翌年、一家は追われるようにスイスに移ったが、ここで妻の死を迎えることになった。すなわち、次女の誕生後十二日目に、マーガレット夫人が産褥熱であえなく世を去ったのである。ふたたび新聞がスキャンダルを書き立て、妻の死を夫の虐待、あるいは毒殺のせいにした。同年六月には、秘書のヘンリ卿が『ヴァテック』の英語版を勝手に匿名で出版してしまった。ベックフォードはヘンリの措置に対抗すべく、自分が作者であることを明らかにし、一七八七年、フランス語の原文をパリとローザンヌの二個所から刊行した。

　英国の社交界から追放された彼は、ポルトガル、スペイン、パリ、スイス、イタリアなどの各地に転々と居を移した。ポルトガルでは、聖アントニウスを仰々しく崇拝して、その篤信ぶりを噂され、中世的なカトリックの信仰の根づよいポルトガル宮廷社会の目を奪った。ベックフォードの信仰は、その誠意が疑われるところであろうが、少なくとも彼がプロテスタントよりも、豪奢な儀式や華美な服装を重んずるカトリックの方に、心を惹かれていたことは事実であったらしい。

パリでは、王侯そこのけの贅沢好きな紳士として、書画骨董の狂的な蒐集家として斯界に名を馳せた。相変らずの派手な享楽生活であったが、その内面は、権勢欲をみたす当てのない、夢破れた流謫《るたく》の身の、灰色の日々であった。あたかもパリは嵐の動乱期にあったが、ふしぎなことに、革命下のフランスの首都の模様について、ベックフォードは何の記述をも残していない。このことは、以前から彼の生涯中の謎とされてきたが、最近の研究によると、どうやら彼には、父親の代からのジャコバン党の要人との親しい関係があったらしく、そのため血なまぐさい動乱の渦中にあっても、比較的安楽に過ごすことができた。そしてジャコバン党と自分との交渉を、革命政権の敵である英国人の目にはかくしておく必要があったので、ついに当時の大陸での生活ぶりを筆にはしなかったのだ、という。これは、いかにも本当らしい推測ではあるまいか。

さて、一七九六年、十年に近い大陸での流謫の生活を終えると、いよいよ彼はフォントヒルの所領に腰を落ちつけようとする。社交界から宣告された破門を、みずから望んだ輝やかしい孤立の生活へと変貌させるため、邸を新たに造営して、これを真に王侯にふさわしい住居たらしめようとする。高い塀が、この神聖な領域と俗界とを、これ見よがしに遮断しなければならぬ。建設さるべき宮殿は、最新の時代好尚によりゴシック様式でなければならぬ。すでにホレース・ウォルポールが一七五〇年、ストロベリ・ヒルにゴシック様式の城を建てているではないか。彼には、この『オトラントの城』の作家を、マニアックな建築において凌駕しようという意識があった。かくて、ベックフォードがその計画実現のために選んだのは、古典主義からゴシック様式に向かった当時の著名な建築家、王立学士院の院長ジェイムズ・ワイヤットであった。

異常な建築熱に取り憑かれたベックフォードは、一八〇七年までの十年間を、おのれの夢の宮殿の基礎づくりに全精力をあげて打ちこんだ。まず、その領地の周囲十二キロを、高さ四メートルの塀で完全に遮断し、俗人の好奇の目からこれを隠蔽した。自分の娘たちは隣り村に住まわせ、彼は残された唯一の友人、ナポリ生まれのグレゴリオ・フランキと、かつてルイ十六世の侍医であった医者のヨゼフス・エルハルトと、紋章学者のアンジュ・ドニ・マカンと、さらに一人の侏儒《こびと》とともに、この未完成のフォントヒル僧院に閉じこもった。外部世界から隔絶されたこの企ては、国中の注目の的となり、なかんずく天に向ってそそり立つ十字形の建物と、その中央の一きわ高い、全長七十メートルの偉容を誇るオクタゴン（八角形の角塔）とは、往古のバベルの塔にも比較された。この遠大な建築事業は長年月、幾千のひとの生活の糧となり、まことに皮肉なことに、ベックフォードは次第に慈善家として神様扱いされるようにもなった。

建築家ワイヤットは気まぐれで、怠惰で、甚だしい飲酒癖があり、図面を引くことには情熱を燃やしても、工事の遅延を少しも意に介さぬところがあった。施主の持癖で凝り性はますます昂じ、要塞式の塔の細部などは、完成した途端に取り壊して最初からやり直したりした。中央の八角塔も、あまり急いで軽い材料でつくったため、一八〇〇年、風のために一度崩壊した。それでもベックフォードは落胆するどころか、ただちに二度目の塔を建てはじめ、それが半ば完成したところで、待ち切れずに客人を招待した。このとき教王《カリフ》（ベックフォードはみずからそう名乗っていた）が招待した選ばれた客人は、従兄のウィリアム・ハミルトン卿と、その二度目の妻エンマと、彼女の愛人の提督ネルソンであった。

一八〇七年、フォントヒル僧院はようやく完成した。いざ完成してみると、この堂々たるゴシック式の僧院は陰鬱で、昼間でも夜のように暗く、しかも極端に住み心地のわるい邸であることが分った。教会式のオクタゴンは煖房が効かず、客間の一部は通風がわるかった。それでも南北にのびた回廊《ガレリィ》には、ベックフォードの厖大な蔵書のほか、ラファエロ、ルーベンス、ベラスケスなどの貴重な美術品、それに日本の彫物や黒檀の調度がおさめられた。天井に金鍍金《めっき》の鏡板を張り、紫と黄の緞帳をめぐらした宏壮な部屋部屋には、城主の望み通り、憂鬱でしかも華美な雰囲気がただよった。北側外陣には、ベックフォードの母方の祖先、ガーター勲章創設者のエドワード三世にちなんだ「エドワード王の回廊《ガレリィ》」があり、東側外陣の二階には「紋章の間」があり、また南側翼面には、円天井の「聖ミカエルの回廊」、つまり大図書室があった。南西にあたる泉水庭園の下手には、ポンペイ式の「会食の間」があり、ベックフォードはここで、ほとんど一人きりで粗末な食事をした。回廊の東南の陰気くさい塔部屋が、彼の僧房めいた寝室だった。フォントヒル僧院を訪れた数少ない人間の一人であるハミルトン卿は、この建物が「あまりにも陰鬱《メランコリック》で、ほとんど堪えがたい印象をあたえる」と語っている。

邸が完成したとき、すでにベックフォードは五十に近い中年であった。彼の孤独の生活の相手役、騎士グレゴリオ・フランキは、最初のポルトガル滞在のとき、ある教会の合唱隊の少年だったのを、彼が見つけて侍僕に拾いあげた男で、彼はこの男を「ポルトガルのオレンジ」と呼んで愛していた。このフランキを奔走させて、彼はヨーロッパ中からたえず目新しいもの、ルネサンス式家具とか、支那の陶器とか、時禱書とか、綱渡りの少年とかを見つけてこさせた。しかし贅をつくした住居も、さまざまな珍奇な品も、その持主の心を一瞬たりとも慰めなかった。彼の感情生活はすでに死んでいたのに、癒やしがたい渇望に憑かれて、若き日のかりそめの幸福への病的な憧れを追い求め、彼は運命の苦さを嚙みしめながら、孤独に酔い痴れていたのである。

もう一人の寵愛の対象は侏儒で、「ピエロ」という愛称で呼ばれていた。ピエロはエヴィアン出身のフランス人で、ベックフォードが何度目かのスイス旅行の際、拾いあげて仲間の一人に加えてやった。彼は、この真面目くさった侏儒が、図書室のエロティックな書物を見て憤然とするのを面白がっていた。しかし、近隣の村人たちの目から見れば、この罪のない同居人も、フォントヒルで行われているらしい魔法の実験の、何よりの証拠なのであった。

食って生きています」と。

この侏儒について質問されると、彼は澄まして答えた。「あれは異端者《ジャウール》ですよ。毒キノコを食って生きています」と。

毎日、彼はアシジの聖フランチェスコのように、なついた野兎の群に餌をやったり、鬱蒼たる庭園で、珍奇な植物や動物に囲まれて、失われた幼時のパラダイスを夢見たりしていた。近所の村人たちは、この厭人癖の城主について奇怪な数々の噂を流したが、その一つは、彼がその隠遁所を侵そうとする者に、血に飢えた猛犬をけしかけるというのである。この噂は、必ずしも根拠がないわけではなかった。まだ邸が完成しない頃、彼が旧友クレイヴン夫人に宛てた手紙には、「わたしは自分の森をひろげて、そこに鉄製の罠や、発条銃をいっぱいに仕掛け、入りこむやつらの脚をすっぱりと斬ってやるつもりです。やがて領地の丘が、植えつけた樅の樹で小暗くなる頃には、わたしは網のまんなかに控える蜘蛛のように、この陰鬱な輪の中心に陣どってやります」とある。

このような心境であってみれば、ベックフォードが訪問客を徹底的に嫌ったとしてもふしぎはあるまい。ある日、娘の婿に彼を望んで、年とったゴードン公爵夫人がフォントヒルの門をたたくと、彼女は鄭重に邸のなかに迎え入れられはしたが、肝心の主人はどこへ行ってしまったのか、彼女の前に姿をあらわさなかった。一週間逗留した末に、ついに老夫人があきらめて帰ってしまうまで、彼は邸のなかの小さな一室に身をひそめていたのである。バイロンも手紙を送って彼との会見を求めたが、僧院の主人はこれを拒絶した。一八一〇年、ベックフォードの次女スーザンがダグラス侯、のちのハミルトン十代目の公爵と結婚したとき、式に列席したのは牧師と父親のみであった。

そうこうするうち、馬鹿でかい宮殿は維持しきれなくなってきた。対仏戦争および奴隷制度廃止の結果、西インド諸島にある財産の価値が下落し、ベックフォードの歳入はいちじるしく減少してきたのである。一八二二年、ついに僧院は売却され、所蔵品の大部分とともに、ある成金の手に移った。その値三十万ポンドである。その後三年たつと、中央の塔が崩れ落ち、二度と復旧されなかった。今日残っているのは、東側外陣の廃墟のみである。

ベックフォード自身は、最愛の書画と侏儒を連れただけで、バスに居を移し、手に入れたランズダウンの丘の上の地所に、今度は古典様式の、高さ四十メートルの塔のある、前より質素な隠遁所を建てた。ここで二十二年間、彼は事件もなく余生を送った。昔の作品に手を入れたり、珍奇な花園を造営したり、馬丁とグレイハウンド犬を従えて、日課のように騎馬で散歩をしたりの明け暮れであった。将来、自分の伝記の書かれることを信じて、手紙や日記を丹念に校訂し、じつに手前勝手に捏造記事を書き足した。男爵位への望みは最後まで抱きつづけたが、婿のハミルトン公も、もう援助してはくれなかった。

バスへ移ってからも、ほどなく奇怪な噂がささやかれた。彼の邸の廊下には、女嫌いの主人と顔を合わせなくても済むように、女中たちの隠れる場所がつくられている、というのである。また、家中どの部屋にも鏡が一つもない、などと取り沙汰された。

一八四四年四月二十一日、すでに老境に入っていたベックフォードの健康は、急に衰えた。娘のハミルトン公夫人が呼ばれたが、彼は牧師の立会いを拒み、娘も牧師も部屋に入れなかった。数日のあいだ、近親者と牧師は、隣室で彼のために祈っていた。そのまま彼はたった一人で、同年五月二日、ひっそりと死んだ。享年八十四歳。

＊

ベックフォードの性的傾向を細かく分析してみると、いろいろなことが判明する。彼は生涯にわたって多くの女を愛し、また多くの男を愛した。異性愛と同性愛の二つの傾向が、いわばパラレルに彼の内部にあったようでもあり、彼の感情的傾向は、愛される対象のセックスの如何《いかん》に無関係であったようでもある。しかし、彼の日記や手紙をさらに入念にしらべてみると、また別のことが明らかになる。

一七八一年、彼はルイザに宛てた手紙のなかで次のように書いている、「わたしたちがあれほど愛した、あの好ましい子供っぽさを、彼（ウィリアム・コートネイ）は失くしてしまうのでしょうか」と。また一七八七年頃の彼の日記には、しばしば自分に対する呼びかけの言葉として、poor childish animal（かわいそうな子供っぽい獣）という表現が使われている。おそらく彼にとって、「子供っぽい」という表現は、最大の情緒的価値のこめられた形容詞らしいのである。「神がわたしに授けた贈り物のなかで、最もわたしの大事に思うものは、今なお若者の外観、若者の敏捷さ、若者の気まぐれを保持していることだ」とも彼は書いている。

二十七歳当時、ベックフォードにとって何よりの幸福は、「自分をまだ子供であると感じること」（日記）だったらしい。自分に対してばかりでなく、彼は愛する対象にも子供っぽさを求めた。歌も音楽も、彼にとって美しいと思われるものはすべて、そのなかに子供らしさという最高の価値をふくんでいた。ベックフォードの心理学を解明すべき大事な鍵が、ここにあるように思われる。

彼は明らかに、子供としての自分のイメージに対して、激しいエロティックな情緒を味わっていたのであり、コートネイやフランキのような愛する対象のなかにも、そのイメージを再発見しようと努めていたのである。少年と親しい関係を結ぶことによって、いわば、そのイメージを客観化しようと望んでいたのである。ありていに言えば、ベックフォードにおける同性愛とは、ナルシシズムの一形式にほかならなかった。

彼自身は、自分の望んでいるものの本質について、明晳《めいせき》な意識をもっていなかったはずである。おそらく、そこに彼の不幸があったのだ。神の幻を見るために、彼は自分の人生を蕩《とう》尽《じん》してしまった。一瞬、彼が美少年のなかに捉えたと思ったものは、たちまち消え去る空しいものでしかなかった。結局、彼は自分自身の幻しか求めていなかったのだから。自分自身が神だったのだから。――わたしたちは、ここでもう一人の倒錯者、プルーストを思い出さないわけには行かない。しかしプルーストは、子供としての自分の姿を求めたのではなく、子供としての自分の目に映った世界の姿を求めたのである。常識の論理をもってすれば、プルーストは正統な芸術家であり、ベックフォードは贋物の芸術家、あるいは不完全な芸術家であった。

彼の黄金時代への憧憬も、この子供のイメージの変形でしかあるまい。フォントヒルの広大な庭を、彼はあらゆる種類の動物の楽園たらしめようとした。まだ妻が生きていた頃、彼はスイスの動物園で、牝のライオンを誘惑し、檻のなかで彼女と愛撫を交わした、などと得意そうに語ったことがある。むろん、これは彼の夢であろうが、少なくとも彼の本質に根ざした夢であろう。娘が幼い頃、彼は邸の庭に飼われた孔雀の真似をして、よく娘と遊んだという。これらの奇矯な行動のすべてが、失われた黄金時代へのノスタルジアを示していよう。

黄金時代の象徴と結びついた、彼の根絶し得ない頑固な幼年崇拝が、当時の社会から彼を追放し、孤独の城にたてこもらせたのは当然であったろう。彼が良風美俗の社会から追放された、という言い方は、厳密には正しくないであろう。彼はすすんで社会から逃れたのである。ごく若い頃から、彼は誰にも邪魔されない孤独への熱望を、日記や手紙にぶちまけていた。注目すべきは、彼が一時的にきわめて親密に交際した友人や愛人の許《もと》から次々に離れて行ったことである。あれほど熱愛したウィリアム・コートネイも、彼の生涯の後半には二度と登場しない。ルイザは彼に捨てられてから、長いこと病んで死んだが、あれほど自分を愛してくれた女の悲惨な死に、彼はまったく無関心だったようである。そのほか大勢の友人や教師や取巻き連中も、彼の生活から次々に消えて行く。最後に残ったのは、フランキを別とすれば、ほとんど彼の玩弄物のような侏儒のみであった。

意識的にか無意識的にか、ベックフォードは繭を紡ぐように、営々として自分の孤独を紡いだのである。自分に近づいてくるどんな人間も、彼は現実には愛していなかったのだ。若い少年の幻影を通して、彼は自分自身の子供のイメージを愛していた。ひとたび幻影が消えれば、彼は失望の苦さを味わい、彼らから離れ、やがて無関心になった。

一八一二年の日記に、彼は次のように書いている、「ある者は不幸を忘れるために酒を飲む。わたしは飲まない。建てるのだ」と。彼にとって、建築がイリュージョンの無限の宝庫だったことは明らかであろう。幻影を維持してくれる人間を見つけることがあまりに困難であったために、彼は建築に、愛書趣味に、蒐集に代替物を求めた。少なくとも石や紙の方が、人間の肉よりも時の腐蝕に耐えはしないか？

十八世紀に生まれた人間解放の希望があえなく潰《つい》え、ブルジョワの厳格主義が擡頭し、産業革命の波が押し寄せたベックフォード晩年の時代は、英国の歴史のなかでも最も忌まわしい時代である。この時代に、暗黒小説と呼ばれる文学のジャンルが開花したのも偶然ではあるまい。ベックフォード自身は、この時代の不幸と、彼個人の不幸とのあいだにある絆を明確に意識してはいなかったけれども、彼の生涯そのものが、近づく時代の破滅を危機的に予感しているのである。

フォントヒルの僧院そのものには、彼はそれほど執着していなかったと思われる。未完成の建物には情熱を燃やしこそすれ、出来あがってしまった建物には、もはや幻影を求むべくもなかろう。はたして、ベックフォードは大して後悔もせず、飽きてしまった玩具を手離す子供のように、あれほど心血をそそいだ作品を売り払ってしまうのである。

フォントヒルで、彼は紋章学者や系図学者を邸内に住まわせ、倦《う》むところを知らず自分の系譜の完成につとめた。高貴な家系の象徴を紋章学者の手で、東側外陣の「男爵の間」に描かせたのである。この系図学や紋章学の研究は、ベックフォードにとって、必ずしも望ましい社会的地位を手に入れるための手段ではなく、むしろその本来の動機を離れた、想像力を喜ばす純粋に詩的な価値のものだったと思われる。アルコールや阿片に酔うように、彼は空想裡の絶対権力に酔っていたのであった。『ヴァテック』という作品の主人公は、こうして作者と不可分一体になる。彼くらい、自分の作品を愛した作家は世にもあるまい。

　わたしたちは、ここで、ゆくりなくもバヴァリア王ルドヴィヒ二世の名を想い浮かべるだろう。ベックフォードの死んだ翌年、あたかも彼の使命を受けついだかのように、ルドヴィヒ二世はこの世に誕生している。この二人の生命の続いているあいだ、ロマン主義は興《おこ》り、ロマン主義は滅びたのである。実際には、偉大なロマン主義者と呼ばれるひとたち、ワーズワースやユゴオは、純粋に文学的な形でしかロマン主義者ではなかった。彼らはロマン主義を書いたにすぎず、日常生活ではブルジョワ合理主義者でしかなかった。ベックフォードとルドヴィヒ二世のみが、真にロマン主義を生きようと欲した。最初と最後、彼らは同じ精神家族に属していたのである。

狂気の揺籃──「ヴァテック」頌

塚本邦雄

千一夜物語には三人の托鉢僧の物語がある。私は十三歳の春酣《たけなは》に初めてこの譚に邂逅《めぐりあ》つて以来、他の数知れぬ妖異極彩の綺譚にも増して、右眼を喪つた三人の青年僧の挿話を愛した。ちなみに私の最初に持つた千一夜は、昭和四年十一月近代社刊世界童話全集の中の一冊。表紙に緑金箔押の孔雀の羽根を飾り、訳者は中島孤島。解説に一八四〇年エドワード・レーン版に拠つたことを註してゐる。巧緻な銅版挿画を配し、稀用漢字を鏤《ちりば》め、際どい描写も消し去つてはゐないこの本が、どうして童話集に入つたものか、今日繙いてみても判らない。ただ四月十三日嵯峨の虚空蔵菩薩に智慧を授りに行つた帰り、新京極の某古書店でこの本を購つた私は、否私も亦《また》、十三歳で文学的な奸智を惜《をし》みなく魔王エブリスから賜つたらしい。

件《くだん》の三人の托鉢僧の物語は『軽子と貴女《きぢよ》と托鉢僧の物語』中の物語であり、彼等は偶然一《ひと》ところに落ち合つたものの元は赤の他人、しかも共に貴種。第一の僧は、かつて自分が過《あやま》つて右眼を射抜いた大臣のために、王子の座から蹴落されて復讐を受け、あまつさへ愛する従兄弟が近親姦の罰を蒙り、地下の密室で妹と共に黒焦げになつてゐるのを見る。第二の僧は魔神が地窖に囲つておいた女と密通し猿に変身させられ、猿が元は王子であることを透視した王女の呪禁によつて人間に還る刹那《せつな》、火の粉が右眼に入つて失明する。第三の僧は横死を預言されて絶海の孤島の地下館に避難してゐる少年と全くの偶然で逢ひ、相思相愛の仲になるが、結果的には皮肉にも預言通り少年を過失死させ、逃亡して流浪、とある宮殿の禁断の部屋を覗いたためロック鳥の爪を右眼に受ける。

托鉢僧達を忘れなかつたのも亦私一人ではなかつた。数十年後、私が奇しくも再会した彼等はパゾリーニの「アラビアンナイト」の中でモザイク職人に転身してゐたのだ。この映画では第二、第三の托鉢僧の物語を、二人の職人の身上話として採り、当然物語中の物語といふ構成である。三重底の万華鏡《カレイドスコープ》的なこの映画の中でも、二人のモザイク職人の譚は殊に精彩を放つ。果せるかな、王子を猿に変へて姦通に報いる魔神には、パゾリーニ最愛の青年フランコ・チッティが扮してゐた。そして更に、この魔神こそ、原典では魔王エブリスの孫となつてゐるのだ。

ベックフォードの「ヴァテック」で読者がこのアラーの神と対立する悪の最高権威、魔の総帥《そうすゐ》と邂逅できるのは大団円に近い。主人公ヴァテックも当然同様に凄絶絢爛たる試行錯誤の果に初めて相見《まみ》える。極論すればベックフォードの暗鬱な万華鏡の覗孔《のぞきあな》も、一に底の底の底に鎮座する邪悪のシンボルに到達するために用意されたものではなかつたか。そして彼も読者も未だ目のあたりにせぬ魔王の風貌をひそかに想ひ旋《めぐ》らせて胸を騒がせる。夜叉、羅刹女もかくやと言はんばかりの母なる女王カラチスに関しては、ほとんど一章に一箇処悪相狂態が伝へられ、驕慢な蕩児ヴァテックの無道残虐振りもそれを上廻つて縷述《るじゅつ》されるが、エブリスは最後の最後まで姿を現さない。ゆゑにこそその出現には固唾を嚥む。そしてあまりの意外さに茫然自失する。

ヴァテックとヌロニハルはこの垂幕を抜けて豹の皮の敷きつめてある巨きな内殿の中に足を入れた。するとここには髭の長い老翁や、甲冑に身を堅めた悪鬼《アフリット》や、数かぎりない冥官が綺羅星の如く、玉座の階《きざはし》に平伏してゐた。そして一際《ひときは》高く火の珠の上に座をかまへた魔王エブリスの姿が二人の眼の前にあつた。かれの風貌は恰《あたか》も二十歳の青年の如く、その高貴な端正な面差《おもざし》は汚らはしい毒気のために凋《しぼ》んでゐるやうに見えた。絶望と増上慢の色は明らかに爛々と見開いた巨眼のうちに描かれてあつた。それでも波うつ髪の毛にはまだ光の天使であつた名残をとどめてゐた。雷電のため黒ずんではゐるが、その花車《きやしや》な手には、怪獣ウーランバッドや悪鬼《アフリット》や奈落の乱神どもを摺伏《せふふく》させる青銅の王杖をかまへてゐる。

何と魔王は、光の天使の名残を止め、花車な手を持つ、高貴端正な面差の二十歳の青年然としてゐたのだ。「あまりの事に胆をつぶしながらも、常々思ひ描いてゐた恐しい巨人の姿とうつて変つた、このエブリスの美しさにただ讃嘆の眼を瞠《みひら》くばかり」のヌロニハルの反応の方が、少くとも「悉《ことごと》く色を失つて思はず床の上へ平伏」するヴァテックの態度よりも、はるかに読者の感情に近からう。ならば「大王エブリスは思ひがけぬ優しい声で二人に言つた。しかもそれは魂の底に黒い憂愁をたゝへた人の声音である」と記す作者の心情もやはりヌロニハルに等しい。ベックフォード自身思ひがけなかつたのだらう。彼の結構を尽して描き上げようとした今一人の彼の理想像は、あるひはヴァテックではなくて、このエブリスではなかつたらうか。さなくばこの期《ご》に及んでエブリスがヴァテックに取つて変つたのかも知れぬ。

いづれにせよエブリスの風貌挙止には伝へるところのベックフォード二十代、すなはち「ヴァテック」執筆当時の面影が明らかに二重写しとなる。そこへバヴァリア王ルートヴィッヒの肖像を重ねてもよからう。そしてこの混血亜剌比亜夜話、東方地獄草紙は、実はここから再び話をくりひろげるべきであつた。

そしてヴァテックは嘆息をしながら、人々にむかつて今までの一部始終を落もなく物語つた。かうして王《カリフ》の罪深い懺悔が終ると、若い貴公子はその後につゞいて自分たちの身の上話を次のやうな順序で語り始めた。

二人の親友の公子、アラシーとフイルーが地下の宮殿に幽閉された物語。
公子ボルキアロクが地底の宮殿に幽閉された物語。

公子カリアラと公女ヅルカイが地底の宮殿に幽閉された物語。

これは詐術か怠惰かいづれかであらう。読者はこの膠《にべ》もない梗概的記述にはぐらかされる。遂に公表しなかつたベックフォードに代つて三つの挿話を捏造したいくらゐだ。なるほど物語自体は次に女王カラチスの出現を控へ、完結を急がなくてはならぬ。「事ここに極《きは》まる」とイエス擬《もど》きの絶叫を残して彼女が回教的煉獄の囚人となる様を描き、ヴァテック、ヌロニハル、四公子一公女に最後の審判を受けさせさねば話は終らない。だが、どうして物語を終らせる要があらう。後日挿入の意志の有無は問題外である。

もともと千一夜物語は女性不信に端を発した物語である。そして物語が次次と自己増殖を遂げて迷宮に入り、迷宮の中の迷宮に入り、やがて見事に白昼の下に脱け出て、更に次の世界を遊行《ゆぎやう》し、読者すなはち聴き手、そのままシャーリアル王が、夜夜甘美な無間《むげん》地獄の悦楽に酔ひ、物語の終ることと続くことをこもごも切望するところに皮肉な面白さが生れるのだ。ベックフォードはシェヘラザードに取つて変つた語部《かたりべ》の男巫《をとこみこ》ならば、遂に女を恕《ゆる》して乱行を止める国王の愚に倣ふのを避けるべきであつた。千は万に無限に増え続け、ヴァテック二世、三世、四世が父祖のしおほせなかつた乱行を享け嗣《つ》ぎ伝へ、つひには元に還るといふ円環地獄絵巻に仕立て上げねばならなかつたはずだ。地獄巡りの類《たぐひ》無い歓楽が四公子一公女の告白を省略することによつて断たれたやうに、ベックフォード自身も「ヴァテック」一作以外は創作を試みなかつた。

公表を拒み生涯秘匿したと伝へられる公子達の告白譚がどのやうなものであつたにしろ、「ヴァテック」一巻はやはり挫折の書に違ひあるまい。愛姫ヌロニハルにさへ「瞋恚《しんい》と復讐の炎」の眼で睨まれ、「千百の罪に汚れて、みづからさまざまの悔恨と際涯のない苦悩の餌に身を委ねるやうになつてしまつた」教王ヴァテックの最期を見て私は限りない憾《うら》みを遺す。天譴《てんけん》を主人公に与へたことこそ作者の誤算であり敗北であつた。そしてそれはとりもなほさずベックフォードの狂気の優しさに他ならない。いづれは崩壊する塔を飽きず建て続ける男のあはれに私は感動する。そそり立つものに飢ゑ渇き、つひにそれが僧院といふ禁欲の城、自己幽閉の砦と化するまで、もがき続けた彼の心は想像に余り、余りつつ類推は可能である。みづからをこの世から除外することによつて厳しく聖別し、浪費と耽溺を最高のストイシスムに変へるのは、男の精神の深淵に必ずひそむ慾望であらう。彼はそれを単純素樸《そぼく》に発揮示現したまでである。挫折も誤算も敗北もすべて関《かか》はりのない他者の印象批評用語に過ぎず、「ヴァテック」に悖徳《はいとく》の烙印を捺すのも、健康といふ病を病む者の僻事《ひがごと》に類しよう。私の遺憾の辞はむしろ文辞においても真に徹底的には病み得なかつた彼の虚弱体質に関るのだ。サド侯に一籌二籌を輸し、はるかルートヴィッヒ王に兄事しつつ見返られるのもそのせゐであらうか。

「ヴァテック」のひたすらに生真面目な悪夢絵巻を読み終り、本文とは趣を異にしつつ、簡潔、しかも優雅な悪意の籠つた生田耕作氏の「ウィリアム・ベックフォード小伝」に目を移す時、作品と作者といふ呪はれた関係に再び嗟嘆の吐息を禁じ得ない。実生活が作品を上廻る不幸はここにもあつた。若書きであり一種の未完長篇とも言へる「ヴァテック」よりも、作者の半生の方が余程興味を唆る。作中人物と作者の人間関係など筋道立てたり比較したりすることは私も大嫌ひだが、ベックフォードが自分を教王《カリフ》になぞらへてゐたとすれば、アグリッピナそこのけのカラチスは一体誰を面影づけたのだらう。伝記には母についての特記はないが、あの女怪《アマゾーヌ》、息子の鼻面を取つて引き摺り廻し、破滅へ破滅へ逐ひ立てねばやまぬ人物はけだし「ヴァテック」一篇の精彩を主人公以上に身に鍾《あつ》めてゐるやうだ。ただ一人救済されるエルマフロディット めいた美少年は勿論彼の身辺に多多あり得たらう。あり得たことから逆算するなら、悲惨な末路を共にするヌロニハルなど、むしろ元愛人のその美少年グルチェンルッツと性を違《たが》へてゐた方がふさはしかつたのかも知れぬ。ただヌロニハルなる美姫を救済することは彼の信条と相容れなかつたのだらう。

長者の娘ヌロニハルが最初に姿を現すくだり、宦官長を閨房の浴槽の上に吊し、翻弄嗜虐の限りを尽す場面は、この真摯な、常に最高潮を持続しようとするいたましいゴシック・ロマンス中の唯一の諧謔曲《スケルツオ》であつた。時としては可愛いピカレスクとさへ言ひたいやうな快さに私は微笑しつつ、ふと「ビアズレーの墓」の終幕《まくぎれ》近い一章を思ひ出してゐた。生田氏の名訳の一つであるこのマンディアルグの小説では、プチ・コロンブ夫人邸で貴顕紳士達が華麗な女悪魔達に、あたかも「ヴァテック」の宦官長のやうに責め苛まれる。そしてこの作品世界に君臨する女王は夫人。影に聳え立つのは黒人テノール歌手エリジャ・ガバリュスで、彼は女に見向きもせぬ男であつた。語り手の相棒を「アルビヨン」と称したことさへ、この記憶に彩を添へる。ヌロニハルとグルチェンルッツの陽死送葬シーンに「ロミオとジュリエット」や「トリスタンとイゾルデ」を聯想するよりも、私にはアルビヨンの公子とビアズレーとマンディアルグの次元を違へた三角関係の謎を逐ふ方が有意義のやうに思はれた。

　訳者矢野目源一氏の著作については生田氏からもかねがね聞き及んでゐた。また鈴木信太郎訳『ヴィヨン全詩集』の「兜屋小町長恨歌」の項にも、そのかみ詳しい註が施されてゐる。昭和八年矢野目源一訳「卒堵婆《そとば》小町」、「あだなりと名にこそ立てれ　具足屋の小町と人に呼ばれしを　あはれ移《うつ》らふ花の色　昔を今になすよしも　泣く泣く喞《かこ》つ繰言に　いとど思ひぞ出さるる　うつれば替る飛鳥川《あすかがは》　寄る年波に見る影もなき生恥をさらしつつ　明日をば誰も頼まぬに　存《なが》ふるこそ悲しけれ」の自由奔放な訳を称へられた一文ではある。思へば「ヴァテック」初版の一年後のことだ。ベックフォードの原文の代名詞混乱さへ巧妙に移してゐるのではなからうかと思はれるやうな不思議な文体である。

「パッと開」き「ハタと閉さ」れ、「ビシヨ濡れ」になる体《てい》の準擬音詞片仮名表記は、たとへば久生十蘭作品にもあり、共に私の好むところではないが、そしてそのためにこの壮麗な文体はいささかならず損はれもするのだが、それを別とするなら振仮名の一つにも蘊蓄の一端は偲ばれ、用語用字文脈への配慮には感嘆を久しくする。

　もつとも全文生田氏の改訳、新訳であつたならば、おのづから別の魅力も生れてゐたらう。特に訳出熟語に原語表音振仮名の螺鈿《らでん》をふんだんに施す氏の文章を私は好む。綽名、源氏名、固有名詞、俗語の巧妙な漢語化も独特の照り翳りを生み、伊達《だて》好みな美的配慮についても、矢野目訳を越えるのではあるまいか。

そのやうな意味で「ヴァテック」の補筆部分を探索するのも面白からう。消去法によるのだ。たとへば「参詣しやう」とか「可愛いい」とかの誤用ある頁は原訳、「長生《ながいき》」「救援《たすけ》」などの無用の振仮名のある章も同断、但しかういふ癖まであるひは匂ひづけしての補訳なら最早すべはあるまい。

また私は「ヴァテック」をその昔、「アラビアンナイト」のパゾリーニなどに先んじて、ジャン・コクトーあたりがもし映画化してゐたらさぞかしと考へることもある。ヴァテックには勿論ジャン・マレーを起用しただらう。ヌロニハルにはマリア・カザレス、カラチスはアルレッティ、グルチェンルッツにエドゥアール・デルミ、宦官長フランソワ・ペリエ、魔神マルセル・エラン、魔王エブリスはマレーの二役以外考へつかぬ。撮影ニコラ・エイエ、衣裳エスコフィエ、音楽ジョルジュ・オーリックもしくはダリュス・ミヨー。極彩より黒白の方が卻《かへ》つて豊かな色彩を孕まう。最初は「斑馬の丘」の遠景、近づいてアルコルレミの五つの宮殿。まづ「永久宴」パレスは山海の珍味を並べ美酒の噴泉の迸《ほとばし》るところ。そしてこの映画はずたずたに切られて公開中止となると想定するのも更に一興だ。

ベックフォードは、「私は未だに揺籃の中にゐる」と消息に認《したた》めたといふ。恐らくはロック鳥に攫はれてアララットの山に落され、バベルの塔でも遠望したかつたのだらう。

信天翁と大鴉と鳩

日夏耿之介

　コオリッヂの『老篙《らうこう》之詠《うた》』には幻怪趣味の小道具として信天翁《あはうどり》が扱はれて居る。私はこの詩を誦《よ》むごとに少からずこの禽《とり》に心を牽《ひ》かれる。その禽の扱ひ方たるや、別に変つた使用法でもなんでもない。（この作品のこの禽に就て、こゝには文献の引証などといふ事は、雑談であるからしない。他の博識家が必ずやられる事でもあらうし、更に確かに詳しく読みたい人はJohn Livingston Lowes: The Road to Xanadu の第十三章 The Bird and the Daemon でも読まれたらばよろしからう）が、誦めば誦むほど如何《いか》にもそれは無気味である。今の世にありうべからざる事だとは思ひながらも、あつてもよかりさうな気がする。又あるのかも知れないといふ気もする。いや、ありうるやうな気さへして来る。

　この気持ちを解剖すると、凡《すべ》ては結局われらの立場に於ける物心観の中枢に帰着して了《しま》ふのであるが、いはゆる荒唐無稽なロマンティシズム時代の遺産文学が、今日に於ても尚依然として好かれ嗜《たしな》まれるのは、皆この一点に於て頑としていはゆる新時代の人生観世界観物質観宇宙観にゆづらざるものが一方にあるからに外《ほか》ならぬ。芸術観とまでまとまらなくても、これらの観想が結局かれらの好悪の根元となつてはたらくからに外ならぬ。民衆は好悪がその鑑賞の中心をなすのであつて、芸術観如《ごと》きは問題にはしないものである。自己の思想に近似の形質をなして、且《か》つある高い示唆を有するものなれば喜んで之《これ》を嗜《たしな》むものである。由来実証的でありすぎる今の青年でもポオの幻怪文学は好きである。一部の人間にポオ・イティスは非常に根強くはびこつてゐる。又、ロゼッティ熱も依然としてさかんである。決して衰勢を示してはゐない。コオリッヂは同じロマン詩人でありながら、前二者ほど一般的でないから普遍性は尠《すくな》いが、かりにも英吉利《イギリス》の浪曼派文学を語るほどの者が、この詩人の特にこの作を読まぬものは先《ま》づない。その読んだ人は必ずこの無気味な禽《とり》に心を牽《ひ》かれるにちがひない。原来が、沖大夫《おきだいふ》といひ馬鹿鳥といつて別に無気味な伝説がつき纏《まと》つてゐる禽でもないのに、これを一《ひと》たび殺してから率然として兇兆がつき纏ふのである。信天翁の宇宙的復讐である。

この禽が、長短伸縮自在のラインズに乗つて、バラッド本来のシムプリシティを極度に発揮しながら、詩の進行に伴つて廻翔するのである。一見荒唐無稽でありながら、いはゆる模倣的バラッドの性能を存分に発揚して、極めて単純な詞致に於て底力つよく読者をうごかすから、人はどうしてもこの詩の魅力にひき込まれないではゐられないのである。月光がある、怪舟がある、死の神、死中の生の神がをる。舞台は天地闃寂たる南氷洋である。コオリッヂ措辞の妙を見れば、『シェルボック航海記』にどれだけ負ふところがあるかは問ふを先づ要すまい。

　信天翁を中心とするこの怪談詩を読んでも、われらは、電燈の脚燈前に累《かさね》や阿岩《おいは》の怪異を歌舞伎劇に見て一味の滑稽を感じるやうな、そのやうな不自然性をば全く感じないのである。それは一図《いちづ》に話の筋と言葉とが簡素単純の境致に於て悉く《ことごと》生きてゐるためである。雰囲気のロマンティシズムを破る怕《おそ》れが毫頭《がうとう》ないからである。歌舞伎劇では、昔の油燈《ランプ》の面《つら》あかりで薄ぼんやりと覗いた頃と事違ひ、今は照明を自由に使ひ、電燈まばゆい観客席に居つて十分実証的な気持ちでこの古風な怪異劇を客観的に覗くのであるから、怪異がその怪異性を発揮する迄に及ばずして早くもその異常性のため超自然性のために、かへつて今時の十分実証的にして浅墓《あさはか》なる観衆はその滑稽を感じて微笑苦笑哄笑嗤笑《しせう》を催すに至るのである。

『老篙之詠』のバラッドは、昔乍《なが》らの自然的バラッド、原始的バラッドの約束によつて飽くまでも単純簡素に歌つてゐるから、たとへば向島の奥の別業《べつげふ》あたりを借りて結城孫三郎一座の廃滅しかゝつた操《あやつり》人形芝居を呼んで来て、少数同好がしんみりと見物するとでもいふやうな調子で、一種の古風な自然な底力のある怪異性を強感するのである。思ふにコオリッヂの佳篇と雖《いへど》も、この種の魅力をその極点迄押し進めたものの外の何物もないのである。若《も》しありとして強弁する者は、詩を読んでも詩の判らない詩学者が先人の説に盲従して理窟を飾つて物を申すにすぎない。しかも、これ丈《だ》けで十分コオリッヂの詩人としての古典性及びその現代性を認め得られうるのである。

　このコオリッヂに感化せられた詩人の一人ポオの佳篇『大鴉』にも、標題のやうな大鴉が出て来る。が、『大鴉』は決して直接コオリッヂの感化をうけたものではない。（大鴉の出典その他に就ては諸版ポオ伝及び Campbell 本詩集の後註を見れば分る。）ポオの大鴉はものを言ふ。nevermore といふのである。この言葉を副詞のごとく呪文の如く符号のごとく名詞のごとく妖かしくつぶやく。

　信天翁はあくまでその鳥類の性能に於て超自然性を発揚してゐるいはゞ鳥も人も押しなべて運命神の掌中のものであるが、ポオは大鴉に人間性を附して奇異なる人語をあやつらせる。不自然といへば之程《これほど》不自然な事は世にない。しかも実証的なる事斯《か》くの如き現代に於ても、尚且《か》つ大鴉は夥しく嗜誦《ししよう》せられてゐるのである。阿岩さまの怪異を見て嗤《わら》ふやうに、この詩を見て嘲《わら》ふ気にはどうしてもなれない。なんとなく各人の弱味につけ込んで、するすると引き入れて了《しま》はねば止まぬ何ものかの力が其処に潜んでゐるやうな気がする。

第四節に

　“Sir,” said I, “or Madam, truly your forgiveness I implore;

といふ語法がある。あれは一寸《ちよつと》をかしい。現代のわれらが可笑《をか》しい許《ばか》りではない、『大鴉』とは密接の関係があるブラウニング夫人すらも、あんな瑣事《さじ》に気を掛けてかへつて滑稽な感じがするといつてゐる。が、その節の終り繰りの文句

　Darkness there and nothing more.

を誦《よ》んで、ダアクネスの一語がピンと利いてゐる事を確《たしか》めえた人が、直ぐ第五節の冒頭

　Deep into that darkness peering, long I stood there wondering, fearing,

云々以下を誦むと、一寸笑つた心は急に又無気味な渋面を作つて、ずるずると沈黙と幻怪との中に引きずり込まれるのを感じずには居られない。

いつたい此《こ》の大鴉は随分高慢であり折目高《をりめだか》でもあるのが、作者に最初は揶揄の心持ちを起させても、それが反対に次第に無気味から驚歎驚異の情と変じてゆく。作者と大鴉との関係は、日常物と異常物との関係である。而《しか》もその異常物は人間の心中を看破《かんぱ》してゐるが如くに作者内心の波瀾を洶湧《きようゆう》させてとどまるところを知らない趣がある。こゝに於て、この異常なる大鴉は滑稽以上の凄愴を以て直ちに人に迫るのである。この禽は、人間並にいや人間以上の立場に立つて、パラス神像の上から小さき人間を見下ろして謷々《がうがう》と物言ふのである。

ポオのゴスィック主義に於ける怪異性は、超自然性を以て現代人の軽視を求める以上に、その現実性と超現実性との二つの力を以て、現代人の感激を覓《もと》めて歇《や》まない底力を有してゐる。コオリッヂに見る怪異以外に、ここには白日夢の現実性がしかと附加せられてゐる。一歩近代に近づいた証拠であらう。

このポオを少年時に愛読したロゼッティが（彼はポオの詩『ユウラリウム』のパロディイを作つた事もある）一八四七年少くとも五月十二日より前に書かれた少年処女作 The Blessed Damozel に鳩を使つてゐる。

ロゼッティは、ポオが地上の恋人の悲歎哀傷を歌つたに対して、天上の恋人の恋情をあらはしてゐる。（ロゼッティはポオの詩も散文も嗜《たしな》んでゐたが、詩の中では特に Ulalume, For Annie, The Haunted Palace などが嗜《す》きであつた。）ロゼッティのこの作の中で、ポオの

『大鴉』の直接の感化とおぼしいのは、第十二節の地上の情人がふと禽《とり》の声を聞いて亡き情人の声音《こわね》ではあるまいかと訝《いぶ》かる節である。

ロゼッティの鳩は天上聖霊のシムボルである。が、それは詩一篇の基調ではなくて、ひとつのツマである。ツマではあるが、非常に効果のあるツマとなつてゐる所以は、that living mystic tree と the Dove とが微妙な語法で一致して上天生活の具象的消息をよく伝へてゐるからに外《ほか》ならぬ。

ロゼッティは当時なほ十八歳の少年で、浮世の辛惨にも染みてをらぬ。なんとなく食ひ足らぬといへば、三篇中で、正しくこの篇がそれであらうが、一面少年の美しい空想の尖端が美しき夕雲の彼方に遠く遠く延びて、やがてほんのりと夢のやうに消えてしまつてゐるその素樸《そぼく》と簡素と純真との心力が、年少夙《はや》くもあらはれた独自の詩的表現力と相俟つて、読者を衷心から魅了すること勁《つよ》きものがある。これは芸術の本質価である。

『老篙之詠《うた》』を得た頃コオリッヂは二十歳を杳《はる》かにすぎた青年で、鴉《あ》片癖《へんぐせ》さへついて了《しま》つてからの年配であるから、遉《さす》がにロゼッティの稚醇《ちじゆん》はない。ポオに至つては既に凡《あら》ゆる飲酒放《はう》肆《し》の限りをつくした後の事であるから、その詩にあらはれたる人生苦渋の杯を呑んだ陰惨な姿相を呈してゐる。その大鴉はネ……ヴァ……モ……アと怪しげに一声叫ぶ言葉のうらに、嘲笑と批評と怨嗟との調子を針のやうに含んでゐる。ロゼッティの今や人生の朝ぼらけ、信仰の黎明の花苑に佇んだ如き朗明清澄は見出せない。又、コオリッヂの怪異趣味の古風なるも他の二者にはない。コオリッヂの夫《そ》れはゴスィック・ロマンス此《こ》の方《かた》の伝来である。ポオやロゼッティの時代には、既にこの奇文趣味が亡《ほろ》んでゐたのはいふまでもない。ゴスィック・ロマンス作家のむれの奇誕趣味は、ロマンティシズム初期から盛期かけての特色で、やがてその怪奇に対するあくがれは、更に現実性を帯びてポオの『大鴉』ともなり、更に宗教性を帯びてはロゼッティのバラッドともなつた。

この超自然性は、世紀末に至つて全く消失し去つたものではない。紀季文学のデカダンス性はその現実力とそれからの逃避慾との二つに於て一種の特色を示したが、たとへば加特力《カトリック》復活運動の詩人ごときは、その感化の羽《は》がひの下に在つて又別種の方向に転じてゐる。フランシス・トムスンの『天上獵狗』Hound of Heaven には天上の狩犬が出て来る。この位超自然的なるものはなからう。又、後期象徴主義の芸術は、更に徹底した超自然傾向に立つて『青い鳥』に於ける鶏や砂糖などの準人間性をはつきり認容してゐる。

芸術に於ける実在性は、現実相となつてあらはれても、象徴相となつてあらはれても、その何《いづ》れであつてもかまはないが、その何れかの背後に作者の大いなる主観が蟠《わだか》まつてゐて、その主観は空想の現実性、現実の仮幻性に深き透察を経験し、現実とその前後左右に強き芸術的観照を経てゐるならば、読者は極端なる現実相にもかへつてそのメエルヒェン性を感じるがごとくに、極端なる象徴相にもかへつてその現実性を認めて、そこに一味の芸術境を認容するであらうことは、今後といへども必ず変化のない凡《およ》そ芸術の常道である。

コオリッヂの畸怪に見る、ポオの恠異に見る、ロゼッティの幻境に見る夫《そ》れ夫《ぞ》れの特殊の現実性は、それぞれの詩人の立場を単なるメエルヒェン作者から引き上げて卓越した詩人の位相にするゐるものである。現実性が尊いのでなくて、現実と仮幻との関係に対する作者の偉大なる芸術的認識の幅と深みと強さとが尊いのである。

ロマンティシズムは、揣《はか》らずもこの三人の詩人の三種の代表作によつて、三種の禽《とり》を使用する事により三種の異《ことな》つた作例を世に自《おのづか》ら提示し得た趣があつた。

眼のゴシック

八木敏雄

ポーとゴシックとなれば、もう出来ているというか、自明のことというか、取沙汰するまでもないということになりそうだが、ではポーとアメリカン・ゴシック[1]の関係や如何に――となると、さほど自明のことではなくなるばかりか、ここでまた「ゴシック[2]」の定義が問題となろう。が、そこはこの文学のジャンルが本来もつ曖昧さに免じて、ここでは厳密な定義はいちおう不問に付して、論をすすめさせていただく。この場合、そのほうがかえって有益なのだ。

処女作にはその作家のすべてが含まれている、とは誰かが言いだした神話かも知れないが、この神話をポーに当てはめるなら、ポーはまさしくゴシック作家である。生涯に七〇篇あまりの短篇小説を発表した短篇作家ポーは、次のような小品を書くことでその作家的経歴を始めた――「メッツェンガーシュタイン」（一八三二）、「オムレット公爵」（同上）、「エルサレムの物語」（同上）、「息の紛失」（同上）、「ボン・ボン」（同上）、「瓶から出た手記」（一八三三)、「約束ごと」(一八三四)、「ベレニス」(一八三五)。

「メッツェンガーシュタイン」は、年若いフレデリック・フォン・M男爵が、年老いたベルリフィッツィング伯爵の怨念の化身であるらしい焰のように「赤い馬」に乗って、燃えさかる自分の城のなかに消えて煙と化す話である。ここに出てくるのは中世の城、貴族、憎悪、超自然現象、預言、呪い、復讐、宿命、それに舌を嚙むようなドイツ語の家名などのゴシック的諸要素。

「オムレット公爵」は、女王様からいただいた小鳥が料理されて食卓に出てきたので「憤激」のあまり頓死し、当然ながら地獄に堕ちるのだが、悪魔とのトランプの賭けに勝って、この世に生還するたわいのない話。だが公爵が賭けに出て生還する契機をつかんだのが、むかし読みかじった修道士ガルティエの写本に「悪魔はエカルテの勝負にさそわれると断ることができない」とあったのを思い出したからであるのは、注目に値する。

「エルサレムの物語」は、ユダヤ人たちが聖都エルサレムの城壁から苦労して釣り上げた供物が、仔羊ならぬ「並外れて大きな豚」であったと判明する、ただそれだけの寸話。

「息の紛失」は、結婚の初夜があけたあくる朝、新妻を思いきり罵ろうとしたとたんに息をなくしてしまい、ために死んだものと思われ、生体実験に供されたり、絞首刑に処せられたり、地下墓所に埋葬されたりする男の、滑稽にも悲惨な物語であるが、息をなくしたことに気づいた「私」が「紛失物」を求めて家宅捜査をした結果みつかったのが、「入れ歯一セット、ヒップ一セット、眼球一つ」であったことは記憶にとどめたい。

「ボン・ボン」は、自分のしがない魂を悪魔に高く売りつけようとして失敗するフランスの料理店主兼哲学者の話。ある雪の夜、ボン・ボンの私室を訪れた悪魔は緑色の眼鏡をかけ、「聖職者」のような服装をしているのだけれども、眼鏡をはずすと、「眼があってしかるべき場所に……ただ平坦な皮膚しかなく」、にもかかわらず、人間はいうに及ばず、猫の頭骸骨内に蠢動する「観念」までが如実に見えるのであって、こんな悪魔とはどんな人間も太刀打ちできるはずがない。ボン・ボンは悪魔に魂を買ってもらうことにさえ失敗する。

「瓶から出た手記」は、懸賞に応募して当選したポーの出世作。ジャヴァはバタヴィアの港から船出しながら、最後に南極の大渦にのまれて沈む帆船に乗りあわせた男が、いまはの際に瓶につめて海に投じた手記というかたちで、異常な状況と恐怖を描く趣向の物語だが、この帆船はまさしく幽霊船で、「動くゴシックの城」である。

「約束ごと」はあでやかなゴシック掌篇といったところ。場所はヴェニス、時は真夜中。若く美貌の侯爵夫人アフロディテの幼な児が運河に落ちて大騒ぎになる。しかし年老いた陰謀家メントーニ侯爵はわが子救出の指揮をしながらも、ときおりギターをつまびき、倦怠のかぎりといったようす。そのとき外套を身にまとった人影が運河に身を躍らせ、まだ息をしている子供を抱いて水中から出てきて、夫人のもとへ。水をふくんで重くなった外套がはらりと落ち、うら若い男の美しい肢体があらわになる。夫人はこの貴公子に「あなたは征服なさいましたのよ——日の出の一時間のちに、お逢いしましょう」と謎めいた言葉をかける。翌朝、その時刻に、この二人は別々の場所で毒をあおいで死ぬ。

「ベレニス」は死んだ許婚の墓をあばいて、その三二本の白い歯を抜いてくる若者の話……。

この調子でポーの全短篇を概観することも可能だが、そうするまでもあるまい。この処女作群で基調は定まった、という感じなのである。こころみに、ポーといえば誰もが思いつく短篇小説をいくつか思い出していただきたい。たとえば「アッシャー家の崩壊」（一八三九）、「モルグ街の殺人」（一八四一）、「赤死病の仮面」（一八四二）、「黒猫」（一八四三）、「アモンティリャードの酒樽」（一八四六）などを。これらポーを代表する作品の基調は、処女作群のそれから大きくはずれてはいない。そうなら、ポーの作品群を、限られたページ内で、全体として大づかみにするためには、その最も高名な作品と、最も高名でない作品とを取りあげてみるのが良策だろう。

「アッシャー家の崩壊」をポーの最も高名な作品としたい――この作品を収めていないポーのアンソロジーはまず絶対にない、というほどの理由で。そして、まずは、その有名な冒頭の検討からはじめたい。


雲の海おもく低く空にかかり、ひと日、ひねもす、けだるく、日の光とてなく、ひっそりとひそみかえったとある秋の日（During the whole of a dull, dark, and soundless day in the autumn of the year）、わたしはひとり馬にまたがり、奇妙に人気のない地方をとおりすぎ、ようやく宵闇せまるころ、陰鬱なアッシャーの家が見えるあたりにさしかかった。なぜかは知らぬ――が、その建物を一瞥したとき、たえがたい憂愁の気がわたしの心にしみわたった。たえがたい、とわたしは言う、なぜなら、この感情は、荒涼としておそろしいものも仮借ない自然の姿をとるときは誰の心にも感じられる、あの詩的なるがゆえになかばたのしい情緒によって、いささかもなごむことがなかったからである。わたしは眼前の光景を眺めた——さりげない建物のたたずまい、あたりのそっけない風景——うつろな眼をなす窓（eye-like windows）——ひょろひょろと伸びた菅《すげ》——朽ち果てた木々の白い幹などを、まことめいりきった心地で眺めたが、この心地をなにか現世の感覚にたとえるならば、まずはアヘン常習者の酔いざめ心地——日常生活復帰へのつらい失墜——ヴェールが落ちるときのおぞましい感じ、というところか。心は凍え、沈み、吐気をもよおし——いかに想像力に鞭打とうと、とうてい崇高さには転じようもない、救いようもない沈鬱な思いであった。その正体はなにか——と、わたしは立ちどまって考えた——アッシャーの家を眺めているうちに、かくもわたしを意気銷沈させるものの正体はなにか、と。それはまさしく解けざる謎であったし、そのおりわたしを襲った妄想の大群には抗すべくもなかった。そこで不本意ながら次のような結論で満足しておくよりほかはなかった——すなわち、きわめて単純な自然の事物も、その結合の仕方によっては、以上述べたような効果をわれわれに及ぼすことは事実としてあるけれども、その力の正体を分析することはわれわれの知力の及ぶところではない、と。そうならこの光景の細部を、この絵の細部を、ただ組みかえるだけで、あのものがなしい印象を与えている力を削減、あるいは消滅させることができるのではなかろうか、とわたしは考え、その考えに力を得て、館のそばにひっそり輝きわたる、黒く毒々しい沼の切り立つ岸辺に馬をすすめ、灰色の菅、不気味な木の幹、うつろな眼をなす窓（the vacant and eye-like windows）などが水面にそのままさかさに映し出された姿（remodelled and inverted images）を眺めおろした——だが、以前にもましてはげしい戦慄を覚えるばかりであった。

原文冒頭の［d］音のアリタレイションの呪文とともに、とある秋の日の夕まぐれ、どことも知れぬ土地柄をひねもす馬に乗ってやってきた語り手「わたし」は、アッシャーの屋敷が見えるあたりに出現する。だが、なぜだか、この建物とあたりの眺めはひたすら「わたし」の気を滅入らせるばかり。その「なぜ」を問いながら、「わたし」の心象を稠密なタッチで憂愁の色に染めあげ、描きあげ、織りあげているのがこの冒頭一節のテキストである、といちおう言っておこう。

が、これはたんなる対象の描写ではない。視点をになう語り手の瞳孔をとおして網膜に反転して映じている、しかし不思議な人間の生理によって、また反転して知覚されるところの映像の、言葉による描写にほかならない。あるいは、まなざしの織りなすテキスト。さらに別言すれば、語り手は自分の網膜にうつっている——自分の眼球にとりこんでいる——「光景」を、「風景」を、もっと端的には「絵」を、見ているのだ。だから、その「光景」ないし「風景」がピクチャレスクであるのは、けだし当然だ。だからこそまた、「荒涼としておそろしいもの」が生みだしてしかるべきサブライムの気配、崇高美の欠如に不満を覚えたときに「わたし」がしようとしたことは、「この風景の細部を、この絵の細部を、ただ組みかえる」ことなのである。そして〈見る人〉である語り手が実際にすることは、「黒く毒々しい沼」の岸辺に視点を移動させ、「灰色の萱、不気味な木の幹、うつろな眼をなす窓などが水面にそのままさかさに映し出された姿を眺めおろす」ことなのだ。結果は、当然のことながら、「以前にもましてはげしい戦慄を覚えるばかり」。

いま「当然のことながら」と言ったが、対象そのものよりも網膜の反転像を信じるよりほかはない視覚人間にとって、沼の鏡面の反転像の、そのまた反転像である網膜の映像のほうが、よりピクチャレスクな「絵」であるのは理にかなったことだからである。それは沼の岸辺という額縁に囲まれているがゆえに、なおいっそう「絵」である。ところで、この語り手である〈見る人〉は、『ユドルフォーの秘密』のエミリーが、これから自分が入っていこうとしているアペニン山中のゴシックの城を馬車を止めてしばし眺めるように、自分がこれからそこに入っていこうとしている（あとで判明するように）やはりゴシック風の建物を、自分の眼球の中に取り込むという仕方で見ているわけだが、引用冒頭のパラグラフを読む（いや見る）かぎりでは、その建物のきわだった特徴が「眼をなす窓」にあることは注目に価する。このパラグラフには“eye-like windows”というフレーズが二度出てくる。また、この短篇に繰り込まれているアレゴリー詩「幽霊宮」では、「宮殿」は人間の「頭」にたとえられ、窓は眼にたとえられている。

Wanderers in that happy valley
　Through *two luminous windows* saw
　　……
And travellers now within that valley,
　Through the *red-litten windows*, see

(italics added)

建物の窓を眼にたとえること自体はさほど異とするに足りないが、それが「二つ」に限定されていることは、建物を「頭」とする寓意をほとんど過剰に補強する。アッシャーの屋敷が、内部に眼球を内臓する「頭」の暗喩であることはまずたしかだ。

それかあらぬか、語り手が「ゴシック風の拱廊」を通って案内されるロデリック・アッシャーの居室は、壁一面に「黒ずんだ壁掛け」が掛っており、「かすかに紅をさした光が格子のはまった窓からさしこみ、あたりのめぼしい物はかなりはっきり見わけがついたが、部屋の遠くの隅々、円天井の格子作りの奥まったところなどは、どんなに眼を凝らそうと、見えるものではなかった」という具合で、これは一種の暗室（camera obscura）ないし眼球だ。そして眼球とは、おのれの内部に外部を囲い込んで世界を所有する仕掛け、内部だけしかない器官のことではないか。

そうなら、そのメタファーとしてのカメラ・オブスキュラの中に住むロデリックおよびマデリン・アッシャーは、完全に外界をしめ出して自己の内部にのみ住む自閉的な外のない近代西欧が生みだした不吉な人間の典型かもしれない。そのような内部人間にとっての破滅は内部へ向かっての崩壊でしかありえず、だからこそアッシャー家の主人が死ぬと、その建物もまたブラック・ホールのような黒い沼に呑まれて姿を消すのだろうが、それはまた網膜の剝離、あるいは視覚細胞からの信号を解読する脳の崩壊のことでもあろう。そして、これはまた、われわれが現実と呼んでいるもののあやうさ、それを認識する主体が崩壊すると、それもまた崩壊するようなものについての、物語なのである。つまり「眼」のゴシック。

私は「眼」にこだわりすぎているだろうか。そうは思わない。ポー自身が大いに眼にこだわり、それがオブセッションともなっていた作家だった。冒頭で言及した初期作品のいくつかにも「眼」の萌芽があることを、私はそれとなく暗示しておいたつもりだし、高名な「黒猫」にしても、語り手が愛猫の片眼をえぐり、その後釜にきた猫もまた片眼がないことに縁起がある物語だ。印象ぶかい「告げ口心臓」(一八四三)は、「眼つき」が気にいらないという理由だけで老人を殺害して自滅する不条理な若者の話。これ以上言及するまでもなく、「眼」や「眼つき」や「まなざし」がポーの重要な主題のひとつであることはたしかである。

さて、ポーの最も高名でなく、しかも肝心な作品をとりあげる番だ。「ある苦境」(一八三八)をそれとしたい。それが高名でないことは、『ポー、ポー、ポー、ポー、ポー、ポー、ポー』(3)(一九七二)というポーを七つも重ねた表題の本を書いたダニエル・ホフマン教授が、その本の枕で、この本を書こうと発心するまで「ある苦境」を知らなかった、と恬淡《てんたん》として告白していることからもわかるし、W・H・オーデンがその『ポー選集』(4)（一九五〇）の序文で、ポーの滑稽・風刺小説のなかでこの作品だけが「おかしい」と書きながら、この選集に入れていないことからもわかる。

「ある苦境」は、その語り手兼主人公が、ダイアナというプードル犬とポンペイというこびとの黒人の召使いを連れてエディンバラを散策しているうち、ふとゴシック風の寺院をみとめ、その尖塔にのぼって町を眺望したいという気になり、塔をのぼりつめると、そこは鐘楼。すこし高いところに小窓がある。彼女はその小窓から市街を見物しようとポンペイの肩に乗って、窓から首を出して町を眺める。すると「何かたいへん冷たいものがうなじにそっと触れる」――それは「キラキラ光る三日月刀のような時計の長針」だった。それが刻一刻、彼女の首に食いこんでゆく。その衝撃で、まず片眼が眼窩から飛び出し、尖塔の斜面をころがり、雨樋にひっかかって止まり、彼女にウィンクする。すると、こともあろうに、残った彼女の片眼がウィンクを返す。が、そのうち、その片眼も眼窩から飛び出し、「仲間と同じ方向をたどって（きっと共謀しているにちがいない）落ちていった」。どうして両眼がないのにそんなことが見えるのか、そこが不思議だが、そのうち首も落ちる。が、この首なしのゼノビアはなおも考えつづけ、語りつづける――「五官の働きは、まったく同時にことかしこの二つに分れてしまっていた。ある瞬間には、私すなわち頭のほうこそ本当のシニョーラ・サイキ・ゼノビアであると、私はその頭によって想像するのであったが――また次の瞬間には、私自身すなわち胴体のほうこそ本人にほかならぬと確信するのだった」というぐあいに。こうして首がなくなったので、ゼノビアは簡単に小窓から胴体を抜いて鐘楼のなかに立つことができたが、ポンペイは首なしの彼女の姿を見ると、一目散に階段を駆けおり、消えてしまう。ダイアナは、鼠に食べられてしまったらしく、骨だけになっている。「犬もなく、黒んぼもなく、首もないこの不幸なシニョーラ・サイキ・ゼノビアに、いま何が残されているのか？　悲しいかな――何も残されていないのだ！　万事が終った」で、この話は終る。これは、完全に分裂する自我と、眼が見るものを見るためにも、また眼が必要ではないか、というアポリアに気づかせてくれる秀逸なゴシック的寓話ではなかろうか。

注

（1）アメリカン・ゴシックの私なりの定義については、ブラウンを論じる「アメリカン・ゴシックの誕生」の章、とくに七四―七五頁、七九―八〇頁を参照されたい。なお「アメリカン・ゴシック」という語ないし概念がそれほど確固たる市民権を得ているわけでないことは、私の知るかぎりでは、その名を冠する本が三冊しかないことからも推察できる。その三冊とは、Irving Malin, *New American Gothic* (1962), Donald A. Ringe, *American Gothic: Imagination and Reason in Nineteenth-Century Fiction* (1982), Louis S. Gross, *Redefining the American Gothic from Wieland to Day of the Dead* (1989) である。なお、Grant Wood に *American Gothic* (1930) と題する絵がある。本書のラッパーを見よ。

マリンの本の他人による「はしがき《プレフィス》」には「にぎにぎしく外向的なアメリカは、個人の内面世界を探索する一定割合の〈ゴシック〉作家を生み出してきた。チャールズ・ブロックデン・ブラウンからポーをへてトルーマン・カポーティ、ジェームズ・パーディ、フラナリー・オコーナー、ジョン・ホークス、カーソン・マッカラーズ、J・D・サリンジャーなどの一群の作家たちのことである」とあり、著者自身による「序文《イントロ》」には「ニュー・アメリカン・ゴシックはポーに近く、ハウエルズからはほど遠い。それは社会より心情のほうが大切だと信じ、あるいは……内面生活の混沌こそが描かれるべきだと信じている。そして、この混沌が顕現するのになにも大きな社会の場を必要としない。ゴシックは小宇宙《ミクロコズム》を利用する。平和時の駐屯地《アーミー・キャンプ》、スカリーの船着場、六十三番通りの奇妙な家、セントラルパークなどの。だが小宇宙《ミクロコズム》に理不尽な（そして普遍的な）諸力が爆発するには充分な余地がある」（五）とある。

　リンジの本の著者自身による「序文」は、主として旧大陸におけるゴシシズムについての研究書は数多く出ているけれども、「アメリカにおけるゴシック・モードを手広く論じた本は一冊としてない」と断定し、そういう間隙を埋め、アメリカン・ゴシックの特質を明らかにするのが「本書の目的である」と標榜している。そして、たとえばブラウンについては、次のように指摘する――「『ウィーランド』においては現実を知覚する問題が最大関心事であり、その関心は全巻を通じて持続し、妄想の源泉は外部にあると同時に内部にある。そのうえブラウンは視覚より聴覚に重きを置く。このこと自体、視覚中心主義的な旧来のゴシック・ロマンスからみると、重要な強調点の変化である」（四八）。

　また、わが国には元田『アメリカ短篇小説の研究――ニュー・ゴシックの系譜』がある。その「序」に「ニュー・ゴシックとは、ゴシック・ロマンスの要素を寓話的象徴として用いることにより、あるいは、それを主人公の心理の象徴ないし心理の客観的相関物に変質させることによって、抽象的観念の具象化や、こころの深奥に潜む心的内容の表明に成功した作品であって、ホーソンとポオがこの系譜の創始者であり、ビアス、ヘンリー・ジェイムズ、アンダソン、フォークナー、カポーティなどがその推進者である」（四）とある。

（2） Lundblad, *Nathaniel Hawthorne and European Literary Tradition* (81-88) はゴシック小説の特色的要素を一ダース列挙している。以下、それを転写し、その解説を、私見もまじえて、要約しておく。

（一）　文書。ゴシック小説の語りの特質のひとつは、それが「二度語り」であり、「物語内物語」であることにある。そういう仕掛けに不可欠なのは古文書、手記、証文などの文書である。文書の一部を判読不能にすることによってテキストを「よりむずかしく」することもできる（マチューリン『メルモス』、ホッグ『義とされた罪人』）、また全作品を古文書の翻訳というふうに韜晦することもできる（『オトラントの城』）。

（二）　城。秘密の部屋や回廊や迷宮のような地下道をもつ城は『オトラントの城』から『ユドルフォーの謎』に至るまでのゴシック小説にほとんど不可欠のセッティング。城がルイスの『マンク』の場合のように、地下墓所をもつ修道院になることもある。またゴドウィンの『ケイレブ・ウィリアムズ』の場合のように、イングランドそのものが城の隠喩になることもある。

（三）　犯罪。犯罪といっても家督相続をめぐっての殺人といったものばかりではなく、しばしば僧侶などの「聖なる」人物がからむ近親相姦的な愛や嗜虐的な拷問を含む犯罪。『マンク』の「高僧」アムブロジオは（実はあとで自分の妹とわかる）アントニアの（したがって自分の）母親を殺し、アントニアを犯し、そして殺す。またアムブロジオに妊娠していることを悟られ、修道院の地下墓所に監禁されたアグネスはそこで子を生み、その子が死んで腐敗してゆくさまを見る責苦を味わわされる。

（四）宗教。旧大陸のゴシック小説の主役たちはカトリック、ときにイスラム（『ヴァセック』）に強くかかわり、その多くは聖職者である。異端審問もよくあらわれる。一見宗教色がないように見える『ケイレブ・ウィリアムズ』でも、フォークランドの苛斂誅求ぶりは、カルヴィニズム的である。

（五）イタリア人。このイギリス生まれの物語のジャンルに登場する悪党はほとんどがイタリア人。スペイン人であることもある。しかし、イギリス人であることはあまりない。ラドクリフの『イタリア人』（一七九七）のシェドーニ、『ユドルフォー』のモントーニはともにイタリア人。『マンク』のアムブロジオ、『メルモス』のモンサダはスペイン人。

（六）不具。悪党はしばしば不具に仕立てられている。ヴィクトル・ユゴーの『ノートルダムのせむし男』（一八三一）がただちに思い出される。そして『緋文字』のチリングワースや『白鯨』のエイハブのことも。

（七）幽霊。ゴシックの城や屋敷には幽霊が充満していると言ってよい。本当の幽霊の場合もあるし、にせの幽霊の場合もある。ラドクリフの幽霊たちは後者だが、『マンク』のレイモンドのように、幽霊を利用してアグネスと駆落ちしようとして、本物の幽霊と駆落ちするはめになる複雑な場合もある。

（八）魔術。魔女や魔術師は英国のゴシック・ロマンスよりもドイツのゴシック短篇小説に頻出する。ワシントン・アーヴィングの『旅人の物語』にも。

（九）自然。恐怖をそそるものとしての嵐、雷光、闇など。蒼い月光におぼろにかすむ夜景もゴシック・ロマンスお好みの風景。

（一〇）鎧をつけた騎士など。（七）にも関連するが、『イギリスの老男爵』に見られるように、甲冑をつけた騎士の幽霊はよく出る。またウォルポールが『オトラント』を書くきっかけになった夢にも手甲をつけた騎士が出た。

（一一）　芸術作品。『オトラント』でマンフレッドの祖父の肖像画が溜め息をもらしたり、そこから歩み出したりして以来、この種の手管はゴシック小説の常套と化したきらいがある。『イギリスの老男爵』、『メルモス』、『ユドルフォー』、『マンク』。たとえば、アムブロジオが「マリアへの誓いを捧げていると、画像の目が何ともいえないやさしさで輝いてくる。画像に唇をつけると、それが温いのに気づく。カンバスから生きた姿となって出てくると、彼をやさしく抱いて、彼の五感は甘美な喜びにたえられないくらいだった」という具合だ。

（一二）　血。これについては本文ですでに述べた。

このリストをもとに、文学作品のゴシック度を指数化する「ゴシック指数」といったものができるかもしれない。また（二）に天然の洞窟や砦も含め、（五）をインディアンや黒人に置き換えれば「アメリカン・ゴシック指数」としても通用するだろう。

（3）　See Hoffman, *Poe, Poe . . .*, 10–11.

（4）　Auden, ed. with introd. *Edgar Allan Poe* (1950). 一九五〇年出版のこの『選集』には『アーサー・ゴードン・ピムの物語』が入っており、「ある苦境」が入っていないことに特色がある。その後の版では『ピム』が省かれて、作品選択に変更がある。なおオーデンの「解説」は八木編『エドガー・アラン・ポー』（冬樹社）に翻訳が収録されている。その翻訳からとれば、彼はこうも言っている――「ポーと同じほどの名声と作品があって、彼ほど知られている作品がすくなく、しかもそれらが申し合わせたように同じ作品である作家はいない……たとえば私はこの選集を編むにあたり、読書家で通っているがアメリカ文学の専門家ではない数人のひとに、ポーの重要な作品であると私が考えている『アーサー・ゴードン・ピムの物語』と『ユリイカ』を読んだことがあるか、と訊いてみたところ、誰ひとり読んでいなかった。ところがそのいずれものひとが、私の趣味からするとあまり上等でない作品『アモンティリャードの酒樽』をはぶくことは商業的自殺行為である、と教えてくれた」（一二五―一三六）。

黒猫の恐怖

富士川義之

彼はおのれ自身の暗い運命の恐怖と警告とを探知したのである。
D・H・ロレンス「エドガー・アラン・ポー」

1

エドガー・アラン・ポーの短篇小説、とりわけ異様な怪奇幻想の世界が露骨に描き出された諸篇の冒頭部は、しばしば一種奇妙な役割を担っている。

多くの場合それらは、これから展開される物語の雰囲気やムードをあらかじめ設定するために、一人称の語り手、あるいは稀れには作者によって、前書き風に置かれたコメンタリという形式を取っている。肝腎の物語が始まる前に、語り手や作者が直接読者に語りかけ、読者を物語の魔力圏内に逸早く引きずりこもうとする手法なのだが、読者の感情や情緒的反応にじかに訴えかけようとするそうした手法自体は、格別異とするに足りない。「ある種の単一な効果をねらう」(傍点ポー)とか、「そもそも冒頭の一文が、この効果を生み出すのに有効な働きをしていなければ、第一歩においてすでに失敗だ」とかいった、冒頭から結末までにいたる完璧な首尾一貫性を短篇小説に要求した。極端に意識的な技巧家ポーとすれば、冒頭部の与える効果に腐心し、それに特別の関心を払うことなど至極当然であったはずなのだから。しかし、冒頭部が、物語の単なる導入部、または文字通りの前書きというような小説作法の常套に従いつつ、しかもそれを超える働きをしている場合、すなわち、物語の一部を形づくり、それと密着した有機的な関係を保つと同時に、本文についてのコメンタリとして、あるいは、本文に対する命題のような役割を持つものとして提示されているとき、それは本文からなかば独立した、ささやかながらそれ自体奇妙な自立性をそなえた役割を担うことになる。おそらくこれとほぼ同様な役割を果しているのは、その卓抜なポー論で、「リジーア」や「アッシャー館の崩壊」におけるエピグラフの意味について、鋭い心理分析を施したD・H・ロレンスの指摘するとおり、ポーがすこぶる頻繁に用いている、冒頭に何気なく置かれたエピグラフであろう。

　エピグラフについてはともかく、冒頭部が単なる導入部や通常の前置きとしての役割を超えた働きをしている好例の一つは、厳密にはいわゆる「怪奇幻想もの」に入らないかもしれないが、「モルグ街の殺人」のかなり長文の冒頭部である。そこでは、「分析的知性」という命題をめぐって、一人称の語り手による自問自答が繰りひろげられているのだが、それはなかば後続の物語に属しながら、なかばそれから独立しているという具合に提示されている。そのような冒頭部の提示の仕方は、その作品が端緒を開いた後世の推理小説というよりもむしろ、われわれの時代におけるある種の短篇小説、たとえば、ホルヘ・ルイス・ボルヘスのそれの冒頭部を幾分思わせるような、認識論的、ないしは方法論的様相を呈しているのである。「モルグ街の殺人」の冒頭部は、その後に展開される物語が、「これまで述べた命題のコメンタリのような役割を読者に対して果たすことになろう」という語り手の言葉で結ばれているが、冒頭部で提示された「命題」へのコメンタリとして本文（物語）をとらえるというポーの方法は、いささか敷衍して言えば、殺伐、異常な出来事をもっぱら題材にした、怪奇幻想の物語においてもかなりしばしば認められるように思われる。

それら一連のグロテスクな物語中では、「モルグ街の殺人」の語り手に倣って言えば、恐怖という「命題」が追究され、その心理的帰結が取り扱われていると思われるのだが、たとえばしばらく「アッシャー館の崩壊」を例に取ってみよう。

この奇怪な物語の語り手である「アッシャー館」への訪問者は、荒涼とした館からしばらく眼をそらすため、そのかたわらにある、「黒い無気味な湖」の岸辺へと馬を進める。しかし、彼はそこにただ、水面に逆しまとなって映っている、荒涼の館の映像のみを見出して、ますます漠然とした不安と恐怖の思いを募らせるばかりである。水面に映った荒涼の館という、一見何気ない描写は、物語の結末で、この湖の水が、館の残骸を呑み込んでしまう凄惨な光景をあらかじめ暗示しているのだが、そこに精密に計算されたポー一流の技巧の冴えを認めるにせよ、オトラント城やユードルフオー城などの、ゴシック小説風の無気味な古城影響の跡を見出すにせよ、また、コウルリッジの「クブラ・カーン」の歓楽の館やド・クィンシーの湖上の壮麗な建築物のイメージを想起するにせよ（ついでに言い添えておくと、普通「湖」とか「沼」とか訳されている原語の tarn は、少々厳密に言えば、湧き出た地下水が溜って出来た山中の小湖を意味し、その詩的類推から、創作力や想像力を表わす隠喩として、ド・クィンシーあたりがしばしば用いている言葉でもある。彼の場合、「クブラ・カーン」の歓楽の館に示唆されて、その類推がさらに、湖上に築かれた壮麗な夢の建築物のイメージを呼び寄せているのだが、それが、奇蹟的に完成されてはいるものの、瞬時にして崩壊するかもしれぬ、危うい美しさを持ったロマン派芸術の象徴として意図されていることは言うまでもない。「アッシャー館の崩壊」のオペラを作曲したクロード・ドビュッシーが夙に注目したように、館の主人ロデリックは、何よりもまず、音楽や絵画に堪能な芸術家であり、その物語もそうしたロマン派芸術的なコンテクストのなかで考えることも可能だろう）、この短篇が、アッシャー館の文字通りの崩壊――館およびその住人の崩壊――にいたるまでの過程において、訪問者がつぶさに見聞した異常な出来事が引き起すさまざまの恐怖――恐怖の意識によってかえってますます増大する恐怖――を、用意周到な道具立てと細心綿密な雰囲気描写を通じて露骨に喚起させることに特別の強調が置かれていることは疑うべくもない。

そうした恐怖の意識は、冒頭部における語り手によれば、「恐怖に基づくあらゆる感情に共通する逆説的な法則」というふうに命題化されているが、その命題は、物語全体を通じて、得体の知れぬ曖昧な恐怖に怯え、それに取り憑かれているロデリックの場合、とりわけよく当て嵌まるだろう。「わたしは死ぬ……こんな嘆かわしい愚劣さのなかで死なねばならないとは、こんなふうに、こんな具合に、ほかの死に方じゃなくて、わたしは滅んでゆく。わたしが恐れているのは、未来の出来事そのものではなく、その結果なのだ。この堪えがたい魂の動揺に影響を及ぼすものは、どんなに瑣末な出来事であれ、考えただけでもぞっとする。わたしは本当は危険が厭だというわけではない。ただその絶対確実な効果——恐怖が厭なだけなのだ。こういう気力の失せた、こういう哀れな状態にいるものだから、〈恐怖〉というあの胸のむかつく亡霊と闘いながら、生命も理性もともに投げ捨てねばならぬときが遅かれ早かれ到来するということを感じているのだ」（傍点ポー）。

　物語の発端で、遠来の訪問者に向って不安げにこう語りかけるロデリックは、結末で、「彼が予期していたかずかずの恐怖の犠牲者」として悶死する。いま引用した部分の最後の文章中のカギ括弧で括った〈恐怖〉という単語は、原文では大文字で書かれているが、この物語は、冒頭部で提出された恐怖という命題への精細きわまるコメンタリのような観を呈しているのである。

　いまここでは、「アッシャー館の崩壊」について、いちいちその細部の一つ一つを引き合いに出しながら検討するつもりはないが、この優れた短篇小説の読みどころの一つを是非挙げておきたい。それは、ロデリックの抱く曖昧模糊とした恐怖のかずかずが、語り手によって客観化され、実体化されて曖昧さを失い、手応えのある重さを獲得しているということである。語り手は、ロデリックが「幽霊」と信じ込むものを、「単なる電気現象」と呼んだりするのだが、超自然的な現象に対して、冷静な観察眼を失わない、言葉の普通の意味での理性的で合理的な人間と思われるこの訪問者が、アッシャー館の異様な雰囲気や、ロデリックが予期している漠然たる恐怖に次第に感染し、影響されてゆき、それに圧倒され、翻弄されてゆく成行きが、ある種の無気味なリアリティを伴って読者に迫るところに、この物語についてよく指摘される、どぎつく刺激的な兄妹相姦の主題など以上に、人間心理の奥深くに根ざす恐怖という感情の感触のなまなましさが、心に深く浸透してくるような鮮明な印象を与えるのである。

「アッシャー館の崩壊」における語り手とロデリックの双方の役割を一人称の語り手が一手に引き受けているという違いこそあれ、本質的にはほぼ同様のことが、「黒猫」についても言えるだろうと思われる。作品としての出来ばえはともかくとして、おそらく数あるポーの短篇小説中随一と言ってよいくらい広く知られ、また最も読まれることの多いこの物語について、いまさら舌足らずの言葉で説明を加えてみても、徒らに屋上屋を架すという気がしないでもない。それに、いざ改まってコメンタリを書きつける段になると、どこから手をつけたらよいか戸惑いを感じてしまうのだが、今度久しぶりにこの短篇を読みかえしてみて、むろん、結末における黒猫の例のおぞましい呪咀の声に改めて戦慄を感じながらも、一番関心をそそられたのは、その冒頭部である。昔から愛読されている割には、どういうわけか一個の短篇として「黒猫」それ自体を問題にする評家は少いようだが、念のためにあたってみた

二、三の作品論でも、この冒頭部はほとんど無視されているに等しく、また比較的引用されることも少いと思われるので、当座の便宜上、その部分を抜き書きしてみよう。

いまここに書き記そうとしている、ひどく途方もない、しかしそれでいてひどくありふれた物語を、信じてもらえるとも、信じてほしいとも思わない。そんなことを期待したなら、本当のところ、狂気の沙汰ということになるだろう。第一、わたしの五感ですらその感じたことを認めまいとしているほどなのだから。でも、わたしは確かに気など狂っていないし、また、夢を見ているわけでもない。ただ明日は死ぬ身であればこそ、今日、自分の魂の重荷を取り除きたいだけなのだ。わたしの当面の目的は、一連のごく家庭的な出来事を、率直に簡潔に、註釈抜きで、世間の人たちの前に提示することにある。それらの出来事のせいで、わたしは怯え、苦しみ、そして破滅するにいたったのである。だが、やはり説明などつけないでおこう。わたしにとって、それらの出来事は、ただもう恐怖のみをもたらすものであったのだが、しかし世の多くの人たちにとっては、恐ろしいというよりもむしろ奇怪なものに見えるのではなかろうか。ことによると将来、わたしの見た悪夢的な出来事をごくありふれた事柄にすぎぬと片づけてしまうほどすぐれた知力の持主——すなわちわたしなどより冷静で、論理的で、滅多に興奮しない知性的な人間が現われて、わたしが恐怖におののきながら語るこの出来事のなかに、ごく当たり前な因果関係の連なりを認めるだけになるかもしれない。（傍点ポー）

物語が始まる前に、語り手が読者に直接語りかけ、これから展開する物語について、全体の雰囲気やムードをあらかじめ創りあげる目的で、手短なコメンタリを書き記すという形式を取った、こういう語り口は、現代ではもはや古臭い過去の遺物にすぎないかもしれない。「アッシャー館の崩壊」の場合と同様、とくに、読者の足元を見すかしたようないささか勿体ぶった調子で、読者の恐怖心や不安感情をあからさまに掻き立てようとする作者の手管があまりにも判然と見えすいていて、陳腐な怪奇小説や通俗的なスリラー小説の語り手を思わせるような、何かしら不自然で、わざとらしい感じがするのはやはり否めないであろう。この物語に限らず、たとえば「アッシャー館の崩壊」にせよ、「早まった埋葬」にせよ、「ウィリアム・ウィルソン」にせよ、「落し穴と振子」にせよ、多少誇張して言えば、ポーの怪奇幻想小説のほとんどすべての語り手は、その冒頭部で、これから述べる物語は、このうえもなく恐ろしい、ぞっとするような世にも不思議な物語だから、読者諸君よ、心臓がとまらぬよう、御用心召されと事実上言っているように見える。通俗に堕した安っぽい怪談物でもなければ、現代ではめったにお目にかかれないこけおどし的な語り口だが、こういう語り口が、「ジェントルマンズ・マガジン」や「グレイアムズ・マガジン」などといった、ポーの短篇が当初掲載された雑誌の読者に対して、どういう効果を及ぼしていたかは別としても（アレン・テイトの「わが従兄ポー氏」によれば、「ポーの恐怖は、〔当時の〕若い御婦人がたの胸になんの戦慄も引き起さなかったし、油断のない母親の目に、一瞬の不安も生じさせなかった」）、現代の知的な小説読者の眼には、何か胡散臭い、どことなく古めかしい印象をもたらすことは否定しがたいように思える。

確かに古臭いと言えば古臭い語り口には違いない。その古臭さは、アメリカのあるポー研究家がしきりと強調しているように、こういう語り口が、異常な出来事をも平然とした口調でたんたんと語ってのけるという、西部の「ほら話」の伝統や、民話的な語り口との類縁性に遠く起因しているのかもしれないが、それはそれとして、いっそのこと「ほら話」調や民話調の素朴さと単純さを忠実に再現していれば、この物語も随分と違った調子を獲得していたことだろうと思う。

だが、果たして古臭いときめつけ、そう単純に言い切ってしまってもよいものだろうか。というのも、最初「黒猫」の冒頭部を読みはじめたときには、実はそうしたあまりかんばしくない印象を一瞬持ったのだが、読み進むにつれその印象も薄れ、巧みな語り口に乗せられてあれよあれよという間に、最後の衝撃的な場面へやって来た頃には、もうそんなことは大した問題ではない、いまさら古臭いなどと言ってみてもはじまらないという気になっていたからである。ポー一流の老獪きわまる話術に見事に引っかかり、いつのまにかその虜となってしまったわけだが、これは一体どういうわけなのだろうと後で改めて反芻しなおしてみたとき、とりわけ全体を通読後もう一度冒頭部を読みかえしてみたとき、冒頭部が以前とはかなり異ったふうに見えてきたのである。

これとほぼ似たような経験をしたのは、たとえば、処刑を明日に控えた殺人犯を語り手＝主人公に設定している点といい、してはならぬ、すべきではないということをはっきりとわきまえ、意識しているにもかかわらず、格別これという理由や動機なしに、その禁を犯さずにはいられぬ衝動――いわゆる「天邪鬼」の心理――を中心テーマに据えていることといい、「黒猫」とはいわば姉妹作的な関係にある短篇「天邪鬼」においてである。そこでは冒頭の一文から、冷静で客観的な、しばしば衒学的にさえきこえる心理分析が、語り手によって執拗に繰りひろげられているのだが、その鮮やかな分析というのも、実は明日は処刑される身の上の殺人犯の告白にほかならなかったということが終結部で明らかにされる。そのとき、一人称の語り手の客観的な分析と彼の犯したと称する犯罪行為とが、ちょうどナボコフの『ロリータ』の場合と同じく、読者に一種の戸惑いと異和感を生じさせ、彼の分析がにわかに疑わしいものに見えてくるのだ。一見きわめて明晰で、ある種の普遍妥当性をもって語られたこの的確な分析自体が、語り手自身の倫理上のアリバイ証明ではなかったか、あるいは読者をぺてんにかけ、欺くための作者の巧妙な詐術ではなかったのか、そんな疑いを読者に抱かせてしまうのである。少くとも、そうした疑い、ないしは疑問の余地を多少とも抱かせるように、結末は提示されている。詮じ詰めて言えば、最後のどんでん返しによって、ポーは知性による客観的な分析の信憑性そのものに疑問を投げかけ、分析を超えた人間心理の深みの得体の知れなさ、複雑怪奇さを読者に暗示して見せているとも言えるのである。

「天邪鬼」は必ずしも成功作とは言いがたいが、それよりもいっそう優れた短篇「黒猫」の冒頭部は、単なるこけおどし的な前書きとしてだけではなく、そうした心理の深みの謎へのポーの鋭い洞察を暗示する文章としても読めるのではないかと思われる。

2

「黒猫」は、表面的には、一人の完全犯罪者の物語である。語り手＝主人公が、完全犯罪者であるという点で、「天邪鬼」や「告げ口心臓」、さらには「アモンティラドの樽」の場合と同様なのだが、語り手が妻帯者である、あるいは妻殺しの極悪人だという一点において、「黒猫」は他の作品と決定的に異っている。しかも語り手が、生涯のある時期、つまり過度の飲酒癖に取り憑かれるようになるまで、召使のいる屋敷で妻や愛玩動物《ペット》たちに囲まれた平凡な家庭生活を営む、「人目につくほど素直で情ぶかい性質《たち》」の人間であったという最初の設定は、案外見落されがちだが、やはり注目に価する。というのも、語り手は、どうやら中産階級に属する平凡な男らしいし、それにこれは、十九世紀的ないわゆる通俗家庭小説を相当意識し、それに挑戦する意図で書かれた気配が濃厚な作品でもあるからだ。

　冒頭の一文で、語り手は、この物語が「ひどく途方もない、しかしそれでいてひどくありふれた物語（傍点筆者）」だと述べ、さらにそのためについに身を亡ぼすことになった、「一連のごく家庭的な出来事」が、「恐怖」（原文では大文字）以外のなにものでもなかったと語る。

　しかしそれにしても、「ごく家庭的な出来事」が「恐怖」の対象であるとは、一体どういうことなのか。それは一種の撞着語法にすぎないのだろうか。こういう語句の組合せがすぐさま連想させるのは、一見きわめてありきたりな日常の心象風景をとらえながら、その奥にひそむ暗い、底知れぬ深淵に鮮かな照明をあてた、ある場合には深刻きわまる愛憎のドラマにも、またある場合には珍妙さと無気味さが共存するブラック・ユーモアにも、作者の性向や意図によってどのようにも創りあげられるかずかずの現代小説だが、そう、結論を先に書いてしまえば、これはその種の傾向を持つ現代小説の先駆的作品、というよりもむしろ、原型的作品と言って差支えないものなのである。だが、それはしばらく措くとして、語り手にとって「家庭的な出来事」とはどういうことなのか、いま少しテクストに即しながら見ていこう。

語り手＝主人公は、子供の頃より愛玩動物には目がないが、とりわけ「冥府の王《プルートー》」という名の「美しくて利口な」黒猫を溺愛している。男の妻もその猫が気に入っている。こうして男と妻は、黒猫とともに、平隠な家庭生活を過すのだが、男はやがて飲酒に溺れ、人が変ったように黒猫に対して残忍兇暴になる。男は理由なき怒りの発作に駆られて黒猫の片眼をえぐり取り、ついにはこれを絞殺してしまう。

ある朝、わたしは冷酷にも、輪縄を猫の首にかけ、木の大枝に吊した。溢れんばかりの涙を流しながら、心の底で激しい悔恨を感じながら、わたしは吊した。以前に猫がわたしを愛していたことを知っているがゆえに、わたしの気にさわることなど何もしていないと感じるがゆえに、わたしは吊したのだ。自分がいま罪を犯しつつあるということがわかっているがゆえに吊したのだ。わたしの不滅の魂を、いとも慈悲深くいとも恐ろしい神の無限の慈悲の手すらも及ばぬところへ落ち込ませるほど（そのようなことがもしも可能ならばの話だが）、それほど極悪非道の罪を犯しつつあるということがわかっていながら。（傍点ポー）

引用文のすぐ前の箇所で、語り手は、黒猫の片眼をえぐり、これを絞殺したのは、「天邪鬼の精神」のせいだという短いコメンタリを付している。短篇「天邪鬼」の場合ほど、衒学的でも、複雑でもないコメンタリだが、厳密にはその一部を形づくっている引用部分は、あっさりとして鮮明な筆致で描かれているだけ、かえって、愛するがゆえにいっそう憎むという、人間心理の不可解な性質や暗い衝動を強く印象づけてもいよう。

もっとも、語り手が述べるごとく、黒猫殺害が、「天邪鬼の精神」のみに由来するかどうかはまた別問題である。短篇「天邪鬼」と同様、死刑執行を目前に控えた殺人者の告白調の説明は、にわかには信じがたいからである。彼のコメンタリは、ある一面では、妻殺しに関して、倫理的に潔白なことを印象づけるために持ち出した、自己防禦的な無意識の心理操作とも見えるからだ。

絞殺したプルートーにそっくりな黒猫を譲り受けた男は、この第二の黒猫をも殺そうとするが、夫の行為をとめようとした妻を誤って殺してしまう。だが、「最愛の妻」の死を悼むどころか、この忌わしい殺人をなし終えると、わたしはただちに、しかもきわめて慎重に、死体を隠す仕事に取りかかった。

このあと男は、妻の死体を地下室の壁に塗り込めてしまうのだが、感情移入をいささかもまじえぬ、いかにもそっけないこの記述は、さらりとした語調で述べられているだけに、それだけいっそう、暗示的であり、たとえ無意識的にもせよ、妻殺しこそ当初からのひそかな願望であり、目的ではなかったかということを疑わしめる。その疑いは、完全犯罪をより完璧なものに仕上げる意図で、地下室を捜査する警官の注意を、大胆にも死体の塗り込められた煉瓦細工の壁に向けさせる結末近くの場面によって、ますます強まるのである。

ここで触れておかねばならないのは、全篇を通じてまるで影のような存在として描かれている妻である。彼女に関する直接の言及は極度に抑えられ、最小限にとどめられているばかりか、名前すら付けられていない。まるで、彼女には名前がないか、もしあるとしても、語り手がそれを口に出すことを敢えて拒んでいるような印象さえ与えるのである。語り手にも名前がないが、それはポーの短篇ではしばしば見られる事例だし、ここではそれほど問題とするに足りないと思う。問題はやはり無名の妻にある。詩であれ、短篇であれ、ポーが恋人や婚約者や花嫁たちに、大変印象的で音楽的な響きを持つ姓を授けていることは、ヘレン、ウラリューム、アナベル・リー、リジーア、モレラ、ベレニス、マデラインといった一群の女性たちをちょっと思い浮べてみるだけで十分であろう。ところが、この妻には名がないのである。黒猫のみ「冥府の王《プルートー》」という名が与えられているのである。

これは単なる偶然や不用意ではなく、きわめて意図的なものだと思われる。その手がかりとなるのは、物語の発端近くで、ほんの偶然の言及のようにして述べられているのだけれども、妻が黒猫はみな魔女の化身という昔からの俗信をよく引き合いにだしていたという件りである。妻はそれを本気で言っていたのではないと男は但し書きを付けているが、その俗信をなかば「本気で」（原文ではイタリック体になっている）信じていたのは、実は男のほうではないのか。「冥府の王《プルートー》」といい、「大悪魔」といい、「夢魔の化身」といい、「怪物」といい、男が黒猫に付けた呼名は、彼がその猫を、魔性や妖怪のたぐいとして考えていることをあからさまに明示しているからだ。「邪悪な眼」への俗信が、狂気の主人公に、眼ざしの無気味さをいっそう鋭敏に感じ取らせる短篇「告げ口心臓」と同じく、この物語もまた、黒猫は魔女の化身というごくありふれた俗信を、プロット展開上の有力な挺子に使っているように思われる。さらに言えば、女は魔女という、これまたきわめて一般的な俗信から当然の連想として、偏執狂の主人公の妄想のなかで、黒猫、妻、魔女が同一の範疇でとらえられていることは想像にかたくない。つまり、魔女は妻である。それゆえ黒猫は妻であるというとっぴな連想が強烈に働いていていはしまいかということである。だから、敢えて言えば、妻には名がないのである。

しかしながら、黒猫は妻であるという主人公の潜在意識が徐々に顕在化していくのは、プルートーを絞殺後、その亡霊――幻の猫に悩まされながらも、これとそっくりな猫を飼い始めてからである。この第二の黒猫は、ただ一点だけ、胸に白い斑点があるという点で、プルートーとは違うのだが、妻はこの特徴について、主人公の注意を一再ならず促すのである。そしてその白い斑点は次第にくっきりとした輪郭を取るようになる。

> それはいまや、その名を挙げるだけでもぞっとするようなあるもののかたちを表わしていた――このかたちを、何よりもわたしは嫌悪し、恐れ、もし自分にできるものならこの怪物を殺してしまおうと思ったほどである。そう、そのかたちはいまや、あの忌わしい、身の毛のよだつようなものの像となっていたのだ！　おお、〈恐怖〉と〈犯罪〉の、〈苦悶〉と〈死〉の悲しくも恐ろしい刑具の像となっていたのだ！

　黒猫への異常な執着心と妄執、その異常心理によっていよいよ奇怪で歪曲されたかたちに自己増殖してゆく幻想の世界――これがプルートー絞殺後の主人公の世界である。その幻想のなかで、主人公が妻殺しの予感に怯え、その当然の帰結――絞首刑――に戦慄していることはもはや明らかだろう。ここでポーは、物語の力動的な動きや勢いを少しも遮ることなく、黒猫と妻とをさりげなく、何喰わぬ顔で置換させているからだ。

　だがそれにしても、一体妻殺しの動機は何であろうか。主人公の力説するごとく、動機のない動機、いわゆる「天邪鬼」の心理に由来するのだろうか。この問いに答えることは難しい。マリー・ボナパルトからダニエル・ホフマンにいたる、この物語をまるでフロイト心理学の実地訓練か演習のようにして読もうとする人たちは、ポーの妻ヴァージニアと彼女の愛猫カタリーナを絶えず念頭に置きながら、主人公の妻に対する性的コンプレックスを熱心に探り出し、あばき立てようとする。そしてその性的コンプレックスこそが妻殺しの真の動機と説明するわけなのだ。もちろん、こうした解釈を背後で支えているものとして、ポーが性的不能であったという見方があることは言うまでもない。

たとえ、多かれ少かれ、そういう単純明快で、合理主義的な解釈が可能だとしても、果たしてその種の合理主義的な絵解きのみで事足れりとすることができるだろうか。小粒ながら、この作品がただよわせている感触は、もっと混沌とした空漠たる世界に向って開かれているものではなかろうか。そこからきこえてくるのは、黒猫の血筋を引いた後世の猫たちのような、エロティックな調べや柔媚にして頽廃的な響きなどではなく、もっと荒々しくて野放図な、混沌とした意識の暗い闇の奥底から、絞り出されたように洩れてくる声、結末におけるあのすさまじい黒猫の呪咀の叫び声にほかならないのである。妻殺しの動機をどう説明するにせよ、それが、ポーの慎重な意図や計算から逸脱し、それらと背反する混沌とした意識の領域から発していることはまず疑いない。そこに、黒猫への異常な妄執を描いたこの物語が、単なる恐怖のための恐怖を掻き立てることのみにとどまっていない理由がある。

嗜屍と永生

平井呈一

ヨーロッパにおける吸血鬼を主題にした小説は、十九世紀にはいってにわかに開花しだした。その皮切りともいうべき作品がジョン・ポリドリの『吸血鬼』（一八一九年）である。ゴシック小説『モンク』の作者ルイスが、バイロン、シェレー、シェレー夫人に恐怖小説を書くことをすすめ、シェレー夫人が『フランケンシュタイン』を、バイロンの主治医のポリドリがバイロンの腹案をそのまま借用して『吸血鬼』を書いたことは、今日ではだれでも知っているが、雑誌に発表されたときバイロン作と誤伝されたために、たいへんな評判になり、まもなく仏訳が出て、それを舞台に上演したパリでは吸血鬼ブームがおこり、時を同じうしてドイツでも同様のことがおこった。そしてそれに刺激されて、フランスではノディエやゴーチェが吸血鬼小説を書き、ドイツでもいくつかの新作が現われたという。

ゴシックから吸血鬼へ

おもしろいことに、十八世紀にあれほど繁栄したゴシック小説には、吸血鬼をテーマにしたものは一つもない。ルイスやマチュリンのような作家がどうして吸血鬼小説を書かなかったのだろうと、モンタグ・サマズが嘆いているが、おもうにこれはゴシック小説の立地条件が、お手本のドイツ・ロマン派の恐怖小説のわくの中で、もっぱら古城や僧院という一種の貴族的密室内の恐怖と悪人の陰謀を追うことに終始し、作者も読者も多くは有閑階級のブードワールに限られていたため、吸血鬼のような血なまぐさい残忍な恐怖は、おそらくはいる余地がなかったと見るのが正しいだろう。ゴシック小説から半世紀たって、恐怖小説は吸血鬼小説によってようやく貴族の手から庶民のものになるきっかけを摑んだのだと私は考えている。ここでは詳しく論じていられないが、このことは恐怖文学の上で吸血鬼小説が果たした大きな功績ではなかったかと思う。

死者として永劫に生き

いったい、吸血鬼信仰というものはずいぶん古いもので、キリスト教が確立される以前のギリシャ時代からその記録があるし、プリミチーブな形ではホーマーのオデッセーなどにも書かれている。昔は宗門から破門された者や自殺者が、死後不吉な吸血鬼になると信じられていた。病理学的に見れば、あきらかに嗜屍《しし》症だといえるが、死者が人間の血を吸って死者として永劫に生きていくというのは、やはり人間本来の欲望である永生思想につながる信仰だといえよう。言いかえれば、人間本来の欲求である永生思想は、これが中世の科学と結びつくと錬金術師の不老不死の探究となり、これが悪魔と結びつくと、魔女の呪術などを通じて、死―回生―永生―血―力という観念から、吸血鬼という民間信仰が生まれたものと考えられる。素朴な民間信仰のことだから、そこにはいろんな陰湿な思想が夾雑物となって混入している。インキュバスやサッキュバスのような淫魔思想もはいっていようし、魔女の使う夜行性動物―狼、ネズミ、コウモリなどの淫獣も一役買って出てくる。悪魔と結託して神から疎外された死者が、血によってせめてもの永生をはかるというのは最も汚れた思想で、その意味では吸血鬼小説は神と悪魔との闘いを中軸にして、恐怖とともに人間の正義感が支えになっているといえる。

　ポリドリの『吸血鬼』は、バイロン作という誤伝で適当な評判をえたが、作品そのものはポリドリが怪奇小説家でないことを立証して終っているようである。だが、この新しい主題を煽情作家が見逃すわけはなかった。トマス・プレスケット・プレストの『吸血鬼ヴァーニー』（一八四七年）はそれに答えた作品であるが、プレストという人はジャーナリスト出の赤本作者で、他人の作を換骨奪胎したキワ物小説を多量に書いた男である。時代とともに忘れ去られて、その著書は今や一部の好事家のあいだに稀覯本として珍重されている。われわれごときには手も出ない幻の書物になっているが、モンタグ・サマズが『吸血鬼考』に引用しているその第一章なるものから窺うと、その低劣卑俗な文章は香具師《やし》の絵看板みたいな泥くさい感じで、ほとんど読むにたえない。なにしろ六〇〇ページという大冊にお目にもかかっていないのだから、筋も人物も責任あることがいえないのが残念だが、このキワもの読物を尻目にかけるようにして現われたのが、レ・ファニュの『カーミラ』（一八七一—七二年）である。ポリドリが吸血鬼男を扱ったのに対して、これは女吸血鬼なので、当然、ポリドリのルスヴン卿にホモ・セックスの匂いが感じられるのに対して、こちらはレスビアンの空気が濃厚で、レ・ファニュとしては珍しくエロチックな描写が随所に見られる。吸血鬼の誘惑から絶滅までを定石通りに書いた本格的な吸血鬼文学としては、イギリスではこれが最初の作品でこの完成度もレ・ファニュの数多い怪奇小説のなかで、五指のうちに屈せられる出来ばえである。しかし、まだゴシックの伝統の「恐怖の密室」からは一歩も出ていない。そしてこの同郷のダブリン作家の先輩の作品に刺激されて、さらに一歩を進めたのが、ほかならぬブラム・ストーカーの『ドラキュラ』である。

カーミラとドラキュラ

世界の吸血鬼文学は、この『ドラキュラ』によって、はじめて集大成的な一つの定型が完成されたといってよかろう。由来、吸血鬼信仰はスラヴ系の東欧諸国に根深いものがあるので、レ・ファニュも『カーミラ』の舞台をボヘミアの森の中に設定しているし、『ドラキュラ』も吸血鬼の本拠をトランシルヴァニアの秘境においているが、しかしもはや『ドラキュラ』には密閉された貴族的な恐怖は全くない。恐怖はこの名作によって完全に庶民の手に移された。これはゴシック小説の伝統を大きく前進させた発展といえるだろう。作者ストーカーは、多年イギリスの名優アービングの劇団の奥役を勤める人である。観客の嗜好・心理をつかむのに敏感であることは当然で、つねに庶民に密着し、筋立て、見せ場、人物のわりふり、その性格づけ、場面の設定など、すべてお手のもので、エンタテイメントの要素は遺漏なく盛りこまれている。ストーカーはこの小説の構想を四、五年あたためていたらしいが、その資料集めについては種村季弘氏が詳しく書いておられるから、それに譲るとしてただここで私は『ドラキュラ』に一つだけ特記しておきたいことがある。それはジョナサン・ハーカーの妻ミナの存在である。レ・ファニュの『カーミラ』に出てくるローラも『ドラキュラ』に出てくる可憐なルーシーも、ともにまったく無自覚な吸血鬼犠牲者であるが、このミナだけは自覚せる犠牲者である。ドラキュラの魔手に冒された彼女は、神への畏怖と夫への愛との板ばさみになって、善と悪との間にもだえ苦しむ。古い民間信仰を踏まえた吸血鬼文学の近代はここから始まるといいたいくらい、これは重視すべき点だと思う。世紀の傑作としてのあらゆる条件を遺漏なくそなえている渾然たるこの名作の評価のなかで、私はこの点をとくに強調したい。このミナがドラキュラの最後の顔に平和を見いだすというのも意味が深い。

吸血鬼は作者の内部に

『ドラキュラ』がひとたび世に出て以来、いろいろの作家がたくさんの吸血鬼小説を書いた。それらはほとんどみな小さなヴァリエーションか、巧みなパロディかである。あるものは寓意的になり、あるものは暗示的になり、いずれも吸血鬼の正体を正面に出さずに押しかくそうとしている。古い吸血鬼信仰は、もはや現代文明のなかではすっかり影が薄くなったのであろうか。かつては魔王であったドラキュラも、ロボットの元祖であるフランケンシュタインとともに、今日ではブラム管の上で滑稽化され、すっかり尾羽打ち枯らしてしまった。ドラキュラが滅びたときに、吸血鬼信仰もドラキュラとともに滅びてしまったのであろうか。私はそうは思わない。私はむしろ、吸血鬼は今や作者の内部にはいりこんだのだと思う。作者そのものがミナになったのだ。ドラキュラは二度とふたたび出現はしないだろう。しかしミナはいる。文学の可能性は、その新しいミナの出現を待っているように思うのだが、まだそれは出ないようである。

『死妖姫』解説

野町　二

いづれの国民もそれぞれ特殊の形で、宿命的な矛盾をうちに蔵してゐる。――泣き笑ひをしつゝマズルカを踊るポーランド人、肉親の死を笑ひとともに人に語る日本人――。しかし就中《なかんずく》、この矛盾が特に悲劇的な形相をとつて現はれてゐるのは英国人である。英国人とは常識・実利一点ばりの種族でないことは記憶されねばならぬ。

この天地のあひだには、な、ホレーシオ、君がたのいはゆる哲学が
夢にも思はぬ多くのものがあるのぢやぞ

（「ハムレット」）

「君はなにか理窟にかなふ説明ができるとでもいふのか？」と医師はたづねた。「いいや。絶対にない。ふん、なるほど、ぢき何とか説明は見つかる、とでもいふのだらう。

ね、君、見つかりつこはないさ。説明なんてものは存在してないんだ。」
「先生、」とわたしは言ひかへした。「あなたが、科学者である筈のあなたが、こんな事柄には説明ができぬ、といはれるのですな。」
「さうさ、」と彼は頑固にいひ張つた。「たとひ出来たところでさ、わしはそんな説明に手を出すのは真つ平だ。」

（マリオン・クローフォード「上部寝台」）

この近代科学世界における実証、実験的方法の完成者、帰納法の先覚者はまた、魔女と幻を見る人々とまた神秘思想家の多数をもその血縁に持つてゐるのである。

この意味を以て眺めるとき、現実にしつかりと足をつけた、いはゆる英文学本流の小説の他に、数へ切れぬほどの現実遊離の作品、神秘的思考や色彩を基調とする作品は、英国人の精神を洞察する上に於《おひ》て看過すべからざるものである。事実、科学と現実に終始するごとく見える近代、現代の英国に於て、怪奇作品が奔流のごとく出版愛好せられ、他国に見られぬ奇異な現象を形造つてゐること、しかもこれらの作品には芸術的価値の高いものが決して少《すくな》くないことは注意されなければならない。遠くはウォルポールの「オトラントの城」やアン・ラドクリフの諸作をはじめ、第十九世紀に入つてはコウルリヂの二大詩篇に一つの頂点を印しつゝ、短篇小説として模範完璧の作といはれるスコットの「さすらひウィリーの物語」、人跡を知らぬ大自然の怪異と交錯する人間の心理を描破するマリアットの「人狼物語」、サッカレイをして白昼胆冷き思ひをせしめたリットンの「憑かれたものと憑きまとふもの」など。またさらに純美の世界に入つては、ロセティの「手と魂」に理想主義の音《おと》なひを羽ばたかせ、とほく海をわたつてはポウの「リヂイア」に幽婉哀切の調《しらべ》をひゞかせてゐる。これらは殆んどいづれも一流の水準に迫る作である。さらに現代に到つては、アルヂャノン・ブラックウッドが人性の中にひそむ遠いむかしの獣性を呼びかへす不可思議な諸作をものして居り、また英文学者、教育家としても有名なモンタギュ・ヂェイムズにも秀作がある。また先年物故した〝Q〟ことケインブリヂ大学教授として令名高かつたクイラ・クーチの諸作に始終幽霊や過去の幻影がちらついてゐることは、彼の短篇集を開いてみたことのある人ならば誰しも知つてゐることであらう。さういへば、かの現実家トマス・ハーディが詩の中で屢々《しばしば》幽霊を呼び出してゐることも今さらのごとく思ひ当られる。かうした作品をあとからあとへと辿り、ディッケンズからスティーヴンソン、ギャスケル夫人からミセズ・オリファント、さらにはヂョーヂ・エリオットやヘンリ・ヂェイムズの小品をつゝむ神秘の帷《とばり》をたづねることとなれば、文字どほり果しのない旅をすることになる。

これらの代表的作品からだけでも、たゞ単なる芸術的香気や怪奇的興味のみでなく、英国人といふものの持つ精神のあり方を洞察し、その深遠な、またある意味からすれば悲痛な相互矛盾的心理を覗《うかが》ふことは甚だ興味あることである。

レ・ファニウはこれらの作家の間にあつて、一つの確固たる地位を占めてゐる。彼の作の構図は常に知的であつて、いかやうの奇怪神秘な出現も必らず前後一貫した、理知で納得できるシチュエーションを構成しようと努力してゐるのがその特色である。そのため彼の怪奇系統の作品は、いかに凄愴な内容のものでも、絶えず常識的な理知と常識の世界を顧みてゐる感じがある。しかし身の毛がよだつやうな煽情（英語で blood-curdling といふ）を期待する読者には多少の不満はあらうが、その代り実に美しい叙景の筆、堂々たる大家らしい筋の運びは、彼の作をかうした黄表紙本的な印象から完全に救つてゐる。モンタギュ・ヂェイムズは彼を呼んで第十九世紀最上の物語作者の間に伍するもの、といひ、妖怪譚の作家としては絶対的に第一の列に立つ、と評してゐる。

ヂョウゼフ・シェリダン・レ・ファニウ（一八一四―一八七三）はアイルランドの人。その苗字の示すごとくフランス系、流竄《るざん》の新教徒ユグノーの子孫である。彼は生粋のダブリンつ児《こ》で、生涯の大部分をダブリンで過し、誕生も死歿《しぼつ》もともにこの町に於てであつた。父は僧職の人でエムリの副監督であり、母は学者の娘であつた。祖母アリシア（一七五三―一八一七）は第十八世紀の有名な劇作家リチャード・ブリンズレー・シェリダンの愛妹で、自らも劇作に筆を染めたことがある。レ・ファニウの一家はその他にも文筆の才を以て聞えた人がゐる。本書の著者はその中に於て、最も傑出せる者として知られてゐる。

レ・ファニウは夙《はや》くから詩作に親しみ、十四歳のときにはすでにアイルランド語の長詩をものしてゐたといふ。はじめ父親の指導の下に個人教育を受け、一八三三年ダブリン市のトリニティ・コレヂに入学し、忽ちにして絢爛の才華を広く認められた。在学中、創立後まだ日の浅かつた「ダブリン大学雑誌」に関係し、一八三七年にはその編輯員《へんしゆういん》に加はつてゐる。後一八六九年に彼はこの雑誌の主幹兼所有者となり、死の前年までつゞいた。一八三九年には法曹界に入つたがまもなくヂャーナリズムに向ひ、同年に買ひ占めたダブリン市の日刊新聞「ザ・ウォーダー」(見張りの人、の意)とその後まもなく彼が所有権を得た「イーヴニング・パケット」「ダブリン・イーヴニング・メイル」の三紙を合併して日刊紙「ジ・イーヴニング・メイル」紙を創刊し、また週刊復刻版を出して之《これ》をさきと同じ「ザ・ウォーダー」といふ名で呼んだ。彼は終始保守的立場を執《と》る人であつた。

彼は容姿端麗、挙措態度のすばらしい魅力から社交界では常に際立つた人物であつたといふが、一八四四年結婚した妻スーザンと一八五八年死別して後は社交界から身を退き、たゞ文筆のみを楽しみとして殆んど隠者のやうな生活を送つてゐた。彼は生来超自然のものを喜ぶ気持があつたが、晩年にはかうした生活の憂鬱によつてこの傾向はさらに深められてゐる。彼は奇妙な習慣があつて執筆のためにはことさらに机に向ふなどといふことがなく、ばらばらの紙片を手にして寝台の中で、想の浮ぶがまゝに鉛筆で書きつけたものであるといふ。ウィルキー・コリンズに匹敵するといはれる巧妙をきはめたプロットを持ちながら、彼の作が屢々(ごく小さな点に於てではあるけれども)前後矛盾したやうな箇所を持つてゐるのは、雑誌の連載作といふ外的な理由の他に、かうした創作態度もその理由となつてゐることであらう。事実彼は、すぐれた芸術品を作り出さう、などといふ野心よりは、むしろたゞ晩年の憂鬱な孤独をまぎらはすため筆をとつたと見るべき節々も多いのである。

彼は英文学史上に於ては譚詩「シェイマス・オブライエン」（一八三七）、小説「墓畔の家」（一八六三）、「サイラス叔父」（一八六四）等を以て記憶されてゐる。他に詩集の著もあり、劇の作もある。殊に詩作は彼の最も早くからの創作部門であり、最も野心を持つてゐたもののやうにも見えるのであるが、併《しか》し彼の本領は小説、ことには特殊な超自然的内容を持つた作品にあるのであらう。

彼の小説家としての経歴は夙《つと》に一八三八年頃に始つてゐる。わづか二十五歳のときの作「ティロン地方一旧家の物語」は「ヂェイン・エア」の原本となつたものとして『ケインブリヂ英文学史』にも特記せられてゐる。この作は彼の怪奇趣味の作中第一の傑作として推される「飛龍軒の一室」などとともに彼の作の特色を明瞭に示すもので、超自然的存在の暗示はほとんど用ひぬまゝに、人事日常生活の中にひそむ神秘感を描出して、通常の怪奇譚の到底及びがたい複雑な心理の領域にまで飛翔してゐる。が、彼の小説家、物語作家としての活潑な活動は殆んど全く晩年の隠棲時代に為されたもので、さきに記した一八六三、六四年の二傑作以後、死に到る九年間に十二冊の作品を世に送つてゐるのである。絶筆「喜びて死に向ふ」（一八七五年出版）は死の数日前に完成された。弱年の数篇を除いて単行本はすべてロンドンで出版されてゐる。本邦学界に甚大の影響を与へた詩人ホヂソン氏もレ・ファニウを愛好してゐられたと聞く。

「鏡をもて見るごとくおぼろに」（In a Glass Darkly）は「はしがき」にも記したごとく、彼の最晩年の出版であつて、五つの短、中篇から成り、浮浪の旅に生涯を送つた碩学、ドイツの医学者マルティン・ヘッセリウスが集め書き残した奇異・超自然的な病件を、秘書が歿後英訳したといふ形になつてゐるが、本訳書では省いた。各篇にはそれぞ〳〵の由緒を述べる短いまへがきがついてゐる。題名は人も知る新約「コリント前書」第十三章の語句で、現世にては人は見、知り及ぶところきはめて限られ、われらの知の彼方には無限の不可知界が横《よこた》はつてゐる、との意を寓するものであらう。

レ・ファニウは好んで旧作に改訂の筆を加へた。この集に於ける他の四篇も何等かの形ですでに発表されたものであるが、ひとり本訳の一篇のみは珍らしくもその形跡がない（モンタギュ・ヂェイムズの調査）。疑ひもなく彼の最晩年を代表するオリヂナルな作の随一に数ふべきものであらう。「カーミルラ」はヴァムパイアリズムを取扱ふものとして一つのクラシックと（英国妖怪学の権威モンタギュ・サマーズの言葉）考へられてゐる。「ヴァムパイア」はひろく全欧を通じて信じられてゐる存在であつて、（序《つい》でにいへば、篇中のスティリアとは南オーストリアを占める地方で、グラーツはその主要都市である）、東洋、特に支那の伝説にもこれと系統を同じくすると考へられるものがある。「吸血鬼」といふ邦訳は、われ〳〵にこれを単なる悪鬼の一種と思ひ込ませがちであるが、実はヴァムパイアとは言詮《げんせん》に絶する不可思議の存在であつて、幽界の亡霊でありながら現世の肉体を持ち、その肉身は驚異すべき超自然的能力を有するものであつて、特殊な方法によつて滅ぼされない限り永遠にその生命をつゞけると信じられてゐる。自身を律するその幽界の法則は本書第十四章以下に精細に述べられてゐるが、一面より見るときこの存在は、永遠の生を翹望《げうばう》する悲しき人間の根強い念願が取るに到つた一つの形式であると考へることすらできるのであつて、人狼(wer-wolf)の考へとともに、われ〱が欧洲人の心を理解する場合に知つて居るべき一つの思想であらう。一篇を貫く基調は、ライト・モティフのごとく篇中の随所に繰り返されてゐる「生と死の」といふ言葉に表現されてゐる。

(附)題名人物の読み方は「カーミラ」(英国風)か「カルミッラ」(大陸風)かのいづれかがよいと思ふけれども、最後の章に説明が出てゐる置換へ文字の必要から「カーミルラ」といふ折衷的な読み方を採用した。

(Joseph Sheridan Le Fanu: In the Glass Darkly. 1929. London: Peter Davies. を使用した。)

獄舎のユートピア

前田　愛

1

ユートピア文学が、閉《とざ》された空間、組織化された空間のなかで、人間の幸福を実現しようとする熾烈な夢想の産物であるとすれば、それはもっとも深い意味で、牢獄という権力の装置とアナロジイの関係をもつことになるだろう。牢獄もユートピアも〈都市〉を母胎としてうみおとされた亜種にちがいないからである。周囲に城壁をめぐらすことで、農村的な自然と対峙する生活空間を構築した中世ヨーロッパの都市像は、やがてその正と負の両極に、隔離と懲罰の装置としての監獄と、人間の自由と解放を約束するユートピアの幻想をつくりだす。おそらく、近代の中央集権国家がかつての都市にゆるされていた特権と自由をつぎつぎにうばいとり、その解体と変質を促進させて行く過程で、この両極が人びとの意識にとらえられることになったのである。ユートピアは、現実の国家の支配からのがれようとする〈都市的なるもの〉が幻視したもうひとつの〈国家〉であり、監獄は、国家権力が〈都市的なるもの〉を顚倒させて、都市の胎内に割りこませたもうひとつの〈都市〉であった。

ルネサンスの訪れにあわせて復活したユートピア文学は、ふつう語り手である航海者が大洋のただなかにある未知の島を発見するところからはじまることになっている。この島は堅固な城壁で囲まれていて、その内側には理想の都市のすばらしい景観がくりひろげられるというわけだ。いかにも大航海時代にふさわしい導入部だが、海中に孤立した黄金の島そのものが、牢獄ないしは流刑地を逆転したイメージではないのか。事実、法外な成功とロマンチックな冒険への期待でバラ色に染めあげられた新世界の黄金郷《エルドラード》は、同時にまた旧世界から追放された重罪犯人がおくりこまれる暗鬱な流刑地でもあった（一七七六年の独立戦争がはじまるまで、イギリス本国からアメリカの植民地に護送された囚人は、毎年千人をこえていた）。

しかし、獄舎とユートピアの通底を示唆するうごかしがたい証拠のひとつは、ユートピア文学がしばしばじっさいの囚人によって構想されたということである。かれらは監禁の場所としての牢獄が、夢想の場所でもあるというパラドックスを文字どおりに生きた人たちだった。たとえば『太陽の都』をのこしたカンパネラは、二十七年のあいだナポリの監獄に幽閉された愛国者であり、エロスのユートピアを百科全書ふうの克明さで描きあげたサド侯爵は、二十三歳でヴァンセンヌ城に拘留された一七六三年から一八一四年の死にいたるまで、その生涯の大半を監禁状態のもとですごした。カンパネラやサド侯爵が、そのユートピアの世界に解き放った権力意志や性的な欲望のかたちに、監禁生活の陰鬱な体験が刻印されていることもまぎれがない。丘のうえに屹立する城塞が七重の環状地帯で囲繞される〈太陽の都〉の設計図はそれ自体が牢獄的なイメージであるし、「共同体たる全体の一部でないような個人の私事はない」という太陽都民の格率も、理想的に運営されている獄舎の組織を連想させる。M・フーコーのいうように、サド侯爵の場合は、「砦」、「独房」、「地下室」、「修道院」、「近よりがたい島」などの閉された場所のイメージがそのユートピアと分ちがたく結びついていたし、快楽を増進する装置や機械は、拷問の刑具とほとんど見分けがつかなくなる。放蕩者《リベルタン》が美少女を誘なう個室もまた獄室のイメージそのものなのだ。

フーコーが「大監禁の時代」と呼んだ十八世紀は、幽閉の苦痛と夢想の愉しみとをこもごもにあらわす牢獄の両義的なイメージが、自意識の象徴として好んでとりあげられた時代であった。W・B・カーノカンの『監禁と飛翔』(*Confinement and Flight*, 1977)はプーレの『円環の変貌』やフーコーの『狂気の歴史』をふまえながら、十八世紀のイギリス文学を中心に、こうした獄舎の暗喩の意味するものを掘りさげた精神史の試みであるが、その第二章「沈黙の島」の冒頭に、明暗二様の幽閉のイメージを対比させて主題の輪郭を明らかにしたたいへん興味深い素描がある。そのひとつは、ルソーの『孤独な散歩者の夢想』のなかでもっともよく知られている「第五の散歩」のテクストであって、カーノカンは、ルソーの充足した心を中心として構成される閉じた円環の構造に注目している。一七六五年の秋、ルソーがビエーヌ湖の中央にあるサン・ピエール島ですごした隠遁生活の体験が回想されていることの「第五の散歩」は、自然とひとつにとけあった閑居の幸福が、ピトレスクな描写をまじえて語られているうつくしい散文である。鴨長明の『方丈記』を連想させる諦観を表白した部分もある。ところがこの風光明媚な湖中の島にルソーがかぶせているのは、何と牢獄のイメージなのだ。「不安な予感をいだいていたわたしは、この隠れ家を永久の牢獄として、一生のあいだここに閉じこめておいてもらえたら、そしてそこから脱出する力も希望も奪い去って、対岸との交通をいっさい禁止してもらい、世間で起こることはなにも知らず、世間の存在を忘れ、世間からもまたわたしというものの存在を忘れてもらえたら、とどんなに願っていたことだろう」（今野一雄訳）。ルソーにとっては失われた楽園であるはずのサン・ピエール島が、閉された牢獄に逆転するこのテクストのねじれから、ロマン的な人間に特有の自意識のかたちを読みとることができるだろう。それはルソーの心をとらえていた夢想の深さ、ないしは自我の傷つきやすさを証しているのである。ルソーは、世間という周縁的な世界の中傷と陰謀から自分を遠ざけ、狭い円環のなかに閉じこもる。ビエーヌ湖に囲まれたサン・ピエール島は、そうした円環＝牢獄そのものなのだ。しかし、収縮したルソーの自我は、夢想をふくらませることでふたたび宇宙的なひろがりをとりもどそうとする。「バスチーユや、なにひとつ目にはいるものもない牢獄においてさえ、自分は快い夢想にふけることができるだろうと、わたしはよく考えたものだ」。

このルソーの牢獄イメージとはるかに呼応するのは、パスカルの『パンセ』のなかにある孤島のイメージである。眠っているあいだに荒れはてたおそろしい島につれてこられた私は、めざめたときに自分が存在している場所をたしかめる何の手がかりも与えられていないし、そこから脱出する手段もうばいとられている。私は沈黙している宇宙の一隅をさまよいつづける卑小な存在にすぎないし、私をとりまく世界は深い闇に閉されている。にもかかわらず、広大な宇宙の微小な一点にすぎない私は、その惨めさを自覚することから出発しなければならない。「人間をして自己自身に立ち戻り、存在するものにくらべて人間がいかなるものであるかを観察せしめるがよい。自己が自然の辺鄙な一隅にさまようのを見るがよい。そうして彼の宿るこの小さな土牢、というのはこの宇宙のことを私は意味するのだが、この小さな土牢から地球を、国を、町を、また自己自身を、その正しい値打に見積ることをまなぶがよい」（津田穣訳）。宇宙そのものが牢獄であり、人間の知が壁のない無限の空間と対峙しているという、パスカルの憂鬱な認識は、夢想によって充足されるルソーの幸福な〈牢獄〉と鋭い対照をかたちづくっている。パスカルの〈牢獄〉が無限大と無限小のあわいに宙吊りにされた人間の実存の不可解さを垣間見せているとすれば、ルソーの〈牢獄〉は、隠れ家の休息を提供し、傷ついたアイデンティティの回復を約束する場所である。カーノカンはロビンソン・クルーソーの日記のさいしょのページに記されている「絶望の島」という言葉を手がかりに、パスカルの荒涼たる島のイメージが、ルソーの居心地のよい〈牢獄〉のイメージに切りかえられて行くものがたりとして、ロビンソンの孤島生活の意味を解読するわけであるが、ここではそれよりもパスカルの〈牢獄〉をイコンに変換したピラネージの版画「牢獄幻想」

に触れておくことにしよう。

G・プーレは、「ピラネージとフランス・ロマン派の詩人たち」というテーマ批評の小傑作のなかで、迷路のように錯綜する巨大な階段のいたるところに同じ姿を見せているピラネージの人物についてこう言っている。

> 自己増殖とは、自己の姿を求めて決してそれと一つになることができない自己の像を、いたるところに投影することである。空間と時間は、単に自己増殖が行われる本来の場というだけではなく、増殖した自己が広大な時空のままに散らばっていることの深い理由として現われているのだ。増殖は分裂であり四散であり、もっと悪いことには、時空二重の拡がりのいかなる点に位置するにしても、人間存在と周囲の全体との間にどんな関係にせよ関係を樹てることができないということなのだ。これはすでにパスカルが知った、己れを取り巻く無限と現在の己れの立つ時と所の有限との間に完全な懸隔を見出す、あの悲劇的な感情である。人間は宇宙の広大のうちに迷うのだ。（金子博訳）

ピラネージが描いた牢獄は、閉された独房空間ではなく、神殿や宮殿と見まがうばかりの巨大な規模をもっている。あるかなきかの点ないしはしみのようにおぼろげに描かれた小さな人物の群が、逆に空間のひろがりとへだたりを印象づける。壮大な列柱とゴシック風のアーチ、無限に上昇をつづける螺旋階段の彼方に拡がっているのは、涯しない蒼穹である。建築の限界がどこなのか、どこから天空がはじまるのか、その境界は定かではない（明暗の対照を際立たせることで柱や壁面の力感を強調している「牢獄幻想」の第二版よりも、よりラフなタッチで描かれている第一版の方が空間の悪夢的な効果をつくりだすことに成功しているように思われる）。牢獄としての宇宙、その一隅にさまよっている微小な点としての人間、というパスカルのイメージは、プーレの指摘するように間然するところのない技法で再現されているのだ。

「牢獄幻想」の画面には、十八世紀の牢獄でじっさいに使用された刑具や拷問具を連想させる奇怪な装置や機械が、構図を引きしめるアクセントとして要所要所に配置されている。円柱の根元には囚人たちを緊縛しておく鉄環や鎖があり、天井からは宙吊りの苦痛を味わわせる滑車や鋼索がぶらさがっている。床に据えつけられた車輪は車裂きの刑具だろうか。釘を逆さにうえこんだ鞍馬もある。獄舎のあちらこちらに深い影を淀ませているこうしたおぞましい道具立てからごく自然に連想されるのは、拷問の儀式が終った後のうつろな時間である。階段をのぼりつめて行く人物たちは、拷問の責苦をまぬがれるために、絶望的な逃走を試みているように見えてくる。だが、屈曲する階段は中途で切りおとされている断橋であり、無限につづく螺旋階段はどれひとつとして出口に通じているわけではない。ピラネージの牢獄全体が夢魔の時間を凝固させた空間であるとすれば、階段の人物たちもまた脱出の強迫観念からうみおとされた束の間の幻影にすぎないかもしれないのだ。

ピラネージがつくりだした迷宮的な〈牢獄〉は、やがてロマン派の詩人たちの想像力をかきたてる強力なモチーフのひとつとなった。ベックフォードのゴシック・ロマンス『ヴァセック』と、ド・クィンシーの『阿片吸飲者の告白』。そしてまたミュッセの『蠅』からゴーティエの『ダフネ嬢』へ。かれらはピラネージの〈牢獄〉から、迷宮としての世界につなぎとめられながらもそこからの脱出と飛翔を希求してやまない自意識の運動、つまりはロマン的な精神の核心に触れるものを読みとったのである。

しかし、「牢獄幻想」を制作したピラネージの本来の意図は、ロマン的な自意識の表現にはなく、バロック的な壮大さを回復することにあった。すくなくとも、螺旋階段をつたって絶望的な逃走をつづけるピラネージとはうらはらなもうひとりのピラネージが、「牢獄幻想」の画面の背後にかくされているのである。ピラネージの処女作は、一七四三年に公けにされた「プリマ・パルテ」であるが、その序文のなかでピラネージは、ローマ建築の雄大な規模からうけた感動と、同時代の建築家がなずんでいる無気力への絶望とをこもごも語っている。ヴェスパシアヌス帝の円型劇場やネロの宮殿に匹敵しうる現代の建築が見あたらないとすれば、せめて「描かれた建築」によって、ローマ的な偉大さをよみがえらせなければならないというのだ。「プリマ・パルテ」に描かれたローマ風の建築や廃墟は、そのスケールの大きさにもかかわらず、細部では写実的な窮屈さをまぬがれていないが、八年後に出版された「牢獄幻想」になると、遠近法の軌範や細密描写の技法が切りすてられたかわりに、自由奔放な描線、光と闇の対位法が、幻想的な空間の効果を盛りあげる。そこにこめられているのは、ローマ時代の壮麗さと巨大さに魅かれていたピラネージの情熱である。[1] ド・クィンシーがいうように、「途方もない力」が画面いっぱいにあふれかえっているのだ。ピラネージは、囚われの罪人に感傷の涙を注ぐよりも、牢獄に体現されている冷厳な権力意志への讃歌をうたいあげる。力の表現としての芸術。ピラネージが「牢獄幻想」の世界の基調に据えたのは、まさにそうしたバロックの伝統なのであった。

ピラネージの描かれた〈牢獄〉がつくりだした空間の恐怖は、十八世紀の後半に入ってから、J・ハワードの監獄改良運動にうながされて、意欲的な建築家の手に新しい監獄の設計がゆだねられたときに、その外観の様式を決定する重要な要素のひとつとなった。新しい監獄は衛生的、人道的な配慮を加えた内部の構造とはうらはらに、その外観には恐怖の感情をそそりたてるさまざまな奇想がこらされたのである。たとえば、一七六九年に設計されたニューゲイトの新監獄は、開口部を極度に切りつめた威圧的でうつろな正面《ファサード》が、収監される囚人を生きながら葬むる墓窖さながらのおぞましい荘重さを響かせていたし、ルドウが設計したプロヴァンスの監獄は、要塞と霊廟をひとつに取り合わせたような外観に加えて、丈の低い列柱に支えられた重々しい車寄せの構造が地獄の門を連想させた。近代的な監獄は、法の尊厳と仮借ない懲罰の意志を誇示する視覚的な記号に鎧われていることが要請されたのである。[2]

しかし、ピラネージ的な空間の恐怖を、ルドウの監獄やニューゲイトの新監獄とは逆の方向、つまり獄舎の内部構造に変換してみせることで、機能的な支配の装置を完成させたのは、J・ベンサムの「一望監視施設《パノプティコン》」であった。その外観は、六層からなる平凡な円筒形で、パノラマ館のそれを連想させるが、壁面にうがたれた沢山の窓のせいで威圧的な印象はそれなりにやわらげられている。収監される囚人は、地獄の門をかたどった正門に迎えられるわけではない。地下道づたいに内部に導かれるのである。その内部空間の構造はどうかといえば、中心部の監視塔をとりまくかたちで、独房に区分された円環状の建物があり、その間は内庭でへだてられている。要するにパノラマの観客が案内される展望台が監視塔に、展望台から見とおされるパノラマの画面が囚人たちの監禁されているドーナッツ型の独房群に、それぞれ相当すると考えればいい（パノラマは、「一望監視施設《パノプティコン》」に先だつ四年前の一七八七年に、エディンバラの肖像画家ロバート・バーカーによって発明されるが、両者のあいだに直接の影響関係はないらしい）。この「一望監視施設《パノプティコン》」の原理は、監視塔に配置された看守が囚人からは見られることなく、その一挙一動をすべて観察できる（seeing without being seen）視覚の優位性に要約されるが、逆に囚人の側では監視塔の内部を見とおすことはもちろん、独房の側面を仕切っている壁にさえぎられて仲間同士の接触をはかることもできない仕掛けである。しかもそれぞれの独房から外部空間にひらかれている大型の窓が、囚人たちのシルエットを逆光のなかに浮きあがらせる一方で、監視塔の真上にある巨大な天窓からさしこむ太陽光線は、監視塔そのものを光の幕で蔽いかくしてしまうことになるだろう。夜になると監視塔の外壁に吊されたランプが点灯されるが、このランプには鏡がとりつけられていて、囚人たちは目くらましの反射光をまともに浴せられるわけである。取調の刑事が強烈なスタンドの光で容疑者を照しだす外国映画でお馴染みの訊問のテクニックとまったく同じ原理なのだ。フーコーがいうように、独房に閉じこめられた囚人は、「ある情報のための客体ではあっても、ある情報伝達を行う主体には決してなれない」。かれらがからめとられているのは、狡智をこらした光と可視性の罠であって、かつての地下牢を包みこんでいた深い闇は完全に抹殺されている。

「一望監視施設《パノプティコン》」の内部を明るませているランプの光や自然光線は、監視する側にとっては好もしい武器であるが、囚人の側からすれば視覚のはたらきを剝奪する暴力であるにちがいない。この光のなかの闇という逆説は、まさにピラネージ的な主題の変奏ではないだろうか。階段をつたって絶望的な逃走を試みる「牢獄幻想」の人物は、有限の空間ではなく、無限のひろがりとへだたりをもった獄舎のなかに監禁されていた。増殖する迷宮空間の罠である。「一望監視施設《パノプティコン》」もまた光の配分と視線の効果を最大限に利用しつくすことで有限の空間から無限の空間の見せかけをつくりだす巧妙な装置であった。監視塔から看守が望見する獄舎の風景、囚人たちのパノラマは、ピラネージが幻視した無限に増殖する自己自身の責苦を実体化してみせる。「かれらのまえにくりひろげられる場景は、監禁された囚人とはいうものの、たいへん変化に富んでいるから、おおむね目をたのしませる見世物になるはずである(3)」

——これはベンサムが「一望監視施設《パノプティコン》」の効用を誇らしげに語っている一節である。

2

ピラネージからサド侯爵にいたる十八世紀の後半は、ふつうは理性の時代と解されているが、じつは精神史の深層に〈牢獄〉のテーマがまがまがしい幻想として棲みついた時代でもあった。「牢獄幻想」の怪奇な遠近法、獄舎のなかで構想されそれ以上に閉された空間に投影されたサド侯爵の残酷なエロスの夢想、地下牢・穹窿・陥穽などゴシック小説特有の舞台装置、そしてまた圧制の象徴として畏怖されたバスティーユ監獄――V・ブロンベールによれば、これらのイメージは、抑圧と自由、宿命と反抗、有限と無限の両極に引きさかれたロマン主義的な想像力のありかたに結びついているという。[4] この「大監禁の時代」に相当するものをわが国に求めるとすれば、それは幕末から明治初期にかけての激動の半世紀ということになるだろう。

たとえばこういうテクストがある。

余一間の室に幽閉し、日夜五大洲を幷呑せんことを謀る、人皆其狂妄を笑はざるはなし、是れ他人の笑ふ者は、其居る所狭窄にして、余が居の広大に若《し》かざるを以てなり、吾邦海禁の厳なりしより、天下の人六十六国の外、寸板海に下ることを得ず、故に其の観《み》る所僅かに六十六国に止る、狭窄と云べし、余独り一室に傲睨し、古今を達観し、万国を通視す、

是を以て覚へず知らず広大を致すことを得る、蓋し余他人と其智能大小あるに非ず、独り其居の広狭あるのみ、

吉田松陰が萩野山獄の同囚の人びとをあつめて、安政二年（一八五五）に開講した『講孟余話』の一節である。松陰は、現実の世界から遮断された「幽室」を拠点として、その倒幕思想をおもむろに蒸溜して行く。思索の世界では、現実の「天下の広居」は「狭窄」に、狭隘な「幽室」は五大陸にひらかれている広大な場に逆転する。鎖国日本は世界にむけて自らをかたくなに閉している〈牢獄〉なのだ。このパラドックスはもちろん言葉の遊戯ではない。下田踏海の壮図とその惨めな挫折、五大洲の周遊を企図した者が牢獄につながれて手足の自由もままならぬ情況に追いこまれてしまった運命の暗転――松陰が体験したこうした苛烈な劇が言葉による表現を獲得したとき、それはおのずから逆説の形式をとらなければならなかったのだ。このテクストのなかで松陰は、「人皆其狂妄を笑はざるはなし」と記している。しかし、自らの行動が狂妄であり、狂愚であることを誰よりも明晰に意識していたのも松陰その人なのであった。松陰は不忠の臣であり、不孝の子であり、狂妄の獄囚であるといういっさいの負価から目をそむけようとはしない。狂者は自らを狂者として肯定し、周縁的部分に疎外されている境位を自覚することによって、現実の敗北を将来される勝利の確信へと転回させなければならない。行動の自由を剝奪され、罪囚の屈辱を余儀なくされている獄中の人びとは、まさにそこのところで、中心的な価値、既成の秩序や身分意識からあらかじめ解

き放たれている人間であり、変革の啓示を痛覚をこめてうけとめることのできる選ばれた種族なのである。「吾輩、逆境の人、乃ち善く逆境を説くことを得るのみ」——これは、松陰が開講にあたって、同囚の人びとに獄中学習の意義を説いた言葉であるが、牢獄に幽閉されている人間は、名利や官職などの現世的利益から切断されているがゆえに、かえって学問を功利的な具としてではなく、その本質にさかのぼってきわめることができるというのだ。また、世俗的な社会から放逐されて「逆境」に閉じこめられていること自体が、逆にペリー来航以来の国家の「逆境」——危機的な状況を理解する手がかりになるというのだ。

松陰の言葉が切りひらいた獄囚の光学、自由と幽閉のダイナミックスは、維新期の動乱から自由民権運動の時代に引きつづく四半世紀を生きた世代にうけつがれる。とりわけ、それは明治十年代の政治小説の発想を、そのもっとも深いところで規定していたモチーフのひとつであった。〈牢獄〉は、明治政府の圧制を形象化した効果的な暗喩であったばかりでなく、政治小説の作家自体がしばしば獄中生活の体験者でもあったのだ。たとえば、末広鉄腸の『雪中梅』（明19）には、彼が讒謗律に触れて成島柳北といっしょに鍛冶橋監獄に投獄された体験が主人公国野基の獄中生活の描写に生かされているし、フィラデルフィアの独立閣で自由の鐘をふりあおぐところから書きおこされる東海散士の『佳人之奇遇』（明18〜30）は、散士自身が朝鮮の閔妃暗殺事件に連座して、広島の監獄に呻吟する場面で中絶している。また、夭折を惜しまれた宮崎夢柳は、ロシア・テロリストの地下活動を描いた『鬼啾々』（明17）はいうまでもなく、獄中体験を盛りこんだ最晩年の『芒の一と叢』（明21）にいたるまで、〈牢獄〉のモチーフに取り憑かれていた人だった。やや古風な文体にもかかわらず政治的ロマン主義の潜熱をこもらせているこうした〈牢獄〉文学の系譜は、その行手に北村透谷の『楚囚之詩』(明22)や「我牢獄」(明25)を望見させる。しかし、透谷が幻視した自意識の〈牢獄〉が、自由と圧制とが対峙する場として描きだされた政治小説の〈牢獄〉とのあいだに、ある不連続面をもつこともまぎれがない。この連続と不連続の意味するものは何か。そしてまた、松陰から透谷にいたる変革期の精神史が抱えこんでいた〈牢獄〉の暗喩を総体的にとらえなおす視角とは何か。さらにヨーロッパの「大監禁の時代」は、極東の君主国にどのような波動をもたらしたか。そうした課題に近づくために、私は文明開化の時代に移入された近代的な監獄の〈制度〉そのものにこだわることからはじめたい。明治五年十一月に公布された「監獄則」がそれである。

　明治五年の「監獄則」の実質的な制定者は、近代的な行刑制度の創始者として知られている小原重哉であった。この小原重哉は、天保五年(一八三四)生れの岡山藩士で、青年時代に国事に座して、伝馬町の牢舎に投獄された体験の持主である。維新後は岡山藩の貢士にえらばれ、ついで刑法官鞫獄《きくごく》判事に任じた。伝馬町牢の惨酷な体験から、小原は監獄改良の責務を痛感し、明治二年十月、長文の意見書を正親町三条刑部卿宛に提出する。この意見書には旧幕時代の牢獄の内情が、彼自身の体験にそくして克明に記されていた。翌三年には獄制改良のため海外視察を許され、明治四年二月から八月にかけて、英国副領事ジョン・ホールを伴って、ホンコンやシンガポールなど、英国植民地の獄制を視察する。「監獄則」は、この海外視察の成果をとりいれたもので、司法省への上奏文にはこう認められてあったという。「小原重哉等の目撃する所と英人の口授する所とを筆記せし者に基き傍ら諸国の獄制に照し之を我国の成規に比較し、風土に因り人情を酌み参互取捨以て編制せし者なり」(5)。

小原重哉が制定した「監獄則」は、法令の常識を大幅にはみだした型破りのテクストである。冷厳で透明な条文を選定するよりも、彼は法律をかりて自分の夢をつむぎだすことに熱中したのだ。そこに描きだされているのはまさに獄舎のユートピアであって、彼が伝馬町の牢舎で嘗めた苦痛の生々しい記憶が裏返されているおもむきがある。刑部卿宛の小原の上申書には、「逮捕して一旦必ずシヤモと称する高三尺に過ぎざる冥暗中に蹐くまり群居せしめ其気息自ら太陽と疎隔し其健康を傷害する最も甚し」という一節があったが、「監獄則」のなかでくりかえしうたいあげられているのは、何よりもまず太陽の光と新鮮な空気、それに衛生的でひろびろとした空間なのであった。タテ三一間にヨコ五間という伝馬町の牢舎の規模にたいして、「監獄則」に定められた監獄の総面積は、二万五千四百坪余という広大なもので、直径約三〇〇メートルの円形の敷地内に一翼一〇〇メートルに及ぶ十字形の獄舎が配置される。これは明治十年代の司法関係の官庁の大部分、司法省・大審院・東京裁判所・警視庁がすっぽり収まる大きさである。しかもこの広い用地には、囚人たちの心にゆとりとやすらぎを提供する花卉や薬草がいちめんに植えこまれていなければならない。「監獄ハ市街ヲ隔テタル空閑高燥ノ地ヲトシ其区域ヲ大ニスヘシ図式ニ見ユル所ノ各遊園中縦横ノ小径ニ砂石ヲ布キ左右ノ余地ニ薬草及美花佳実アルノ草木ヲ雑植シ罪囚ヲシテ心神ヲ怡ハシ新鮮ノ気ヲ吸入セシメ且販売ノ一利ト為ス」。小原重哉が視察したシンガポールの監獄には、ブーゲンビリアやハイビスカスなどの熱帯の花々が咲きみだれていたのだろうか。「空閑高燥ノ地」を監獄の用地に選定する発想は、あるいはJ・ハワードの監獄改良案にヒントを得ているかもしれない。ハワードの『監獄事情』（一七七七）には、監獄を建てる場所として第一に川のほとり、第二に高台が挙げられているのである。

獄舎の建築にあたっては石材あるいは煉瓦が望ましいとされる。「監獄則」が公布された明治五年は、ウォートルスの設計による銀座煉瓦街の建設計画が公けにされた年であった。銀座煉瓦街の特色は、直線の大通りと「白堊ヲ以テ全面ヲ塗」（『東京新繁昌記』）った二階建の煉瓦建築であったが、「監獄則」が定める獄舎の構造も二層の石造あるいは煉瓦建築で、独房の明るさを保つために内壁を白堊で塗装することが要請されていた。また十字形の獄舎は、直線の大通りが交叉するかたちを連想させる。こうした銀座煉瓦街とのアナロジイから、「監獄則」のなかにかくされている〈都市〉を読みとることはそれほど難しいことではない。完備した上下水道の施設（獄ノ内外渾テ汚物ナキヲ要ス先ツ土地ノ高低ヲ量リ各処水道ヲ穿チ能ク潦水ヲ疎通シ毎舎ノ雨霤及ヒ日用ノ水渣ヲ送テ遠地ニ致シ周墻外ト雖トモ死水ノ溝渠ヲ置クヘカラス）、遊園にかこまれた清潔な病院（病監ハ最高燥ノ地ヲトス可シ……窓戸ヲ寛広シ生気ヲ疎通シ四外ニ清潔ノ遊園ヲ開キ花卉ヲ植テ以テ病囚ノ遊観ニ供ス）、豊富な蔵書を擁する図書館（監獄内ニ書庫アリ多ク佳書ヲ蔵シ以テ囚人ノ誦読ニ供ス）というように、この閉された空間のシステムには、近代の都市に欠かせないさまざまな装置が組みこまれているのだ。小原が夢見た獄舎のユートピアは、それ自体ユートピア都市のミニアチュアを思わせる。「監獄則」が提示した理想の監獄には、花卉や薬草で飾られたうつくしい遊園があり、軽罪の囚人に野菜を栽培させる小農場や牛羊豚鶏を飼育して牛乳やチーズを生産する小牧場も用意されている。それはいかにも殖産興業の時代にふさわしいイメージであるが、その実利的な効用を消去してみると、この世紀の掉尾にエベネザー・ハワードが提唱することになる「田園都市」が予告されているといってもいい。旧幕時代の牢獄につきまとっていた暗黒のイメージを一掃することに専念した小原は、彼の意識をこえたところで文明の装いをこらした東京の未来図を描きだしてしまったのである。

しかし、かがやかしい表の顔を誇示していた近代の都市は、いうまでもなく醜悪なもうひとつの顔をもっている。モニュメンタルな空間に改造された表通りや官庁街、自然景観を造成した広場や公園が表の顔であるとすれば、その裏側にはそこから排除された暗鬱な負の空間がとめどなく増殖しつづける。訓練と規律の枠組のもとに労働を組織化するブラックボックスとしての工場であり、劣悪な生活環境のままに放置されたスラム街である。小原の構想した理想の〈牢獄〉も、こうした〈都市〉のアイロニーに対比されるものをまぬがれていない。遊園や小牧場をめぐらした「田園都市」ふうののどかな景観は、じつは仮借ない懲罰の装置としての監獄がまとわなければならなかった偽善的な意匠であった。というより、効率的な懲罰の空間を組織する発想と、役人の監視の眼から罪囚を保護する役割を果していないでもなかった不浄な闇の空間を衛生的な明視の空間に改造する発想とは、結局、同じメダルの裏表なのである。

旧幕時代の牢獄は、よく知られているように、名主にはじまって、添役、一番役、二番役、隅の隠居、詰の隠居とつづくたいへん煩瑣な牢役人の「自治制」を黙認することで運営されていた。それは獄外の世俗的な秩序を顚倒させた反世界であり、網野善彦のいうように、裏返された「自由」を保証していた中世の「無縁所」の系脈を引く陰惨なアジールであった。世俗の社会から縁を切られた獄囚たちの序列は、罪の「芸能」の優劣によって決定されるのである（『無縁・公界・楽』28ページ）。しかし、「監獄則」が導入したのは、罪の「芸能」というあいまいな尺度にとってかわるあたらしい階層序列であるにちがいなかった。規律・訓練への適性と、産業社会が要求する労働の「技能」の水準である。たとえば、懲役囚は刑期の長短とはべつにつぎのような五段階の序列に区分される。

第五等　土石ヲ運搬シ荒地ヲ開墾シ米ヲ舂キ油ヲ搾リ石ヲ砕クノ類ナリ……
第四等　諸官邸ノ造営街路ノ修繕瓦陶煉化石等ノ調土及ヒ耕耘ノ類ナリ……
第三等　木工竹工籐工鍛工石工桶工瓦工履工及ヒ皮革工麤織工ノ類ニシテ一課専業ヲ許ス
第二等　第三等ト同シ但其長技ヲ以テ他囚ヲ教授セシム或ハ之ヲ炊夫門番……等ニ使用ス
第一等　第二等と同シ但此限ヲ満レハ放免ス

この五段階が、単純な肉体労働――農作業――未熟練工――熟練工、という順序にしたがってつくられていることは明瞭だ。「序列や段階にもとづく個々人の配分には、二重の役割が含まれる。つまり逸脱を明示し、性質と能力と適性を階層秩序化することであり、他方懲罰を加え褒賞を与えることである」（フーコー『監獄の誕生』田村俶訳、185ページ）。

しかも懲役囚がどの階層に所属しているかは、足枷の有無や服装の種類、身体的な記号を組みあわせることで明示されなければならない。脱獄の初犯は浅緑色の片袖、再犯は同じく両袖、三犯以上は半分だけ剃りあげられた頭髪、という工合にである。規律と訓練から逸脱した囚人を懲戒する罰則は、1棒鎖　2貶等　3鉄丸　4担重　5闇室　6懲鞭の六等にわかれているが、このうち「貶等」と「闇室」をのぞく四つの罰則が、視覚的な記号としての身体刑に組織されている。

のちに内国勧業博覧会の美術部審査員にえらばれることになる小原重哉には絵心があったらしく、「監獄則」に付載された「図式」には、監獄の建物、房内の備品、懲罰の刑具、作業器具などが念入りに図解されている（とりわけくわしい図解は、製縄機と煉瓦製造の装置であるが、この二つが囚人にとっては監禁状態を想起させる陰鬱な暗喩であることを小原は意識していただろうか）。さらに「監獄役数表」「監獄出金表」「監獄入金表」「監獄歳計表」というように、管理の能率をたかめるために必要な統計表の雛型も用意されている。この図解と統計表のセットは、可視的な記号をかりて囚人を分類し監視する発想とひとつに結びついているだろうし、産業社会が要求する合理的な管理システムのモデルが先取りされているといってもいい。視線の作用を獄舎の隅々まで行きわたらせようとする「監獄則」の核心にあるものは、ほとんど博物学的と呼んでもいい観察と分類の思想である。「監獄則」の獄舎設計の急所も、まさにそのところに焦点が合わされていたということができる。

守卒看守所ノ制ハ円形室ヲ獄舎四通ノ中央ニ設ケ一、目、洞、視シテ障蔽ノ弊無ラシム此レ守卒ヲ省減スルノ法ナリ詳ニ図ニ悉ス

小原重哉が「監獄則」を制定した時点で、ベンサムの存在を承知していたかどうかはたしかめることができないが、ここに生かされているのは、たしかに「一望監視施設《パノプティコン》」の原理である。

これまでの明治思想史では、ベンサムの功利主義思想は、西周の「人生三宝説」をはじめとして啓蒙知識人の言説を中心にその影響関係がたどられて来たけれども、「監獄則」のテクストに引用された「一望監視施設《パノプティコン》」の形態《ゲシュタルト》は、制度のなかにとけこんだもうひとつの思想のありようを垣間見せているように思われる。中心から周縁に放射される視線のはたらきを強化することで不透明な空間を透明な空間に切りかえること。あるいは、空間を分割し、秩序づけることで権力の行使を効率的にする仕掛をつくりあげること。「一目洞視」という適切な訳語に要約されているこうした空間把握の方法は、たんに監獄の組織原理にとどまらず、日本の「近代」が創出したさまざまな〈制度〉に共通するかくれたコンテクストをかたちづくっているのだ。たとえば、明治十年代の後半に制作された参謀本部陸軍部測量局の

「五千分一東京図」である。近代都市図の最高傑作といわれるこの「東京図」は、二メートル間隔の等高線で山の手台地の複雑な微地形がみごとに再現されているばかりでなく、民家毎の井戸や地下に埋設された上水樋の位置までが明らかにされている。「石牆」「鉄柵」「生籬」など、構囲をあらわす記号だけでも十一種類に及んでいる入念さなのだ[6]。ところが、その一方で中心の皇居は江戸大絵図の作図法どおりに空白のまま放置され、軍事施設の大半は九枚の図幅の外に切りすてられるというように意識的な操作が加えられている。この精密な描写とそれとはうらはらに要地を隠蔽した作図法は、士族の反乱と民衆の蜂起を鎮圧する市街戦用図としてつくられたこの地図の目的をおのずから明らかにしているわけだが、市街戦用の地図がこのうえもなく美しい都市図の印象をつくりだしてしまったところに、「一目洞視」の空間把握と現実の都市空間のあわいに生じた微妙な軋みを見てとることができる。あるいは、明治十年に上野公園でひらかれた第一回内国勧業博覧会を例にあげてもいい。この博覧会の事務局が用意した会場案内のパンフレットには、「斯くの如く仔細に観察し来らば凡そ万象の眼に触る皆知識を長ずるの媒となり一物の前に横たはる悉く見聞を広むるの具たらざるなし」というように、知識を深める観察の効用が強調されていたが、この発想はもともと大久保利通が三条実美あてに提出した博物館建設を要請する建議書からきている。「夫人心ノ事物ニ触レ其感動識別ヲ生ズルハ悉ク眼視ノ力ニ由ル。古人曰ク、百聞一見ニ如カズト。人智ヲ開キ工芸ヲ進ムルノ捷径簡易ナル方法ハ此ノ眼目ノ教ニ在ルノミ」。ここから読みとれるのは、もののかたちを視覚により正確に把握しようとする博物学的な精神のありよ

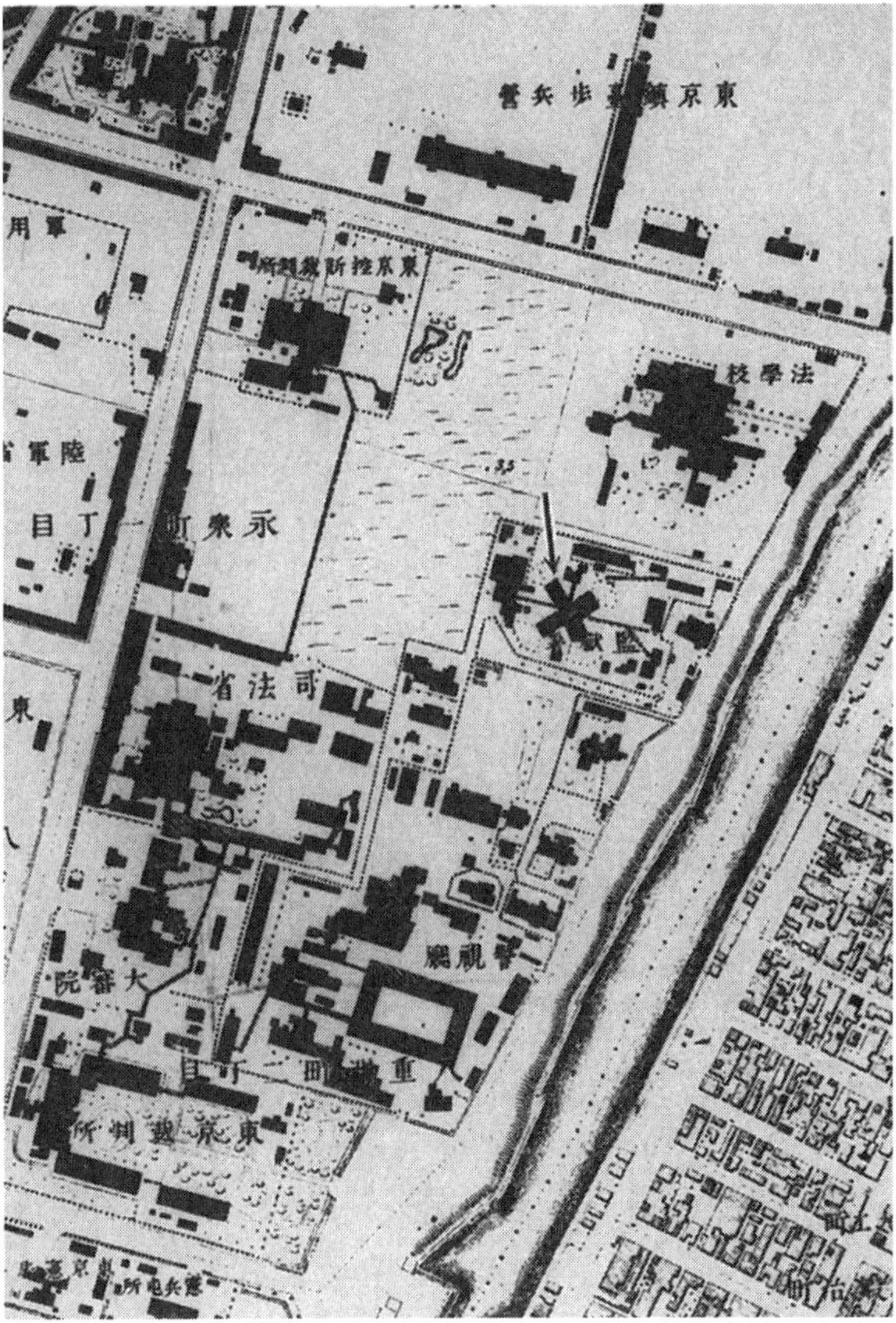

参謀本部陸軍部測量局「五千分一東京図」明治16年（矢印が鍛冶橋監獄）

うであり、「眼視ノ力」は文明開化と殖産興業をすすめて行くうえでもっとも有効な認識の手段とされている。博覧会場を訪れた人びとは、日本全土を物産のレベルにおいて一日で見わたすことができる意味空間を体験したわけであるが、それ以上に「工芸ヲ進ムルノ捷径」である「眼視ノ力」の意味を明示していたのは、会場の空間構成そのものだった。正面入口の左右には、機械館・園芸館・農業館など、殖産興業政策のデモンストレーションにあたる建物が配置される。この部分を三角形の底辺として、各府県の物産を陳列する二つの本館（東本館と西本館）が斜辺をかたちづくり、頂点にあたる位置に美術館の本建築がそそりたった美術館が、「眼視ノ力」のエッセンスとしての美術の機能を誇示していたことはいうまでもない。

ところで、小原が制定した「監獄則」は、予算の不足を理由に、わずか一年足らずで実質的な廃案に追いこまれるが、不完全なかたちながらその構想が具体化されるのは、明治八年十二月、警視庁の北側に落成した鍛冶橋監獄である。木造二層、十字形の一翼が約二〇メートル、構内面積約二千四百坪という規模は、「監獄則」の規定からすると十分の一に縮小されたことになる。

「朝野新聞」の成島柳北と末広鉄腸が讒謗律に触れた罪を問われて、この鍛冶橋監獄に収監されたのは、翌明治九年二月のことである。柳北は、明治五年から翌年にかけて、東本願寺法主に随行して欧米を漫遊したときに、パリやロンドンの監獄を見学する機会があった。彼が出獄後に「朝野新聞」に連載した「獄内ばなし」に、この日本のさいしょの西洋式監獄の急所を看破したつぎのような一節があるのもふしぎでない。「其ノ結構ハ略ボ西洋ノ牢獄ニ模倣スルモノニシテ其形チ十字ナリ。楼上楼下其区ヲ八ッニ分ツ。一区十房々数合セテ八十。楼上楼下トモ監守ノ吏中央ニ在テ四方ヲ視察ス」。一方、末広鉄腸は、このときの獄中体験にそくして『雪中梅』の主人公国野基が投獄される場面を描きだした。篇中のヤマ場である。「昔しは西洋も同様であつたが、ベンサムと云ふ人が出掛けて来て、獄屋の建築方《たてかた》や囚徒の分け方に法則のある事を論じ、各国政府も其の説を採用して、獄屋の風を一変したので、次第に罪人の数が減じたと聞て居るが、日本でも早く獄制を改良したいものだ」――これは国野が同室の囚人を相手に監獄改良の意見を開陳するくだりであるが、鉄腸は彼がじっさいに監禁された鍛冶橋監獄が、まさにベンサムその人の「一望監視施設《パノプティコン》」にもとづいて設計されていた事実に気づいていただろうか。いずれにしても「一望監視施設《パノプティコン》」の効用をいちはやく認識した支配する側のリアリズムと、監獄改革の先駆者としてベンサムを位置づけようとする支配される側のオプティミズムとの落差はまぎれもない。ここには、言葉としての思想が、ものとしての思想に裏切られる苦いアイロニーがあらわれている。

3

「一望監視施設《パノプティコン》」の思想を、都市のレベルに変換した典型的な例のひとつは、ナポレオン三世の意を体してすすめられたオースマン男爵のパリ改造事業だろう。まがりくねった古い街路を容赦なく取りこわし、それにかわって見通しの利く直線の大通りを打ちぬいたオースマンの事業は、ナポレオン三世の夢想どおりに「世界でもっとも美しい都市」を実現させた。並木や花でよそおわれた大通りの遠近法であり、噴水や大理石の彫像で飾られた広場のモニュメンタルな空間である。しかし、この改造されたパリの見事な景観は、その背後に内乱と暴動から首都を防衛する戦略的な意図をかくしていた。直線の大通りは、軍隊と警察の迅速な移動を可能にする機能をもっていたばかりでなく、叛徒が潜伏する死角を消滅させ、バリケードの構築を困難にする一石二鳥の戦略的効果が計算されていたのである（大革命いらい街路の敷石がバリケードの材料に転用された苦い教訓から、第二帝政はアスファルト舗装の導入を思いつく）。

オースマンの計画の要点は、都市の〈中心〉を交通の要衝として再構成するところにあった。南北と東西の大通りがかたちづくる「パリの十字《クロワゼ・ド・パリ》」で、市街地の中心部を切りわけるプランがそれである。セーヌ河の北岸を東西に貫通するリヴォリ通り（一八五五年完成）と、これに直交するセバストポール通り（一八六〇年完成）は、文字どおりパリ改造計画の骨格であった。[7] 交通を渋滞させる隘路から市街地ぜんたいを連結する環へと、〈中心〉の役割を転換させようとしたオースマンの構想は、「一望監視施設《パノプティコン》」の中心にあって周辺の独房に監視の眼を光らせている塔の機能を連想させる。一方、市街地の中心に入りくんでいた労働者の住宅は周縁に追いやられ、かれらの憩いの場として設計されたビットショーモン公園は、その代償と見なされた。多木浩二がいうように、「パノプティコンが空間を支配する側の視線から構成したように、オースマンの都市も見るもの（支配者）の視線にすみずみまでつらぬかれていた」（『眼の隠喩―視線の現象学―』122ページ）のである。

このパリ改造計画のアウトラインは、はやいところでは明治六年に普仏戦争後のフランスを訪れた米欧回覧使節の公式記録『米欧回覧実記』に紹介されているが、明治十年代の後半に市区改正をめぐる実質的な審議がはじまったときに、それは東京の未来図が拠るべき最上のモデルとして考えられるようになった。明治十七年二月にひらかれた第一回市区改正審査会の席上で、パリの視察から帰朝したばかりの内務大書記山崎直胤は、改造計画の大要を解説したうえでつぎのように発言している。「是ヲ以テ我改正案ニ比照シテ二三ノ例ヲ挙グレバ、一等ノ路線ハ彼ノ「ブールバール」ニ倣フテ改築シ、浅草芝ノ公園ハ彼ノ「パルクモンソー」ノ如ク市民ノ逍遥場ト為シ、上野公園モ農商務省ヨリ東京府ニ譲リ受ケテ彼ノ「ボァードブロンギユ」ノ如ク内外貴顕紳士ノ会園ト為シ……水天宮金比羅社ヲ煉化石造ニ改築シテ人民ニ開化ノ御利益ヲ与へ、偶像淫祠ノ誹謗ヲ洗滌シテ一ノ「モニュメント」ト尊重セラルルニ至ラシメ、日本橋区京橋区等人口稠密ノ区ニ二三ノ「スクェール」ヲ設ケ……其ノ構造区々ニシテ市街ノ体ヲ為サザルモノハ宜シク之ヲ改良シテ郭内ニ洋風美観ノ一勝区ヲ造出スベキナリ」(8)。改造されたパリをモデルにバロック都市の美観に装飾された帝都の未来図を描きだした山崎のプランは、東京府知事で審査会会長を兼ねた芳川顕正が用意した原案とはあまりにかけはなれていたために、結局採用されることがなかったが、それでも道路・河川・橋梁・港湾の改修に限定されていた原案に加えて、遊園・市場・劇場・商法会議所・共同取引所の建設が答申書に盛りこまれた。

内務卿山県有朋に提出された市区改正審査会のプランは、その後、外務卿井上馨を総裁とする臨時建築局が新設され、ドイツから招いたエンデ＝ベックマンの立案になる壮麗なバロック風の官庁集中計画がすすめられたために、一時はまったく棚上げにされてしまう。内務省が都市計画の実権をとりもどすのは、条約改正交渉挫折の責任をとって井上が外務卿を辞した明治二十年九月以降のことであるが、翌二十一年に元老院の審議に委ねられた市区改正案は、それがパリ改造計画を模倣した都市の美化に偏していることを理由に、廃案に追いこまれる。こうした再度の頓挫にも屈せず、山県が勅令の形式をかりて「東京市区改正条例」の公布に踏み切ったのは、明治二十一年八月六日である。

この「市区改正条例」にもとづいて、東京市区改正委員会が、その第一回の会合をひらいたのは、この年の十月五日、開会に先立って委員長の芳川は、一場の演説を試み、市区改正の大方針を明らかにする。その要点の第一は、「中央市区ヲ画スルノ議ヲ排シ市区全体ニ就テ之ヲ改正スルノ計画ヲナス者トナシ直チニ往時江戸奉行ノ支配地ヲ以テ改正ノ区画ト定メタリ」とあるように、市区改正の範囲を市街地の中心部に限定することなく、いわゆる「朱引内」をふくむ「十六英方里」の地域に定めたことである。また、市区改正の主要な目標は、①交通の整備　②火災の防止　③都市衛生の改良の三点にしぼられた。

①　東京ハ皇居政府ノ在ル所工商ノ湊ル所実ニ全国ノ首府タリ。然ルニ創建ノ初、干戈猶ホ未ダ収ラズ。主トスル所防守ノ一点ニアリ。市街ノ計画ニ至テハ、或ル部分ヲ除クノ外、之ヲ放任シ、敢テ意ヲ注ガザル者ノ如シ。故ヲ以テ街衢狭隘道路迂曲シテ車馬ノ通行ニ便ナラズ。当時頼テ要害トナシ便益ト称セシモノ皆今日ノ不利不便トナルニ至レリ。

②　維新以来、鋭意消防ノ方法ヲ改良シ、竜吐水ヲ廃シテ、喞筒ヲ用ヒ、又喞筒ヲ廃シテ蒸気喞筒トナスニ至レリ。其効験頗ル著大ナリト雖モ、独リ奈何セン、道路狭隘ノ箇所多キニ居リ、駟馬ノ汽筒モ直チニ所要ノ地ニ就テ十分ニ其技能ヲ逞ウスルコトヲ得ズ。

③　上水下水ノ設未ダ完全ナラズ。家屋ノ制未ダ定ラズ。故ヲ以テ飲水中ニハ種々有害ノ有機物ヲ溷淆シテ人身ノ健康ヲ敗リ、汚水溜澱シテ百般ノ毒気居恒市区ヲ掩蔽シ、家屋ハ高低斉シカラズ、大小一ナラズ。瓦屋アリ、板屋アリ、殊ニ所謂裏屋ナルモノニ至リテハ、穢壊堆積潦澱最モ甚シク日光達セズ、大気通ゼズ、特ニ逋逃ノ淵藪タルノミナラズ、兼テ悪疫製造ノ本家トナリ……[9]

藤森照信は、この委員会の審議について、「討論は低調であり、内容も技術的なことはともかく本質的掘り下げはほとんどみられない[10]」というように否定的な評価をくだしている。たしかにそのとおりであるが、この基調演説には、内務官僚としての芳川の立場がかなり鮮明にあらわれているといわなければならない。その一つは、閉された軍事的、封建的都市を開かれた近代的都市に転回させる発想である。江戸の街並をかたちづくっていた狭隘で曲りくねった道路は、江戸城を二重三重に取囲む外濠の渦線及びそれを分節する見付の枡型と組みあわされることで、外敵の侵入を阻止する複雑な防衛線を構成した。町毎に設けられていた木戸もそれに加わる。こうした閉された迷路の空間が開かれて行くもっともはやいしるしのひとつは、神田川にのぞむ旧筋違見付の枡型がとりこわされ、その石材を転用して東京さいしょの石橋、万世橋が架けられたことだった。この万世橋を皮切りに、東京市内の木橋は石橋、あるいは鉄橋に架けかえられ、明治十五年には新橋ステーションから、上野・浅草方面にむかう幹線道路に鉄道馬車の軌道が開設される。「当時頗テ要害トナシ便益ト称セシモノ皆今日ノ不利不便トナルニ至レリ」という芳川の認識は、開かれ行く「陸の東京」の現状を肯定したうえで、一等道路から五等道路に及ぶ直線の大通りを市街地の中心部に打ちぬく構想を実らせることになる。パリの改造計画がうたいあげていたバロック都市の美観をにべもなくしりぞけた芳川のリアリズムは、一方ではその戦略的な意図をあやまたず読みとっていたのである。それは江戸という都市の戦略的な構造を否定した彼の都市計画の裏側に炙りだされてくるはずである。

つぎに指摘しておきたいのは、芳川が市区改正事業のスケープゴートとして、裏店ないしはスラム街を排除する姿勢を露骨に打ちだしていることである。道路網の整備が民家の立退きを必要とするかぎりで、都市を構成するもう一方の極には、ことさらに負性の記号とイメージが貼りつけられなければならなかったのだ。そこで顕在化するのは、衛生／非衛生、健康／病気、秩序／犯罪という二分法である。東京府だけにかぎっても、患者総数一万二千、死者九八七九人に及んだ明治十九年のコレラの恐怖は、まだ記憶に生なましく残っていたわけで、それは腐敗した悪性の空気〈百般ノ毒気〉という〈神話〉をつくりだす。「裏屋ナルモノ」に淀んでいる不潔な空気は、医学的にはいうまでもなく、道徳的にもおぞましい悪のシンボルとして忌避されることになった（「逋逃ノ淵藪」というイメージ）。監獄のなかにこもっている腐敗した瘴気と同じまがまがしい空気が、東京の裏街一帯にもしみとおっているといういささかあいまいなイメージは、芳川ばかりでなく、改正委員の面々をおびやかしていた〈幻想〉なのであった。小石川砲兵工廠の煤煙が問題となった第八回の委員会で、委員のひとり長与専斎はこう言っている。

凡ソ世界ニ死亡者多キハ監獄ニシテ其統計ヲ調ブルニ、泰西諸国ノ監獄ニ在テハ、千人ニ対スル三十人ノ死亡者ナルニ、我ガ府下ノ下町ハ千人ニ対スル四十余人ノ死亡者アリ。是以テ空気ノ流通宜シカラザルノ一原因ナリ。而シテ其病根ヲ探レバ、概ネ下等社会ニ発スル熱病ニシテ其病勢猖獗ヲ極レバ、遂ニ中等以上ノ人ヲ襲フニ至ル。豈ニ怖レザルベケンヤ。

「有害ノ悪気」への畏れは、おそらく市区改正計画のなかに上下水道の整備やスラム街の浄化が組みこまれていなかったことと見合っている（明治十九年のコレラ流行は、江戸時代からうけつがれた上下水道の管理がずさんで、水質が悪化したことによるといわれる）。委員会で審議された大小の遊園も、都市の美観をととのえるというより、まず伝染病を媒介する「有害ノ悪気」を浄化する空間としての効用が求められたわけであった。都市の機能的側面を重視した市区改正計画のなかにくいいっていたこうした空気の〈神話〉から、私は小原重哉が夢想した衛生的な獄舎の空間との暗鬱なアナロジイを考えないわけには行かない。

江戸空間の名ごりをとどめる明治の東京を制度的な空間に再編成しようとした市区改正計画は、その対極に負性の記号に徴しづけられたスラム街や裏街の空間を顕在化させることになったが、それと見合うかたちで民間のジャーナリストの手になるスラム街のルポルタージュがあいついであらわれた。桜田大我の『貧天地大飢寒窟探検記』（明23）、松原岩五郎の『最暗黒の東京』（明26）、横山源之助の『日本之下層社会』（明31）、などがそれである。このなかでこれまでもっとも高く評価されてきた作品が『日本之下層社会』であることはいうまでもない。『貧天地大飢寒窟探検記』や『最暗黒の東京』はその先駆的な作品として位置づけられているのだ。たしかに貧窟の探検者という立場から踏みだせなかった桜田や松原には、下層社会の生活を全社会構造のなかに組みこむ広い視野が欠けていたし、ヒューメインな心情の裏付けにも乏しいところがあった。しかし、桜田のルポルタージュはともかく、明治の東京を〈文明〉と〈暗黒〉の両極からとらえようとした『最暗黒の東京』の神話的なテクストは、もういちど見直されていいのではないだろうか。すくなくとも、市区改正論のなかにひそめられていた裏街やスラム街の負性の神話に注目したこのエッセイでは、社会科学的な横山のテクストがもたなかったもうひとつの意味を期待することができる。

都市の表層の背後にうがたれた暗黒の地下世界《アンダーワールド》としてスラム街をとらえようとする『最暗黒の東京』の視点は、一八八〇年代から九〇年代にかけてのイギリスで出版されたイーストエンドの記録から示唆をうけているように思われる。ジョージ・シムズの『貧民の生活と怖るべきロンドン』(*How the Poor Live and Horrible London*, 1889)、チャールズ・ブースの『ロンドン民衆の生活と労働』(*Life and Labour of the People in London*, 1889)、ウィリアム・ブースの『最暗黒の英国とその活路』(*In Darkest England and the Way Out*, 1890) などの著作であるが、このなかで同時代の日本の識者にすくなからぬ衝撃をもたらしたのは、『最暗黒の英国とその活路』であった。徳富蘇峰が主宰する「国民之友」は、明治二十四年五月二十三日号と二十五年四月二十三日号の二回にわたってその紹介記事を掲載しているし、横山源之助の『日本之下層社会』にも、「ゼネラルブースが最暗黒の英国に描きたるエストロンドンに住める者の如く、醜悪にして深刻なる貧民を見ること少きなり」という一節がある。松原岩五郎がこのブースの著作を通読していたかどうかをたしかめる資料はないが、民友社の客員としての彼がその内容を承知していたことは当然考えられる。何よりも『最暗黒の東京』というタイトル自体が、ブースからのヒントを推測させるのだ。

ウィリアム・ブースは、救世軍を創設した一八六一年から三十年間にわたってイーストエンドの救済事業を精力的に展開してきたが、労働コロニイの構想を提案した『最暗黒の英国とその活路』は、いわばその総決算ともいうべき著作であった。ペル・メル・ガゼットの記者W・T・ステッドの協力を得た格調高い文体に特色がある。イーストエンドのルポルタージュにあてられているのは、その第一部の「暗黒」である。

ブースがイーストエンドのシンボルとしてえらんだ〈暗黒〉のイメージは、直接にはスタンレイの『最暗黒のアフリカ』（*In Darkest Africa*, 1890）から示唆をうけたものであった。スタンレイが一八八七年から翌々年にかけて、七百人の大探検隊を組織して試みた最後のコンゴ探検は、ゴードン将軍をカートゥームで敗死させたマーディ回教徒にたいして、孤立した戦闘を継続していた謎の人物、エミン・パシャの救出がその主要な目的にかかげられていた。苦難にみちたこの救出作戦をヤマとする『最暗黒のアフリカ』は、ジャーナリスティックな関心をあつめ、世界的な大ベストセラーとなる。出版元のサムソン商会では四万ポンドの印税をスタンレイに提供したと伝えられている。ブースはこのスタンレイ人気を逆手にとって、〈暗黒〉のイーストエンドを救済する世論を喚起しようとしたわけであった。

ブースによれば、スタンレイの探検記に描きだされた果てしなくつづくコンゴのジャングル、そこに棲むピグミーと食人種、エンフィールド銃を携えてかれらからすべてを奪いとるために潜入する貪欲な奴隷商人や象牙採取者――それらのおぞましいイメージは、そのままイーストエンドの悲惨なスラム街のアナロジイだというのである。「最暗黒の英国は、最暗黒のアフリカがそうであるように、マラリアの瘴気が淀んでいる。われわれのスラムに立ちこめている不潔で悪臭を放つ空気は、ほとんどアフリカの沼沢地と同じ有毒性に満ちている」。こうした未開の〈暗黒〉が首都ロンドンの中心部に存在している事実に人びとが無関心でありつづけることは、文明とキリスト教につきつけられたきわめて痛烈な皮肉でなければならない。これが第一章「なぜ最暗黒の英国か？」の骨子であるが、この辛らつな告発につづけて、第二章以下では、イーストエンドの階層分析にはじまって、住居問題、浮浪者・犯罪者をめぐる克明な調査と報告が展開される。

スタンレイの本の挿絵
（H. Stanley, *In Darkest Africa*, 1890）

松原岩五郎の『最暗黒の東京』は、単行本の出版に先立って、その原型に当るものが「国民新聞」紙上に断続的に掲載された。明治二十五年十一月から翌年の八月にかけてである。この連載期間中にスタンレイの『最暗黒のアフリカ』が『闇黒亜非利加』というタイトルで博文館から出版される。訳者は矢部新吉、全六篇の分冊形式で、第一篇の刊行は明治二十六年三月である。さきに言ったように松原がブースの著作に接していたかどうかは確定できないが、スタンレイについては『最暗黒の東京』のなかに言及があり、それは東京の貧民窟が探検者を待ちうけている未知の世界として松原の眼に見えていたことを暗示している（事実「貧窟探検者」という表現がくりかえしあらわれる）。また、一日の稼ぎを終えて家路をいそぐスラム街の住人たちを「無数の怪人種」というレトリックで要約している松原のイメージ構造は、スタンレイの探検隊が接触したピグミー族や食人種のイメージ、あるいはかれらをイーストエンドの貧民たちと重ねあわせたブースの発想にうごかされているように思われる。そうだとすれば、〈暗黒〉のイメージへと、松原をたえずうながしたてていたものはいったい何だったのか？

松原の著作のなかでもっともはやいものの一つと考えられる『文明疑問』（明21）は、上篇だけで未完に終っているが、彼の思考の原型をうかがわせるいくつかの手がかりがそのなかにふくまれている。この『文明疑問』は、一口にいえば鹿鳴館時代の欧化主義への呪詛を低声で呟いている体《てい》のいたって歯切れのわるい論策で、あわせて貧富の差を解消するよりも逆に拡大する方向にうごきだしている文明の罪過が指摘される。しかし、その一方で加藤弘之が『真政大意』で天賦人権論を攻撃する武器に動員した進化論の優勝劣敗説がほとんどそのままのかたちで採用されており、貧富の平均を期待することはまったく徒労に近いというのだ。「兎に角文明の効力利福は常に一方に偏して人間社会の多数に潤はざるは疑ひもなき事にして、飜て其不幸の点を数ふれば、器械力の為めに衣食の道を失ひ、資本力の為めに労力を奪ひ尽され、仝業の範囲を狭めて競争の熱を熾にし、直接間接に利福を窃収し去らるゝの始末は劣敗社中の免れざる処にして、文明進歩して人生の福利を容易ならしめんとは、古来学者の宿論なれども人間社会の実際に於て其然らざるは正しく、衆生群居の情勢に於て優勝劣敗の作用に依るものと知る可し」。こうした松原のシニックな反文明の姿勢は、自由民権運動の敗北感をかみしめながら、欧化主義の世相を冷やかに見つめかえしていた二十年代初頭の「冷笑青年」のタイプに共通する精神の位相をあらわしている。松原の表現自体は混乱をまぬがれていないものの、その思想的な核は、たとえば時代の閉塞状況に鬱懐をつのらせているおもむきがある北村透谷の「時勢に感あり」「泣かん乎笑はん乎」などの激語が意味するものと、相似形を描きだしているように思われる。

しかし、初期の透谷がそうであったように、松原もまた『文明疑問』では、〈文明〉そのものを告発して行く拠点をおぼろげにしかつかみきれていない。ブースやスタンレイを手がかりに、〈文明〉によって排除される〈暗黒〉のイメージを意識化しえたときに、松原は社会ルポルタージュの形式をかりて思想を語るオリジナルな文学者としての資格を約束されることになるのである。

内田魯庵の回想するところによれば、松原が先輩として兄事していた官報局時代の二葉亭四迷は、「印袢纏に弥蔵をきめ込んで職人の仲間へ入つて見たり、然うかと思ふと洋服に高帽子で居酒屋に飛込んで見たり」というように、変装姿で下層社会に潜入する奇癖を発揮した。松原の貧窟探検も、この先輩のひそみにならったロマンティックな冒険のおもむきがないではないが、彼の場合は幸か不幸か「強てイリュージョンを作つて総ての貧民を理想化し」ようとした二葉亭の感傷的なヒューマニズムをまぬがれていた。松原は、「実に貧家の事物の為めに予が耳目を洗礼《バプタイズム》したり」といっているように、ほとんど天真爛漫と形容してもいい旺盛な好奇心の発動につきうごかされるままに、未知の世界として彼の前にあらわれたスラム街のディテイルを克明に記録したのである。松原がえらんだルポルタージュの方法は、表層のディテイルを蒐集することで、スラム街の生活総体を構成して行くカタログ的な描写であった。松原は、九尺二間の裏店につまっている家具什器のカタログから、住み手の生活イメージを浮びあがらせる。ひとつひとつのガラクタは、それが長大な目録に組みあげられたときに、もの自体の実在感を主張しはじめるのだ。氾濫するものの集合は、たとえば○・一平方キロにもみたない谷あいの低湿地に戸数一三七〇戸、人口五千人というおどろくべき密集度を示していた四谷鮫ケ橋スラム街の換喩としてはたらきはじめる。

『最暗黒の東京』は、貧しさがものの欠乏状態であるという私たちの常識を裏返してしまう。貧民窟のなかのものの豊饒さは、何よりもまずたべものの豊饒さとしてあらわれることになるだろう（『最暗黒の東京』を構成する三十五章のうち、何らかのかたちで食物に触れている章は十五章をかぞえる）。たとえば芝新網町の場面はどうか。

獣類を屠《ころ》したる余《あまり》の臓腑を買ひ来つて按排し、舌、膀胱、腸、肝臓等の敗物を串貫して煮込にし路傍に鍋を鼎出《すゑだ》して是を售《う》る、一群の小童は其周囲を擁して塩梅を賞翫し、「ホク」、「フハ」亦は「シタ」等の名称を暗記して以て鼎中の美味を摸《さぐ》る。是れ此の貧街一種の割烹店なり、価二厘、八歳ばかりなる少女の背に負はれたる児にして其齢を見れば漸く産後十ケ月、未だ眼に色なく、声に言《ことば》なく、口に歯なき穉孩《をさなご》が亦此の貫串《くし》を口にして恰も乳房の如く甘き舐りを求めんと泣きつゝありき。或る一群の小児等は猫屍を葬埋せんとして厠側を穿ちて騒ぎ、或る一群の小児等は下水の渟潴《たまり》を排泄せんと欲して満身ドブ鼠の如し。

鍋のなかでぐつぐつと煮えたっている屠殺された動物の内臓や腸は、それらのものを貪り食う住民たちの消化器官のイメージをごく自然に連想させる。それればかりか、スラム街の厠や下水など排泄のイメージともひとつにとけあっている。下水掃除に余念がない子どもたちはドブネズミさながらに汚泥にまみれ、乳児が乳房のようにしゃぶるモツの串のイメージは、埋葬される猫の屍体のイメージと重なりあう。生体と死体、貪り食う人間と貪り食われる動物の境界が溶解してしまった混沌のなかに、闇の力とでも呼ぶほかない暗いエネルギーがあふれかえっている印象だ。ひとつひとつのディテイルは写実的ながら、この場面ぜんたいでは、人間の食欲の根原的な姿――摂取・消化・排泄のサイクルが、濃密な身体性のイメージを立ちのぼらせながら、ほとんど幻想の領域に境を接するゆたかさでとらえられているのだ。

スラム街の活力を食物のイメージを氾濫させることで描きだそうとした松原は、そのイメージをさらに拡大して、東京という都市総体を巨大な身体として幻視する。「此の動物都会の生活的機能の運動力といへば頗る大なるものにして其商品といへる食物は、毎日数万輛の荷車を以て中央市場より各所へ運ばれ、其人間といへる血液は日に六万台の抱へ車を以て東西南北へ走り、而して其繊維、其細胞は常に方角より方角へ動き各所より各所へ転ず」。鹿鳴館に象徴される〈文明〉の東京の裏側に、松原が発見したのは「動物都会」のすさまじい活力であった。そこでは人間のさまざまな活動が食欲に還元され、その始原的な相がむきだしにされる。「其生活機関は廓外に広く、且つ深くして、肺の局所、胃の局所、血液の停滞混乱する処、繊維の錯綜交綟せる処に至つては流石に大博士、大国手もいまだ充分の診察を遂げ得ずして空しく匙を握り詰めたるもあらん」。松原が引きうけようとした課題は、これまで文学者や新聞人が目をそむけてきた都会のなかの「錯綜交綟せる処」、「動物都会」がその体内に抱えている〈暗黒〉の部分を開いてみせることだった。〈文明〉の恥部、不潔でうとましい世界として排除されていたスラム街は、まさにそれが曖昧でとらえがたい空間であるがゆえに、「動物都会」のかくれた〈中心〉をかたちづくっているわけであり、食物のイメージを核にとめどなく増殖する記号が、〈文明〉によそおわれた東京の表層を生気づけるのである。

山口昌男は、V・W・ターナーが『儀礼の過程』で展開したコミュニタスの理論を援用しながら、中心から疎外された周縁的部分に累積される情緒のエネルギーの意味するものについてこう言っている。「構造的劣性の立場に置かれる人間は、それだけ、中心的価値から遠ざけられるので、強烈な情緒的共同体を形成する可能性を持つ」(『文化と両義性』238ページ)。そうした情緒的共同体《コミュニタス》のイメージは、たとえば時代劇映画における「長屋」の場面に濃厚にただよっているというのだ。明治の貧窟探訪者もまたスラム街にうけつがれた江戸の「長屋」の「人情」を見のがしていない。「修羅場」のように見なされている貧街の人びとの生活に「同類同愛の情掬すべきもの」が行きわたっていることを報告しているのは横山源之助だが、『最暗黒の東京』の場合、スラムの情緒的共同体《コミュニタス》への共感はほとんどロマン的な心情にまでたかめられている。「如何なる場合に於ても常に人生々活の下段を働らく処の彼等の覚悟の如何に健全にして其平常の如何に安怡なるよ、彼等は身を働かすの外に向つて希望を擁《いだ》かず、労銀を求むる外に就て大きを貪らず……彼等の朝夕には磨滅せざる一のバイブルなるもの在りて存す。如何に彼等の血液の清潔なるよ。吁《あ》、余をして若しも此の不治の廃疾（学問したる一の廃疾）あらざらしめば直ちに進んで彼等の群に入るべかりしものを」――これは松原が四谷鮫ケ橋で残飯屋の下働きを買って出たときの体験から引きだした自省の言葉であるが、ここには大衆のなかにとけこむことができなかった一人の知識人のうしろめたさの表現があり、彼の生が組みこまれていた明治社会への深い懐疑がある。こうした反省とあわせて松原の心をゆりうごかしたのは、明治国家によって公認された立身出世主義の価値が、実存的な価値に顚倒するユートピアとしてのスラムなのであった。

しかし、『最暗黒の東京』の著者は、ユートピアとしてのスラムが、同時にまた陰惨な牢獄的世界でもあるという両義性を見落してはいなかった。『最暗黒の東京』は、上毛の伊香保温泉に取材した「最暗黒裡の怪物」の章で、もっとも深層的な〈暗黒〉のイメージを開示する。榛名山の山腹につくられた伊香保の町は、上層に旅館と料理屋、下層に酒屋、荒物屋、仕出屋、洗濯屋、というように重層的な構造をもっているが、そのまた最下層の地下に巨大な穴倉があるというのだ。

此等土窖中に眠食する者元来如何なる種類の人なるかと見るに、孰れも皆盲膏或は唖聾等の痼疾ある廃人にして多くは彼れ浴客の余興《なぐさみ》に活計する座芸者、笛、尺八を吹く者、琴、三味線を弾《あやつ》る者の外は皆揉療治按腹の輩にして、鍼治《はり》、灸焼《きう》を主《つかさど》る者の類なり。今茲に其廃疾を物色すれば或は躄あり跛あり、馬鈴薯《じやがたらほど》大の贅瘤《こぶ》を額上に宿して眼を蠣《かき》の如くに潰したる大入道、短身齲背の小入道、痘瘡の為めに面体を壊《くづ》したる瞽女《ごぜ》、座上常に拳《こぶし》を以て歩行する足痿者、象皮病者、侏儒、是等の者一窖内に五人乃至七八人嗜好を共にして同住す、室内暗黒にして物を弁ずべからずと雖も住する者皆盲人なれば元より燈《とゞ》火の必要なし其数百数十人、中に酋長あり、鍼治者にして、左りの額上に碗大の隆肉を宿めたる大奇物なるが二十五六歳より四十歳まで瞽女妻妾四人を蓄へ食事の時は常に左右より抱持されて喫飯す。

このグロテスクなイメージは、松原の偏奇な好奇心の証明としてではなく、都市の一方の極にある地下世界《アンダーワールド》の暗喩として読みとらなければならないだろう。『最暗黒の東京』のなかに盛りこまれているスラム街の豊饒なディテイルは、そのいっさいがこの闇に閉された洞窟のイメージへと収斂するおもむきがある。

身障者にたいする浅薄な人道主義をまぬがれていた松原は、穴倉に生活する人びとの畸型に目をそむけようとはしない。彼にとっての都市的世界は、貧しい者が富める者から、身障者が健康者から、排除され隔離される場所ではなく、それらの不幸な人びとをもひとつに包みこむ総体として見えていたのだ。というより、周縁的な部分に排除されているかれらこそ、都市的世界を濃密に意味づけるかけがえのない存在でなければならなかった。しかもこの穴倉の住人たちがすべて芸能をなりわいとしているかぎりで、負性の聖痕を身体に徴しづけられたその群像は、スラム街の人びととの属性を凝縮したシンボルであり、活人画に固定された闇のなかの祝祭であるかのように見えてくる。あるいは世間から縁を切られた芸能民を収容する「無縁所」の原理を明治に再生させた文学的形象といったらいいだろうか。だが、それよりも「怪物」然とした大入道の「酋長」が君臨するこの闇の領域は、牢名主の絶対的な統制のもとに維持されていた伝馬町の牢獄の暗鬱な組織にいちばんよく似ている。世俗的な身分が無化されるはずの〈暗黒〉のアジールに、旧時代の牢獄さながらの苛酷な階層構造がつくりだされて行くのは何故か？　「我最暗黒の世界に於ても……宛たる彼の大入道の面影は至る処に存在して時々我意を振ふを見る」と注している松原は、都市のスラムにもこうした矛盾が不吉な翳りを投げかけている事実を認めないわけには行かなかった。

『最暗黒の東京』がさぐりあてた宇宙論的なひろがりをもった〈暗黒〉のイメージが、同時代の文学、たとえば悲惨小説や深刻小説の世界から孤立していることは、明治の文学史が抱えている大きな謎のひとつである。

4

明治の政治小説家のなかで、もっとも執拗に牢獄のモチーフにこだわりつづけたのは、宮崎夢柳である。彼にとっての政治小説は、ほとんど牢獄の文学と等価だったと言ってもいいすぎではない。

明治十五年の春、土佐から上京して自由新聞社に入社した夢柳は、この年の八月から『仏蘭西革命期 自由の凱歌《かちどき》』を書きはじめる。この作品の原拠は、アレクサンドル・デュマの『バスティーユの奪取』であるが、夢柳がデュマから引きだしたのは、圧制の象徴としてパリの市民から憎悪されていたバスティーユ監獄の意味だった。バスティーユ解放の事実よりも、それが「自由の凱歌」を意味していたことが強調されるのである。明治十年代の人びとにとって監獄のイメージは、「讒謗律」「新聞紙条令」「集会条例」「爆発物取締条令」などの法令を武器に、民権運動の仮借ない制圧に乗りだした明治政府の権力装置を要約していたばかりでなく、同時にまた圧制に甘んじている民衆の囚われた意識を指し示すもうひとつの含みをもっていた。しかも、じっさいに監禁の苦痛を味わった自由党系の壮士やジャーナリストがすくなくなかったことから、それは反権力の情念を昂揚させるうってつけの文学的形象でもあった。この時代の閉塞状況が育てあげたこのような牢獄イメージの多義性を、宮崎夢柳はぞんぶんにつぶだてながら、自由と圧制が対峙する構図を、バスティーユ陥落のものがたりから浮きぼりにしてみせる。戸田欽堂の『情海波瀾』(明13)いらい愛用されてきたアレゴリイの方法である。

しかし、夢柳の〈牢獄〉は、民権運動の行く手に暗い翳りがさしはじめるにしたがって、しだいにアレゴリイの枠組をこえて独得なイメージ構造をあらわすことになる。たとえば明治十六年九月から十二月にかけて「自由新聞」に連載された「憂き世の涕涙《なみだ》」の牢獄イメージはどうか。

建て連なりし牢獄は。惨憺たる雲に蔽はれ。吹き来る風は銕《くろがね》の。鎖の音や笞《しもと》の声。悲愴の響き断え間なく。彼方に築く骨の山。此方に漾《たゞよ》ふ鮮血《ちしほ》の波。苛酷の刑に百年の。性命を奪はれしは。幾千人の数知れず。夜陰の空は影青き。燐火の四方に飛び違ひ。何処ともなく啾々と。幽魂冤鬼の哭き叫ぶを。見聞きするもの誰れか復た。憤懣の情を起し。慷慨の涙を呑まざらん。

この凄惨なイメージは、『雪中梅』や『佳人之奇遇』に描かれた牢獄から遠くへだてられている。夢柳の〈牢獄〉は、自由の戦士が生きながら葬られる鉄の墓であり、犠牲者の幽魂は蒼白い燐光を放って夜の闇のなかに飛びめぐる。ロシアのテロリストになみなみならぬ関心を寄せていた夢柳は、ヴェラ・ザシュリッチの事蹟を紹介した『冤枉《むじつ》の鞭笞《しもと》』（明15）についで、ステプニャクの『地下ロシア』を材源に『鬼啾々』を発表するが、この物語も処刑された「人民の意志」党員の幽魂がペテルスブルクのネヴァ河のほとりをさまよう場面で閉じられている。『鬼啾々』の背景には、アレクサンドル二世を暗殺した「人民の意志」党のダイナマイトに倣って、明治十七年の加波山事件に参加した自由党の激派が塩素酸カリ系の爆薬を創製するという世界史的な同時性があった。そのかぎりで、ネヴァ河の場面は、加波山事件の犠牲者に捧げられた鎮魂歌であったばかりでなく、あまりにもはやい終末を迎えなければならなかった民権運動を悼む弔詞を意味していたのである。

夢柳が死の前年に書いた『芒の一と叢』は、ロシアのテロリストに武田耕雲斎の血を引く女性がからむ奇妙な作品だが、そのなかに夢柳自身の投獄体験を生かした鍛冶橋監獄の場面がある。この場面で主人公三浦青年の耳に聞えてくるのは、鹿鳴館の夜会で演奏される軍楽隊の音楽である。(11) 最晩年の夢柳は、〈文明〉の歓楽と〈暗黒〉の牢獄を対比的に描きだすことで、明治二十年代初頭の時代状況を認識するところまで進み出ていたといえるかもしれない。

北村透谷は、鹿鳴館時代の世相に冷嘲をつきつけたエッセイ「時勢に感あり」の冒頭を、「君知らずや、人は魚の如し、暗らきに棲み、暗らきに迷ふて、寒むく、食少なく世を送る者なり」という言葉で書き起している。暗きに迷う魚の眼を己れのまなざしとすることで、「紛々擾々たる社界の現象」を見つめかえそうとした透谷の境位は、おそらく鉄の墓をつつむ深い闇のなかに燐火が飛びかうイメージをかりて、民権運動の終焉を見とどけようとした夢柳の立場と相通じていたにちがいない。透谷が「三日幻境」のなかに、「この過去の七年、我が為には一種の牢獄にてありしなり」と書いたのは明治二十五年のことである。だが、〈牢獄〉の暗黒を共有しながらも、二人の獲得した表現はそれぞれに異なっていた。心のなかにうつしだされた時代状況の鏡像としての〈牢獄〉のイメージに固執しつづけた夢柳にたいして、透谷は時代状況に対峙する自意識そのものの劇を、〈牢獄〉の喩に託して語りはじめるのである。そのさいしょの試みが、明治二十二年に自費出版の形式で公けにされる『楚囚之詩』であったことはいうまでもない。

『楚囚之詩』はよく知られているようにバイロンの「シヨンの囚人」にその想をかりている。獄舎につながれた囚人の孤独な生活、憂愁をなぐさめる伴侶としての月の光や小鳥、ふたたび自由の身となる結末、というように「シヨンの囚人」の構想は、大筋のところでそのまま『楚囚之詩』にとりこまれる。しかも「或時は翻訳して見たり」と「自序」に記されているのを信ずれば、透谷は『楚囚之詩』の制作に先だって「シヨンの囚人」の翻訳を試みたらしい。「シヨンの囚人」の言葉の輪郭をたどることは、透谷が心のなかにかかえていた〈暗黒〉の部分を言語表現に昇華させて行く触媒の役割をたしかめることだったのだ。『楚囚之詩』のなかで聞きすますことのできる「シヨンの囚人」の木霊は、これまでの研究で克明に洗いだされている。たとえば『楚囚之詩』の第三節。

獄舎《ひとや》！　つたなくも余が迷入れる獄舎は、
　二重の壁にて世界と隔たれり
左れど其壁の隙又た穴をもぐりて
　逃場を失ひ、馳込む日光もあり、
余の青醒めたる腕を照さんとて
　壁を伝ひ、余が膝の上まで歩寄れり。

There are seven pillars of Gothic mould,
In Chillon's dungeons deep and old,
There are seven columns, massy and grey,
Dim with a dull imprison'd ray,
A sunbeam which hath lost its way,
And through the crevice and the cleft,
Of the thick wall is fallen and left;
Creeping o'er the floor so damp,
Like a marsh's meteor lamp:
And in each pillar there is a ring,
　And each ring there is a chain;

(*Prisoner of Chillon*, II)

(古いどん底のシヨンの牢獄／七本のゴシックづくりの柱がある／七本の円柱は太く黒ずみ／獄舎のうす明りに／おぼろげに見えるだけだ／日光はとざされ、ただそのあつ壁の／割れ目からこぼれ落ち、かすかに残るだけ／それが沼地を行く鬼火のように／じめじめした床の上を匍匐《はっ》ている／またその円柱に一つ一つ環があり／環には肉を爛らせる鉄の鎖がついている)。(西脇順三郎訳)

「左れど其壁の隙又た穴をもぐりて／逃場を失ひ、馳込む日光もあり」の二行が、「ションの囚人」の詩句をかりているというわけだが、総体として見れば、透谷の牢獄はバイロンのそれとはかなりちがっている。地下牢の圧倒的な量感がじかに伝わってくるバイロンの描写にくらべれば、透谷の描いた獄舎は、措辞の未熟さはともかく、何か夢のなかをさまようように、おぼろげで流動的なのだ。

バイロンが一八一六年に訪れたション城の地下牢は、現在では僧院ふうに改造されてしまったが、ゴシックの円柱はそのままの姿でのこっているという。バイロンの詩句はそうした実景をふまえているにちがいないけれども、そのこととはべつに連想されるのはピラネージ風の絵画的《ピトレスク》なイメージである。獄舎のうす明りに見透かされる巨大なゴシックの円柱とそれに取りつけられた鉄の環や鎖、厚い壁の割れ目から射し入る太陽のひかり、鬼火さながらの微光がゆらめく石畳の床——光と影が微妙に交錯するこうした効果は、ピラネージの「牢獄幻想」のどの画面にも滲みとおっていたものではないだろうか。

『チャイルド・ハロルド』のなかで、ゴシック式の奇怪な尖塔を聳立させていたフォントヒル僧院の主、ベックフォードに讃辞を奉呈したバイロンは、ベックフォードの東方物語『ヴァセック』を机辺から離さなかったが、この『ヴァセック』の作者こそ、ピラネージのイタリアをイギリスに持ちかえったもっともはやい紹介者の一人だった。一七八〇年のイタリア旅行の途次、ヴェネツィアをたずねたベックフォードは、歎きの橋で宮殿と結ばれている牢獄の内部で出会った「ピラネージ風」の鎖や車輪に想像力をかきたてられ、鉛筆を握ってスケッチにとりかかる。ヴェロナにある円型劇場の廃墟に彼が重ねあわせたのもピラネージの版画のイメージであった。[12]プーレがいうように、『ヴァセック』の主人公がさまよう、果てしなくつづく部屋と廊下の迷宮は、「牢獄幻想」がつむぎだした空間の悪夢そのものなのである。ベックフォードの先輩にあたるゴシック・ロマンスの大家ウォルポールもまたピラネージの魅力に憑かれていた人で、城主の息子コンラッドが落下する巨大な兜に圧しつぶされる『オトラント城』の有名な場面は、「牢獄幻想」の第八図にヒントを得たものだといわれている。[13]バイロンは、『ヴァセック』はいうまでもなく、この『オトラント城』のほかにも、ルイスの『マンク』やマチューリンの『ベルトラム』などをふくめて、はやくからゴシックの文学に親しんでいた。スイス山中の古城が舞台にえらばれている『マンフレッド』は、とりわけゴシック文学の遺産に負うところがすくなくなかった作品である。そしてまた、バイロンを南欧巡礼にかりたてた動機の一つが、ゴシック好みの幽暗な廃墟の世界への憧憬にあったとすれば、ウォルポールやベックフォードの想像力を刺戟したピラネージの幻想の〈牢獄〉が、「シヨンの囚人」に影を落していたとしてもそれほどふしぎなことではない。『楚囚之詩』の牢獄では、「シヨンの囚人」の牢獄をきわだたせているゴシック的な舞台装置は当然のことながら切りすてられている。といって、「此篇の楚囚は今日の時代に意を寓したものではありませぬから獄舎の模様なども必らず違つて居ます」と「自序」にあるように、透谷は日本の監獄の実景を写実的に描きだす意図をもっていたわけではなかった。しかし、透谷が内部にかかえていた暗黒、閉された自意識の喩として造型された『楚囚之詩』の牢獄は、おそらくその分だけピラネージの牢獄がつくりだした空間の悪夢に近づいているのである。それは夢のなかのイメージのように、膨張と収縮をくりかえす異様な空間であった。たとえば、すでに引用した部分につづく「この獄舎は広く且空しくて」という詩句から三行置いて、「無残や狭まき籠に繋れて！」というまったくうらはらな表現がある。あるいは、「花婿と花嫁は獄舎にあり／獄舎は狭し／狭き中にも両世界」とある「第四」にたいして、花嫁と三人の同志が姿を消してしまう「第九」では、「余」だけがひとり「広間」のただなかに残されることになる。そういえば、「四つのしきりが境」となっている房のなかに監禁されているらしい花嫁や壮士たちと、かれらを見つめている「余」との位置関係もたぶんに曖昧なところがある。「余」は四人の仲間といっしょに収監されているのか、それとも四つの独房をこちら側から眺めやっているのか？　そうした詮索を煮つめて行くことで獄舎の空間の見取図を復元しようとする試みはほとんど徒労に近いと思われる。

こうした流動する空間の意味するものを解きあかして行く手がかりとして、もういちどピラネージの〈牢獄〉を分析したプーレのエッセイを想いおこしてみよう。プーレはこう書いている。「自己自身の無限の増殖は、すなわち責苦である。しかも本来、永遠に失敗の意識を伴うはずの責苦である。自己増殖とは、自己の姿を求めて決してそれと一つになることができない自己の像を、いたるところに投影することである。空間と時間は、単に自己増殖が行われる本来の場というだけではなく、増殖した自己が広大な時空のままに散らばっていることの深い理由として現われているのだ」。『楚囚之詩』に登場する花嫁と三人の壮士は、はたして実体を具えた存在だろうか。かれらはむしろ「余」の意識のなかにあらわれた幻影、あるいは「自己の姿を求めて決してそれと一つになることができない自己の像」の投影ではないだろうか。そうだとすれば、膨張と収縮を交互にくりかえす獄舎の空間のありようは、幻影が出没し、明滅することの理由としてあらわれているのである。しかも、この夢幻劇に立ち合わされている「余」にとって、夢の時間と覚醒の時間とをへだてる境界も定かではなくなる。愛する少女とともに草花を摘んだ思い出に心を遊ばせていた「余」が吾に帰る場面を透谷はつぎのように描いている。

塵《ちり》なく汚《けがれ》なき地の上にはふバイヲレット
其名もゆかしきフォゲットミイナット
　其他種々《いろ〳〵》の花を優しく摘みつ
ひとふさは我胸にさしかざし
　他のひとふさは我が愛に与へつ
ホツ！　是《こ》は夢なる！
見よ！　我花嫁は此方を向くよ！
其の痛ましき姿！
　　嗚呼爰は獄舎《ひとや》

此世の地獄なる。（第五）

昔の夢から醒めたばかりの「余」を待ちうけていたのはもうひとつの夢——獄舎の悪夢である。「余」が囚われているのは、刑具や拷問の機械がひしめく地下牢の地獄ではない。不眠の見者を演じつづけなければならない視線の地獄なのだ。「余」は「花嫁」の「痛ましき姿」をまなかいに見ることはできるが、そのかたわらに身を寄せることも、言葉をかけることも許されていない。生死を誓いあった三人の壮士もまた「花嫁」同様に、一方的なまなざしの対象としてあらわれるにすぎないだろう。

『楚囚之詩』の「余」がからめとられているこうしたおぞましい視線の地獄は、おそらく民権運動から脱落した透谷の精神的外傷《トラウマ》にかかわっている。盟友大矢蒼海から求められた朝鮮革命計画への加盟をことわった透谷は、粗豪な壮士気質には反撥しながらも、この選択を負い目として堪えて行くことになる。「曾つて誤つて法を破り／政治の罪人として捕はれたり」という『楚囚之詩』の破題は、国事犯の自負とはうらはらな表現になっている矛盾が指摘されているが、じつはその背後には国事犯として徳島の監獄に囚えられていた大矢への贖罪ないしは自己懲罰の衝動がかくされている。生死を誓った三人の同志を「彼等」と呼ぶことはできても、「我等」と呼びかけることができなかった『楚囚之詩』の人称構造もまた、この自己懲罰の意志にもとづくものだろう（「シヨンの囚人」の主人公は、二人の弟をふくめるかたちで「我等」の人称を使っている)。「余」が囚われている〈牢獄〉のもっとも深い意味は、この「我等」の関係を喪失してしまった個のありようなのである。

　マルティン・ブーバーは、人間と人間をとりまく世界との関係を、二つの根原語によって定式化している。「世界は、人間の経験の対象となるとき、われ―それの根原語に属す」るが、「関係の世界は、他の根原語、われ―なんじによって作り出される」というのだ。また、われ―それ、すなわち自己中心的な経験のもととなる出来事は、認識主体としての身体と、その身体を取りまく世界との分裂を意味することになるともいう。『楚囚之詩』の「余」を、同囚の花嫁や壮士たちからへだてている視線の地獄は、われ―なんじの関係から疎外されたわれ―それの状態を自己懲罰として引きうけようとしていた透谷の内面の劇に根ざしている。このわれ―なんじの関係からわれ―それの状態への転機が〈故郷〉と〈獄室〉という一対の喩をかりて要約されているのは、透谷の数すくない小説作品のひとつ「我牢獄」である。

「我は生れながらにして此獄室にありしにあらず。もしこの獄室を我生涯の第二期とするを得ば、我は慥かに其一期を待ちしなり。その第一期に於ては我も有りと有らゆる自由を有《も》ち、行かんと欲するところに行き、住《とゞ》まらんと欲する所に住まりしなり。われはこの第一期と第二期との甚だ相懸絶する者なる事を知る、即ち一は自由の世にして、他は老囚の世なればなり……我は今この獄室にありて、想ひを現在に寄すること能はず、もし之を為すことあらば我は絶望の淵に臨める嬰児なり、然れども我は先きに在りし世を記憶するが故に希望あり、第一期といふ名称は面白からず、是を故郷と呼ばまし、然り故郷なり、我が想思の注ぐところ、我が希望の湧くところ、我が最後をかくるところ、この故郷こそ我に対して、我が今日の牢獄を厭はしむる者なれ」。この〈故郷〉の原像が、俠骨の老畸人秋山国三郎や「剣を撫し時事を慨ふ」る大矢蒼海と「同臥同起」した追憶につながる三多摩川口村の「幻境」にあったことはいうまでもないだろう。しかし、川口村のささやかなかつての情緒的共同体《コミュニタス》は、〈獄室〉に呻吟している現在の透谷にとって文字どおり「どこにもない場所」としてのユートピア、「幻境」でしかない。ユートピアとしての〈故郷〉と自意識の〈獄室〉。この両極に引き裂かれた透谷の牢獄イメージは、私たちのなかに生きつづけている〈都市的なるもの〉の祖型のひとつにちがいないのである。

(1) Lorenz Eitner, 'Cages, Prisons, and Captives in Eighteenth-Century Art', Ed. by Karl Kroeber and William Walling, *Images of Romanticism*, Yale UP, 1978, pp. 22–23.
(2) Ibid., pp. 27–29.
(3) 'Panopticon; or the Inspection-House', *The Works of Jeremy Bentham*, Ed. by J. Bowring, Vol. 4, p. 45.
(4) Victor Brombert, *La prison romantique*, Paris, 1975. Eng. tr. *The Romantic Prison*, Princeton, 1978, pp 3–4.
(5) 小川太郎「小原重哉」(「刑政」1970・1)。
(6) 清水靖夫「五千分一東京図」(「地図」日本国際地図学会　三巻一号)。
(7) Anthony Sutcliffe, *The Autumn of Central Paris*, London, Edward Arnold, 1979, p. 35.

(8) 藤森照信『明治期における都市計画の歴史的研究』(1970) 76ページ。
(9) 『東京市区改正委員会議事録』第一巻 (1888)。
(10) 藤森、102ページ。
(11) 越智治雄「明治政治小説集解説」(『明治政治小説集』日本近代文学大系2 角川書店 1974)。
(12) Kenneth Churchill, *Italy and English Literature 1764-1930*, London, Macmillan, 1980, pp. 13-14.
(13) Ibid., p. 5.

『高野聖』の比較文学的考察

日夏耿之介

第一節　旧ロマンティシズム

初めに触れる問題は、文学の史的考察を一応身につけた人にはとくに卒業したことであるが、今日の文学の学的研究の水準線の程度では、尚一《ひと》わたり之《こ》れを解き明《あか》しておく方がいいかと考へる。

ここに旧浪曼《ロマン》云々といふのはパレオ浪曼とかメソ浪曼とかネオ浪曼とかいふやうな、デ・マアル如き西洋の文学史家の用語例に拠《よ》つただけのもので、浪曼主義から自然主義に転じる鮮かな区分けが見える英仏の文学史のやうなものを持たない本邦では、何がパレオで何がネオであるか、メソと冠称する中間帯がありや否やといふやうな臨床講義上の設問が下され易いけれども、事実はそれらのものが一々の作品としてはそれぞれあるので、一人でナテュラリストの半面と浪曼者の半面を持つたフロオベエルのやうな立場の人も亦《また》ないことはない。東西今古を問はず、むしろ之れは人間性の必然である。

普通の解釈では、旧浪曼とは自然派受洗の以前の浪曼文学で、ネオ浪曼とは一たび自然主義がその功を樹《た》て了《おわ》つたその後の新《あた》らしい浪曼文学の義に解されてゐる。作品のタッチについていふと、現実といふものを見る眼が新旧では全く大《おほい》に異《ことな》るといふのである。之《こ》れは有力な見解にちがひないが、之れにも批判の言説を入れる点が少くない。それは後に詳説するであらう。それから、自体現実観そのものに差別があるといふことで、之れも前説に附随して(むしろその土台として)説かれることであるが、何《いづ》れにせよ現実が一新したかどうかは別にして、現実観に変遷があつたことは争《あらそ》はれない。その変遷観についても論議があつて、古いから無価値とする単刀直入派と、古くしてそれ故に佳《よ》いといふ尚古《しやうこ》派と、古くして而して佳いといふわけ知り派とが、事実上そこにはあつた。

かういふ浪曼コントロヴァアシイは西洋では已《すで》に一応解決がついてしまつたが、日本明治の批評壇では甲論乙駁《こうろんおつばく》たやすくは定《さだま》らない情態がつづいて大正に入つた。大正に入れば已に明治文学は文壇文学から文学史上の文学に入つてしまつたのであるが、文壇文学の目付役である月評家も、文学史的弾正台《だんじやうだい》の文学史家すなはち事実上多くの諸大学の御史《ぎよし》たちなども、まだまだ容易にこの問題を実例に於《おい》て解決し去つてゐることは無かつた。地台《じたい》彼等はともにその浪曼観そのものがあやふやな処へ、自分で面白いと感じたことに絶待《ぜつたい》に信を置いて論拠とする芸術上自信に太《はなは》だ乏しいので、さして自分に面白くはなくても、世間通行の基準で面白いとされ佳作とされてゐるものには、節《せつ》を折つて一通り面白いやうな顔を立てる弱気な自信なさの為の学究的不合理な態度をとる者が少くなかつた。月評なら翌月は印象が一《ひと》まづ薄らぐが、文学史は記録的のもので自主的断言と精審記述とを目的としてゐるから、その手前であやふやな文学史も立派なものに見られ勝ちであるが、事実上情実に偽《いつは》られた文壇批評がそのままずるずると情偽《じやうぎ》を明らかにしたる筈の文学史批評に繰入れられてしまふので、特に本邦のやうな精審《せいしん》は之《こ》れあつても、不見識無感覚な大学教員が大部分の国では、自分に確たる見識感覚がないので（あつても高々《たかだか》文学青年程度のもので、外《ほか》に持ち合せてゐるのは文法知識とか語学の素養とか一通り論理を辿りうる頭脳とか記憶力とかいふものだけで）それ故に多くは過去の月評家がかなり俗悪な動機や勝手な小主観で歪めて押し込んだり、おだててのし上らせたりした作品暴評（酷　評《ブッチヤア》とか単なる口軽《くちがる》な挨拶のやうなもの。創作家の試みる批評や感想には自他を目分量で衡《はか》つた挨拶が特に今も昔も多い）までもあつさり受入れて文学史的審判の竜骨《りゆうこつ》にして了《しま》ふ。文壇月評といふもの必ずしもそんなものが凡《すべ》てでないことはいふまでもなく、必ず大体図星は突込んでゐるにはゐることは確かであるが、史的知識に乏しかつたり公平性を有《も》たなかつたり哲学的考察の頭を欠いたりして、ものの本体本質を史的バランスの上に立てて正しく見ること摑むことが少いので、感性的には相当よく突つ込んであつても知性的整理按配がないのである。それに好悪や交遊の不純の小感情が形容の度合を上下甲乙に歪ませるので、莫迦《ばか》正直に之れを読むととんだ変つたものに思はせられ易い。今日代表的月評家と自他共に允《ゆる》す者等を一堂に集めてその知見感覚を吐露させたら人はその拙《つたな》く貧しく鈍いことに今更おどろくであらう。さういふ者らの放肆《ほうし》に書いた旧文を正直に受取つて歴史の案板の上へ無造做《むざうさ》にのせる大学教員文学史家の徒が日本には昔から多すぎたのである。大学の講義の直接文壇に対して些《いささ》かの決定力をも有たざる所以《ゆえん》、一人のエルトンやチボオデなき所以、文学史詩歌史のほとほと権威を持たざる所以である。

第二節　『高野聖』

泉鏡花の『高野聖』は、明治三十三年二月雑誌「新小説」に掲げられた、作者弱冠わづかに二十八歳の作品で、四十一年二月左久良書房刊の単行本は清方の装画で「政談十二社」を附載してあつた。この作品が佳品の名の高かつたことは、凡《およ》そ月評的批評のたやすく軽んずべからざることにもなるが、同時にその賞《ほ》め方に当流の文壇批評の短所も已《すで》に明らかにあつたことは見免《みのが》せなかつたが詳しいことは略《はぶ》く。無条件的に近く鏡花を賞めた批評家は批評家高山樗牛の舎弟斎藤野《の》の人《ひと》であつた。かういふ主観的批評家が無価値ではないことは、主観的信仰的作者鏡花その人が無価値でないと同様で、唯《ただ》批評にあつてはその好悪のきめどころに評者の鋭感な鑑賞が喰ひ入つてゐなくてはならない。之れあれば如何に勝手気儘な主観批評でも、聡明な読者はその長を採つてその短を笑ひ棄てるであらう。

処《ところ》が文壇批評の欠陥は、かういふ野の人流の主観賞《ぼ》めでなくして外《ほか》にあつた。明治三十四年から[1]二十世紀に入るといふので、世紀的心構へに関する待望的論議がその前後に八釜《やかま》しかつた。そこで、中には鏡花のスウパナテュラリズムが二十世紀的でないといふやうな攻撃もあつた。それと同時に、無批判的に怪の美に酩酊してその上に立つて措辞や構成の是非だけ論《かた》らうてゐるやうな立場の論評もあつた。又、病的文学の幻怪に走る邪道に入つたと頭からけなし去る者もあつた（「帝国文学」明治卅三年一月雑報）。前者は「断じて鬼語《きご》を以て一生の本領となすべきなり。」（「帝国文学」明治卅三年七月号）と慫慂《しようよう》する組と対立してゐる。後者は全然鏡花の俠気と江戸趣味との外には鏡花を受けつけない者と対立してゐた。後者二種には江戸子《えどつこ》東京者《もの》が多かつた。江戸子東京者といふものは本来二種に自《おのずか》ら判然《はつきり》別れてゐて、一は迷信的俗信家であり、一は全く鬼怪に無縁のポジティヴィストで、後者は鏡花の奇才を愛しても鬼才を愛せず、李長吉を繙《ひもと》く鏡花よりも『膝栗毛』を読む鏡花を好み、全く彼の文学から鬼趣を放逐し去ることすら望む人々である。前者は「奇想常《じやう》矩を逸《いつ》し意表に出る処、鏡花独特の見地」（同上蕉窓漫言）位なところであつさり喝采してゐる小説読みである。

こんな中にも心のさとい眼の早い見《み》巧者《がうしや》は矢張りあつて、『高野聖』の傑作たる事実は兎《と》に角《かく》動かせなくなつたが、何が故に何処《どこ》が如何《いか》に傑作なるかは、その後も半世紀に垂《たら》んとする今日まで一人のよく十分に隈《くま》なく論《かた》らひ去つたものを見ない。これは一《ひとつ》には『照葉狂言』や『歌行燈』のやうに論じ易い特長をはつきり摑《うか》むことの可能な作風では決してないだけに、胸にもだもだ考へてもそれが明瞭に意識の面に泛ばず、それを文章構成の埒《らち》に書き表はす術《すべ》がちよつとない感じの伴ふ作柄であつたからでもあるが、又一には恠異《かいい》といふ文学因子に対してはつきりした態度をとる丈《だ》けの文学理論的認識原拠を持たぬからで、若き唯物家のやうに人各《ひとそれぞれ》の繊細な精神体験の「場合」を大まかに無視して猛々しく排し去る態度ならナホトカ帰りの一兵《いつぺい》でもよくとれるが、現実の内外超自然の表裏の精審な解釈の上に立つ文学上スウパナテュラリズムの同時代的価値如何《いかん》といふ設問については、容易に十九世紀的陳腐な唯物世界観に立脚した若何《いか》なる直線理論で以ても推し通すことを聴《ゆる》されない。

第三節　モデル

十年の昔、なにがし私立学校教員控部屋でわたくしに、已《すで》に道山《どうざん》に帰つた桑木厳翼博士が『高野聖』のモデルは故吉田賢龍君ですよと教へてくれた。

吉田さんは昔逢つた事もある人で、第七高等学校長広島高等師範学校長を歴任して亡《なくな》つた倫理学者、頭の禿げた太つた好人物らしい紳士であつた。このやや滑稽の感じを伴ふ倫理家と、鬼気人を魘《おそ》ふこと太《はなは》だしい飛信《ひしん》山中の怪とは奇妙なコントラストで、思はず聴く人談《かた》る人ともに笑つてしまつた。がそれは偶《たま》またまインスピレイションのミディアムに過ぎぬものであらうと考へたが、又その後鏡花が旧作小品「麻を刈る」（大正十五年）を繙《ひもと》くと、広島師範の……閣下穂科信良といふ旧友のアネクドオトが記載せられてあり、「閣下は学問も腹も出来て居て、私のやうに卑怯でないから」「一夏は一人旅で、山神を驚かし、蛇を踏んで、今も人の恐るゝ、名代の天生峠《あもう》を越して、あゝ降つたる雪かな、と山蛭を袖で払つて、美人の孤《ひとつ》家《や》に宿つた事がある。首尾よく岐阜へ越したのであつた。」云々とある。この穂科広島師範校長が広島高師校長吉田さんであるのであらう。之れを桑木さんが（読んでわたくしに伝へたのか、）それとも昔から桑木さんは姉崎、朝永、得能、紀平、吉田（熊）、中島（徳）、登張、笹川、樋口等と丁酉《ていゆう》倫理会やスミレ会で交遊が繁《おほ》かつたから、その頃モデル当人から酒席の興で聴いたかも知れない。作者とも盃友《はいゆう》の一人であつたからあるひは直接に聴いたかも知れない。

何《いづ》れにしても、単に山中諸生《しよせい》ひとり旅のたゞごとのモデル供給にすぎなかつたプロトタイプに作者の錦心綉腸《きんしんしゆうちやう》が空想の獅子頭《ししがしら》を飾つたもので、原作には飛驒越えで松本へ下る天生峠とあり、その夏の山路の一つ家《ひとつや》で美女に会した。その美女が人間を「如意《によい》自在選り取つて飽けば息をかけて毛物《けもの》にする」といふ。高野聖僧はその誘惑に陥らず牛馬に化すをまぬがれて事なきを得たといふ経験を作者に談《かた》つて、その翌朝

「袂《たもと》を分《わか》つて、雪中山越《やまごえ》にかゝるのを、名残惜しく見送る」云々、

で終つてゐる。

この美婦妖法は、雑俎物《ざつそもの》奇談物には和漢ともに昔からざらに多い平凡なソオスレスのエンチャントメントといふもので、已《すで》に怪を弄して怪に奇なく、足弱《あしよわ》の作者ろくに山行の経験がなくて全篇悉《ことごと》く作者の空想で埋め悉《つく》した作品であるが、この作品こそ作者一代の少数神品の名を聴《ゆる》すべき一篇であつた。

浪曼主義の新旧を分《わか》つ基準の一は、同じ現実以外以上の幻怪を扱つても、ネオ浪曼者がその幻その怪を科学のメスにかけてある度合まで解釈を施しうる余地あるに反し、旧浪曼家のそれは全く俗信迷信の域にさまよふ怪奇を無批判的に扱つてゐる観があるといふことである。

尤《もつと》も旧浪曼文学の中にも、その点ネオ浪曼譚の心構へや材の性質の自覚に立つものも少く

ないし、ネオ浪曼文学のなかにも正統心理学を以てもサイキカル・リサアチを以ても精神分析、クリスチャン・サイアンスのたぐひを以ても、つひに割切れないさがの鬼怪を談《かた》るものがないではないが、大体この区分けで両者の差別をなすことが出来よう。

更に又、現実に対する心構へにも二者の異差が見られる。新者が何となく現実の肯定の間に超現実を扱ひ、謂《い》はば現実の想念の中に超現実をも含める観があるに対し、旧者は綿々と超現実をあこがれて我と自ら現実の現在を踏み躙《にじ》りたいおもひがあるやうな筆触が随所に見える。之《こ》れにも新旧に入れちがひがあるが、大体にこんな感じの差異は外《はず》れてゐない。

更に又未来の生の問題については、二者ともに肯定的な立場に立つは勿論であるが、サイキカル・リサアチの学問が進歩するに伴《つ》れ、却《かへ》つて文学では未来の生の問題を遠慮して扱ふ傾きが見えてゐるのは、この学問の課題が容易ならぬ科学上哲学上難問題であることが段々判つて来て、軽々しく発言し、それに素人染みた結論を付《あた》へることなどを避けたくなつたからに外《ほか》ならないだらう。

人を馬に化《か》すの術は、春宵一夕《しゆんせういつせき》の好話柄《こうわへい》としてならば宇治大納言によつても蒲柳泉《ほりうせん》によつても、ともに街道先に椅子を持ち出すことによつて通りかかる村叟野娘《そんそうやじやう》の口からオウラル・リタレチャアとして聴取も出来たであらう。人を馬とする法の真偽正閏《せいじゆん》のほどは今日の学問ではありうべからざる架空の奇怪として斥《しりぞ》け去られる事いふまでもない。未来の学問を百年千年まで若《も》し延長させて推想したら、一種の学問的意味まで類似が行はれようといふやうなファナティックの言も挿《はさ》まれまいものでもなからう。今はその問題は簡単に支径《しけい》として避けておく。むかし荒唐無稽な市井《しせい》の詐術として識者（と称する人）に一笑し去られてゐたアルケミイが、煉金の夢自然科学の試験管に入つて、やうやく頃《このご》ろ日米の学者にその功を遂げる人が出るを見る如きは、以て他山の石位《くらい》に考へてもよろしいかと惟《おも》はれる。

　この幻人化生《げんじんけしやう》の妖法を挿む山中椿説《ちんせつ》の形式は、子女の為にするメエルヒェンでもあり、而《しか》も同時に五尺の有髯《いうぜん》男子が真面目に感心する内容の近代小説でもあるところに先《ま》づ以《もつ》てこの小説の特色がある。織物屋ストライキ芝居の作者ハウプトマンは『ハンネレの昇天』と『沈鐘』とで彼の全く別な心情の消息を、別な形式で、メエルヒェン染《じ》みた色合に染めて、メエルヒェン以上のものを打ち出すことに効をよく奏した。登張竹風が『沈鐘』翻訳を手かける時、その助成訳者に鏡花を択《えら》んだことは正しかつた。当時、長谷川天渓が、鏡花の用ゐたラウテンデラインの言葉を街娼めいたと冷評したが、畢竟《ひつきよう》あのやうな山媛《やまひめ》の用語は、あのやうな性格のウキッチやシレエネが和漢には無いだけ、それだけ訳語が六《む》づかしい筈であつたのである。

　露伴は古い日記の中で、鷗外の『ファウスト』訳本天上の序詞がわるいとけなし去つてゐるが、矢張りあのやうな感情や発言をなす神さま的存在の先例がないので、用語の整定に困つておどけたものについ走つて了《しま》ふのである。鏡花は意識したハウプトマンの如くに、メエルヒェンをそれ已上《いじやう》にエリヱイトするアムビションの下にあの高野聖僧譚を構想した訣《わけ》ではなかつた。が、鏡花の超自然信仰は、ラフカディオ・ヘルンのごとくディヴォウショナルであり、又尤西堂《ゆうせいどう》・羅両峯《らりようほう》に劣らずエクスクルシヴでもあつたから、知らず識らず篤信《とくしん》の排他的熱情が、普通ならメエルヒェンどころのフォオゲラア趣味に甘く優しく落付《おちつ》くべきところを、その信を対蹠《たいせき》人物にも押しつけかねまじき情の力と熱とを含めて一気に呵成《かせい》したのが、自《おのづか》ら夫《か》の独自のスウパナテュラリズムの高みに到達したのであつた。

第四節　怪の心理

原来《げんらい》『高野聖』の簡単な構成は、『因果物語』や『想山著聞奇集』あたりの五六行であつさり終る妖異譚で、それに肉をつけ尾鰭を添へたにすぎぬが、その超自然的迫力に至つては直線的で深烈である。

　この点は『聊斎志異』も同様で、宇治大納言や干宝字《かんぽうあざな》は令升《れいしょう》は東洋に於ける怪のドワヤンといふべく、鬼の董狐《とうこ》なるものともいふべきであらう。方士《ほうし》人を化するの術は東西ともにその例話夥《おびただ》しく、従つて作者としては損なストウリイであり、読者としては陳腐を予感せしめる上に、山中の怪のモティイフは已《すで》に鏡花の前輩《ぜんぱい》露伴が木曾山奥の怪を扱つて大《おおい》に世上《せじょう》にもてはやされた後の事である。

　露伴に於てはサタイヤの風趣を含んだところに長短所があるが、凡《およ》そ怪にサタイヤ味が幾分でも加はると忽然として怪異の凄気《せいき》が消えて知性の弄戯《ろうぎ》に転じるもので、知戯の深みに自ら別趣の文学価値が生じるのであるが、怪プロパアからいふとその興は減じたりといはざるを得ない。鏡花は露伴よりも怪異の篤信者であつて、その点已《すで》に「対髑髏」、「毒朱唇」があつて一向差閊《さしつか》へはなかつた。

のみならず、等《ひと》しなみに怪といふも、正統心理学やサイキカル・リサアチで兎《と》に角《かく》一応説明のつく狐狸の怪千里眼順風耳《じゆんぷうじ》の奇、霊怪の客観的存在にからまる例話といふものとはさが異《こと》にし、之《こ》れは人間といふ生物を牛馬に全く化せしむるといふ異例中の大異例の怪であつて、苟《いや》くも多少サイキカル・リサアチの学に踏み込んだものならば、故《ことさ》ら此種の不可能事としきや常識で考へ、常識の枠を越えた思惟の立場を仮りに予想して考へるにしてみても、若《い》何《か》でたやすくはその荒唐無稽に同じ得まじきスウパナテュラル現象を平気でとり上げた作者の精神の立場は、読者の反応を推度《すいたく》して奈何《いかん》のものが其処にあつたのであらうか。元禄延宝の奇談物作人や化政度の怪談作者のやうに、あり得べきや否やなどいふことは抑《そもそ》も初めから顧慮しなかつたのであらうか。若《も》くは此極度の怪にもプロバビリティの如きものを一縷《いちる》その心内で私《ひそ》かに保つてゐたのであらうか。何《いづ》れにしても、怪に対立する作者の態度はニオ浪曼的でなく、ホフマン、ティイク、ノディエ、ゴオティエ、メリメ、マチュウリン、ベックフォドの間に伍して、むしろそれ以上の怪異信仰の強さあるものとも云はねばならぬ。之を嘲《あざけ》るものが、かかる怪をのめのめと明治卅年代の飛信山中に掛《かか》げ出したことに呵呵大笑を禁じえないのは至極尤《もつと》もであるといはねばならぬが、之れを虚心坦懐に読みもてゆけば、自ら此奇《き》奥《おう》の幻怪世界に引き入れられて、怪のポシビリテの是非を考へる閑《いとま》はなく、読み終つて後、初めてさう云へば突飛奇抜な構想をよく抜け抜けと使ひ得たるものよとやうやく後で愕《おどろ》くのがまづ定《さだまり》である。

この時鏡花は、恬《てん》として何の不思議もなささうな面持でゐたにちがひなからう。彼は事の現実的存在性の有無などに思惟を繫《か》けるには、恐らくは些《すこ》しも及ばなかつたことであらう。ここに於て人の物笑ひの種ともなるイエロウ・サイコロジイの思惟すら費《ついや》さなかつたこの作者の非時代性超学問性について、人は悉《ことごと》くその迂《う》その痴《ち》その呆《ほう》を嘲るのが大多数であるであらう。世には極めて世間的にいうて健全な実証家の思考を有《も》ち乍《なが》ら、それとは自ら別に怪異譚を嗜好として好む者も亦《また》少くない。さういふ矛盾の自覚は文人ならぬ者の心内では自己批判が施されずとも、十分には解決も剖見《ぼうけん》も行はれずにすむのが通常である。文人にしてマイクロコズムとしての小説世界を、此《この》現世界以外に紙上にうち樹《た》てる操作を営むわざを常とする者の自覚とエンスジアズムとを最《もつとも》多く有《も》つ人にあつては、現実の表裏と現在の前後とに関する学的限界に関する知識の明不明徹底未徹底には一応関はらず、スウパナテュラルなる現象の重みの認識に就て、よしんば幾分の薄ぐろい部分が残されてゐるにしても、思ひ切つて存分に怪の怪、奇の奇について創作感興を托する行ひに出ることの自然性直截性は否定出来ぬが詩人の常である。而《しか》して鏡花は、ほとほと盲目的に篤信をスウパナテュラル現象悉皆《しつかい》について終始一貫有してゐた少数の文人の一人であつた。彼は、この心情無垢の如意《によい》自在な立場に於て、恐らくは此制作を書いたのであらう。

第五節　キュリオシティ・ハンティング

鏡花歿後の遺篋《いきよう》に残された蔵本のなかにもいはゆる怪談本が多い。『深山草』や『近世怪談集』、『垣根草』に『新御伽婢子』、『怪談　頃《このごろ》草紙』、『名香富貴玉』

の類の奇談物が多く、中には『列国怪談聞書帖』、『稲亭物怪』のやうなわたくし未見の本もある。

唐山本《とうざんぼん》も亦《また》、『述異記』や『捜神記』、『夜譚随録』、『聊斎志異』、『柳毅伝』、『新斉諧』、『灤陽消夏録』、『夷堅志』など、あり来《きた》りの志怪書の外《ほか》には、雑俎物や『鶴林玉露』に『瑯琊代酔篇』のたぐひで、特に珍稀の書はない。秋成や李賀を嗜《し》読《どく》したことは本《もと》よりいふまでもなく、此系統の志怪読書趣味は、談仙の理念の信に通じ、明治已降《いこう》三代の間、鷗外に少く露伴に多くして、漱石藤村らに至つては全く無い東洋テラトロジイ趣味の系譜といふもので、芥川君や筆者などの正昭《しやうせう》間中期帯を経て、わづかに今日四十代の読書人の少数者に残構《ざんこう》をとどめて、あとは大《おほ》よそふつつり断たれてしまつてゐるかたちである。

珍本稀書こそないが、鏡花文庫をこくめいに漁つたら、その創作の何に由来するかを、案外知ることの出来るよすがとなるかも知れない。鏡花は『雨月物語』を「鋭くして爽《さわや》かな」と形容してゐるが、鋭と爽との二語直《ただ》ちにこの封建時代の近代的鬼話のスティルの殊色を説《せつ》破《ぱ》して略《ほ》ぼ遺憾がない。この雨月譚に見ゆるスウパナテュラリズムは、よしんばその粉本《ふんぽん》を唐山舶載の志怪書に獲《え》てゐるとはいへ、その前代文学の同趣書にその話柄同じくして、却《かへつ》て迥《はる》かにその談余の信のインテンシティは勁《つよ》くして高い。この点、秋成は江戸文学中稀に見るロマンティケルであつて、われらが之《この》れを嗜《たしな》む所以《ゆえん》も徹底浪曼者としての秋成の稀有にして劣《わづ》かにある人材なりしが故で、鏡花の之れを喜みし所以も亦ここに存し、文会堂や伊丹椿園にたやすく就《つ》く能《あた》はざりし所以であつた。その鏡花の文学も亦、明治大正六十年の文学中幾《ほと》んど肩を比《なら》ぶる者のないロマンティシズム・プロパアのそれで、そのスウパナテュラリズムの信はラフカディオ・ヘルンと好一対と見做《みな》してよろしい。

等しく怪を志《しる》す鬼書《きしょ》のなかにも、その作者肯《あ》へて超自然の信を発《おこ》さず、至つて凡常なリアリストであり乍《なが》ら、唯その心頭《しんとう》の一部にただよふ好奇心の故のみによつて、そのキュリオシティのハンタアとして、奇異をコント・ファンタスティックに求むる者も亦無いではないが、之れは不徹底もしくは幼稚未熟の故にすぎぬ所為であつて、その人生の興趣本情を漁る態度と心法《しんぽう》とに到底し行くならば、その末はこの幻法世界から反撥《はんぱつ》し去るか、弥《いよい》よ徹底するかの二途その一をえらぶ外はなくなつてしまふ。

キュリオシティ・ハンティングにも二種の系統あつて、飽くまで現実の埒内《らちない》にあつてその奇構を悦《よろこ》ぶものと、現実の框《かまち》を時あつて踏み越ゆるをも厭《いと》はぬのみか、踏み越ゆる脚踏みに世界観上の独自の見地を持つものとがあり、後者は哲学上思惟に十分徹底するとせずとを問はず、兎に角現代科学哲学の説明釈義し悉《つく》すことのできぬ問題に就て一家の見《けん》を有するものであり、探偵小説（頃《このご》ろ推理小説などと物欲しげな称謂《しょうい》を用ふる者があるが、探偵小説でけつこうであり、この称呼に卑下を自ら感じる者が推理など僭称《せんしょう》したがるのだらうが、佳《よ》き探偵小説の方が下等下種《げす》な芸術小説よりも文学的に佳《か》なることは、敢《あえ》てポオやホフマンを持ち出すまでもない）は主として前者に多く喜ばれ、志怪書は多く後者に嗜まれるが、後者の趣に徹したる一派は、鬼書のみでなく探偵物にも併せて興味を濺《そそ》ぐことを怠らない人々である。鏡花には探偵物は少いが、明清の偵探案本は嗜読《しどく》したであらう。『親子そば三人客』の短篇には大盗なにがし

の片鱗を示し、あたかも露伴の犯罪小説『雲の袖』と対をなしてゐる。三人客は掌篇中の佳篇であつて、

冷龍《れいりゆう》一躍、三寸ばかり閃いて、疾《と》く手にかゝつた捕縄《とりなわ》は、端短《はしみじか》にプッリと切れた。「お前《めえ》さんは未《ま》だ少《わか》いや。」トタンに衝《つ》と寄る、背後《うしろ》へ飛んで、下富坂《しもとみざか》の暗《やみ》の底へ、淵《ふち》に隠れるやうに下りた。行方《ゆきがた》知れず、上野の鐘。

で終る結末が紋切型で、それがこの場合却《かえつ》て大《おおい》によろしいのは、尚古《しようこ》心理の反動性の現象でなくて、アルケイズムの近代的リズムのフレッシュネスといふものである。

第六節　老人化猿

人変じて馬となり牛となり、又《また》人を化して馬となし牛となすの術は、メタモルフォウズの古羅馬《ローマ》譚は事古《ことふ》りたり、東西古来の怪異書に志《しる》されたるもの太《はなは》だ少くない。そのテマは、夫《か》の器物百千年にして人に化す付喪《つくも》神《がみ》の説話とともにむしろありふれたるものに殆《ちか》い。器物に付《あた》へられた人格性を材料とする近代小説にはサマンのクサンチスが著しく卓《すぐ》れてゐるが、ここには諷刺的タッチが見え、凡《およ》そかかるメエルヒェン的な近代小説の語韻にサタイヤの調子が交《まじ》ることは、現実性を稀薄にして知性の戯れを弄ぶ傾向に傾き易いから、高い技芸に到る

ことを阻《はば》み勝ちのものであるに拘《かかは》らず、サマンの大人の読むメエルヒェンにその欠陥がないのは、作者の深く澄んだ詩情の横溢がその弊《へい》を自然に矯《た》めた結果と考へられる。鏡花の高野聖僧の言舌にも些《いささ》かもサアカズムが響かないのは作者のこの種超自然現象への篤信の所為で、それがこの小説を成功せしめ、又小賢《こざか》しい知性の戯れからよく脱却せしめたのである。

さて人の牛馬に化す類《たぐい》の説話についてその一例を唐代文学のうちに選ぶならば、李景亮の『人虎伝』がある。『人虎伝』は疾《しつ》に嬰《かか》りて狂を発したる者、夜戸外《こがい》から名を呼ぶ声におびかれて遁走したまま、自《おのづか》ら四肢に毛を生じて四つ這ひとなり、渓流に影を映したるに已《すで》に虎身《こしん》であつたといふ者とその友人との対話になる作品で、虎が創作したる詩といふものが珍奇故《ゆゑ》ここに附載しておくが、一向に虎威虎嘯《こしよう》でなく人間臭芬々《ふんぷん》である。

偶因㆓狂疾㆒成㆓殊類㆒。災患相仍不㆑可㆑逃。
今日爪牙誰敢敵。当時声跡共相高。
我為㆓異物㆒蓬茅下。君已乗㆑軺気勢豪。
此夕渓山対㆓明月㆒。不㆑成㆓長嘯㆒但成㆑嘷。

体臭は人臭であるが、それが唐朝人の臭味《くさみ》にはちがひがないのである。

一体に晋唐の間の鬼譚の類は鬼を玩《もてあそ》んで単なる奇にをはり、内にサタイヤの臭味を帯びたるものが多いのは物足らぬこと太《はなは》だしい。『柳毅伝』のやうな創作の形態とその美とを具したるものが尠《すくな》いのである。人生哀楽の文学的記述が屡《しばし》ばサタイヤとアレゴリイとに陥るは古文学の東西ともに爾《わた》る通習で、十九世紀も半ば比《ころ》までも、つい百年近くまでつづいて来た文学の一つの型の習気《しゆうき》であつた。昔は洵《まこと》にサタイヤを行《や》る間、アレゴリイを用ゐる間にも、現実のきびしい体験の感気はだらなるものあつてそのレゾン・デエトルを覚えしめたが、輓近《ばんきん》に下るにしたがひ、サタイヤは直叙法となり、アレゴリイはシムボリズムに深まつて、之《こ》れらは大体過去のものとなつた。（今日でも用ゐられるが、それは今日の使用感覚で用ゐるので、例へばハックスレの小説にもあり、ボオドレエル派の詩にも尚残存してゐる。）

いま一つ段成式の『剣俠伝』に老人化猿の一篇がある。わづか百余文字の短文であるが、鏡花によつて之れが手頃の短篇「十三嬢」に改鋳翻案され大正十三年刊『愛府』に収められた。鏡花は明治三四十年代荐《しき》りに唐宋から明清間の奇談を瀟洒な文体で邦文化した小品を、もののまぎれといふ調子で公表してゐたが十三嬢《おとみさん》がその一《ひとつ》である。われらはその翻案文字を、幽艶奇秀な鏡花文学の一として愛読した。尤《もつと》も時にはむしろ翻訳であつて、しばしばそれが日本化してもゐたといふ方が正確に近い。明治四十五年の「唐模様」は前者で、「十三嬢」はその中間である。故人芥川君の「酒虫」など唐山物も、その淵源は直接漱石の「支那趣味」を聞見《ぶんけん》してかぶれた以前に、この種鏡花初め当年の「支那好み」の一聯《いちれん》の文学から少なからず示唆せられて生じたるものであつた。独歩社編、『支那奇談集』ごときは、日露戦争時代の少年われ等の嗜読淫読《しどくいんどく》したる翻訳文学で、それらが直接に『羅生門』の諸篇への道に通じてゐるといふた方がよろしからう。

この老人化猿は実は猿が老翁と化してゐたものが本《もと》に戻つたる原意であつて、化するのは自《みづか》ら化するので、『高野聖』のやうな人的呪力の所為ではないから、人、物に化すまでは同一でも、エンチャントメントの呪力が伏蔵されてはゐない点がちがつてゐる。

第七節「はなし」

ハンス・ハインツ・エヱルスの蜘蛛の怪は、医学生リシャアル・ブラックモンをして、此方の窓から向う側の人なき家の窓うちに美女を見せしむる日記であるが、その臨終前の日記中に雌蜘蛛が雄蜘蛛の愛撫に身を任せた後、生殖の営み果てたる瞬間、雄を捉へて虐殺する慣《なら》はしを目睹《もくと》する条りを描出したのは、伏線の如くにして、実は種を割つてしまつて太《はなは》だしく拙い。之れは化したといふのでなく、見えたといふのであるが、要するに大まかに申せばネオ浪曼派とパレオ浪曼派との差は、前者には見えたのであり、後者には化したのであるとなして甚《はなは》だしき粗莽《そぼう》な比説《ひせつ》ではない。而《しか》も事実は見えたと化したとの現実解釈上の差異は或場合は幾んど無いのに殆《ちか》い。但し旧浪曼者の巨匠ホフマンの怪異譚には、十分今人《いまひと》の理性に愬《うつた》へる健全性を主体的に有しながら、尚且《なおかつ》人の世に現ずる怪の怪を恬然《てんぜん》として談《かた》る抜き差しならぬ譚緒《モティイフ》の尊厳を持して遜《ゆず》らないのは、彼のロマンティケルとしての大と重とを物語るものであり、満腹の絶待《ぜつたい》自信の上にその巧芸を描き出したる証しでもある。

併《しか》し、鏡花に於ては物語の寧《むし》ろ一事件にすぎないが、エヱルスに於ては主なる動因をなしてゐるのである。鏡花の「浅茅生」ではエヱルスと同じく、やはり向ふ隣りの空家の二階に忽然《こつぜん》美人を見るといふので話が初まり、それがとどエヱルスのやうなものの怪には終らずに、述懐によると兎角《とかく》の仔細あつて来た人で差配には内証でゐて欲しいと頼み、その経歴ばなしの間にものの怪があるといふ構成であるが、お怪《ば》け物としては佳品ではない。ただその間に此《この》作者ならではの透明にして感性的なファンタジイが躍るパッセイヂズがあるのが面白い。差配とは鼎形《かなへがた》に三者がなつてゐる故、差配の爺々が平屋に寝てでも居ると、

「二人は丁度夢枕に立つて、高い所で、雲の中に言《ことば》を交はして居るやうな形」云々

などは好文辞《かうぶんじ》と称すべきで、又小説の出に

鐘の声も響いて来ぬ、風のひつそりした夜ながら、時刻も丁ど丑満《うしみつ》と云ふのである。……此の月から、桂の葉がこぼれ〳〵、石を伐《き》るやうな斧が入つて、もつと虧《か》け、もつと虧けると、やがて二十六夜の月に成らう。

なども彼ユニイクの感性と空想との美しいつながりが肉附けを巧みに就《と》げ終つた一例である。エヱルスは寸法通り二階の怪に終る処が味噌、此作品では却《かへつ》てさう思はせて、実は血肉ある真の人間がその怪語を物語るといふ話の筋が変つたと云へば変つた筋の構成。怪談ばなしの本筋を避けた処はアムビシャスであつたが、気力が足らず凡品に終つた。エヱルスでは作者

の興趣が一貫してつよく通つて佳篇となつた。「人虎伝」に於ても重要な因子として扱はれてゐる。それにしても又おもはるるは、鏡花は作者としてこの人馬に化すといふ現象を、人生事実として考へて如何《いか》なるもの何の所為と理解したのであらうか。草双紙のなかには、随所にこのやうな条《くだ》りが見ゆるから、草双紙好きの旧浪曼派彼も亦《また》、漫然ちよいと面白い趣向だネ位《くらゐ》の軽佻と気軽とで、あつさり使つたものにすぎなからうか。然《しか》らば則《すなは》ち、この明治期文士的イイズイ・ゴウイングが今日の万《よろ》づにがつちりした現実派文士中の何某輩に、鏡花は白痴文学の一だなどと放言されるのも肯《うなず》かれぬことでもないとも考へしめるが、事実は左様な単純粗忽《そこつ》なものではない。

仮りに百歩をゆづつて、作者が大した思量を用ゐずしてあつさりこのメタモルフォウズを取り上げたにせよ、鏡花の立場の構へ内にはこのやうな「はなし」も亦面白いではないかといふ程のハラと、この「はなし」の興味は何人《なんぴと》にも制馭《せいぎよ》せられるものではないといふハラとがまづ存する。このハラは、当年の文場に於ては理想派的と称された露伴もよくせず、常識的江戸子《えどつこ》にすぎぬ紅葉は勿論よく得《とく》せぬ単純にして率直な思惟であつて、その単純率直なるは鏡花の心法裡《しんぽうり》には、事が已《すで》に余りに自明の理《アルトルイズム》の埓内《らちない》の事であるからと了解してゐた所以に外ならない。このアルトルイズムは、一市井人《しせいじん》作者鏡花の超生物学的超物理化学的信《ディヴオウシヨン》であつて、このディヴォウションに対し儕輩《さいはい》の文士がその無知その固牢《こらう》を嗤《わら》ふことは一向差し閊《つか》へないが、それはそれらの文士が単なる小さいインテリといふ級階の小者《こもの》にすぎぬからで、卓《すぐ》れたる現代の生物学者も物理化学者も哲学者もその学説を以て、その学に乏しい固牢文士を一応笑つて説服《せつぷく》することは出来ても、絶待万幅《ぜつたいまんぷく》の自信で説き去つて反省の些塵《さじん》をだにとどめぬことは決して能《あた》はない。あたかも未来世《みらいせ》に就て今代《きんだい》の若何《いか》なる学派も明快に談《かた》り去ること能はぬと同様で（目を閉ぢて考へまいとするもの、そのやうなものは無いと論断し去る者などは論外として）之れは尚すべて今日の学の框《かまち》の外にある。

実はそのやうな厳しい信に附随する見解が作者鏡花の意識内に首尾を整へてあつたかどうかはまづ疑問であるが、この流風の凡《およ》そ詩人文人の立場の在りやうは斯くの如き場所に存するもので、この場所は旧派と称されても超新派と称されても実は同様のシノニムである。

スコットなどは齢不惑《よわいふわく》に達して、実は自分がロマンスにスウパナテュラルを用ゐるは単なる大衆興味を牽《ひ》かむ猾《かつ》手段であつたといふ意味のことを自白してゐるが、自白しなくともその小説を見れば一目瞭然で、スコットのみでなく、ゴシック・ロマン派の者のうちにもこの種の利用派大衆作者の多いことは、江戸化政度以降の南北以下の怪異談説家の太《ふ》て太《ぶ》てしきまで現実に喰《く》ひ下《さが》つた態度と略《ほ》ぼひとしい。但《た》だキュリオシティ・ハンティングの料《れう》として怪を用ゐるにも、南北程の大なるメロドラマ作者にしても、スコットと全く同様に一度《ひとた》び怪を談《かた》るや、如何《いか》に談り口や構図が巧妙でも、怪の為の怪である真実の姿は眼ある見巧者《みがうしや》には容易《たやす》く看破せられてしまふ。そこへゆくと、怪の篤信信仰者の志怪は、ラフカディオ・ヘルンでも秋成でも鏡花でも、怪の真実に薄《せま》つてその現実と同等質量の重さ鋭さを以て惻々《そくそく》人に彼岸の世界からの消息の刃《やいば》を擬する。

超自然事件のうちでも、ファンタズム・オブ・リギングといふものやアッパリションと称《とな》へるものと、『高野聖』の人を馬に化する事の術とは大《おほい》に一点ちがふ。吸血鬼は死体が生体動作に戻るのであるが、彼は生体の人間が外《ほか》の動物に生物的に化するか、化したと幻想せしむるかの術で、前者なら放胆の空想とも見做《みな》さるべく、後者なら集合幻覚の一種とも解さるべきであつて、何《いづ》れにせよ今日の学問の限界では、仮令《よし》んば水素系原子核分裂のエネルギイを効用する学が如何《いか》に発達しても、ダイメンションズに関する考察に根本変化が起《おこ》つても、昔のメエルヒェンを其儘《そのまま》採用したやうな、之れ等《ら》荒唐無稽極まるとまづ観られる文学上 恣《ほしいま》まな空想をば、心の底から嗤ふなどといふことは未《ま》だ未《ま》だ出来ないとなさねばならぬ。

第八節　人怪のけじめ

この常凡のモチイフは、何彼《なにか》れといふより実は『西遊記』の神猿が人に化し髪毛《かみのけ》に化し一座の山に化するあの流れの千変万化の空想の連鎖が大本であつたにすぎない。呉承恩に発して『西遊真詮』の一書にまとまる三蔵取経説話に絡まる鬼怪譚は、宋代大衆家たる説話人のテキストにプロトタイプがあり（成簣堂文庫蔵大唐三蔵法師取経記及び大倉氏蔵大唐三蔵取経詩話を参看せよ）、更に旧《ふる》く溯れば、輓近《ばんきん》の考証によると、印度古文学『ラアマアヤアナ』中のハヌウマンが支那の悟空偸桃《ちゆうたう》説話と結合して成つたものといふことであるから、天竺に詣る途上の鬼事《きじ》にもそれぞれ別の説話の湊合《そうごう》であつた原拠故事があつて、その後様々に発達して明代万暦の初《はじめ》の比《ころ》に死んで嘉・隆間に生きてゐた呉承恩のアダプテイションがまづ根元となつて今日に至り、『永楽大典』巻一万三千百三十九に夙《はや》くも今本の一部分に相当する部分が収載せられてゐるのだから、元代には已《すで》にその形をなしてゐた、漢民族の空想にとつては古い旧知の物語であつたと判明する。

この『西遊記』は『絵本西遊記』四十巻、『通俗西遊記』三十四巻等となつて江戸時代に義訳抄訳せられたが、その作文は却々《なかなか》に小説壇の本部にある作品などよりも畸妙であつて、その愛読も全国津々浦々に著しかつたらしい形跡がある。軍記物や武勇伝などのインフルエンスも文学史としては看過すべからざるものがあり、その作者もたとへば『韓楚軍談』や『岩見武勇伝』(2)のやうに、十分教養がありアムビッションもあつた学者が、時《とき》利あらず不遇に沈淪《ちんりん》して、糊口《ここう》のために、売文の具として巷上子女の一笑に供する、之れ等の売台文学《ストオル・リタレチヤ》の作者となり了《おほ》せたので、それ故作文にも博学の俤《おもかげ》や奇矯のふしが屢《しばし》ば看取せられるのが面白い。

而《しか》も猶《なほ》面白きは、明治も已に卅年代の青年新進家の小説に、この宋元已来《いらい》の頽然《たいぜん》として邈々《ばくばく》古き空想が岳亭丘山《がくていきゆうざん》や口木山人を経過して改めて又用ゐられたといふことで、知らぬものは今頃この草双紙は何者ぢやと苦笑嘲笑したが、事を解するの徒は破顔一笑して、この故旧の感のある古き世の空想の再生を怡《よろこ》んだことといふまでもなかつた。憗《なまじ》ひ学を齧つた秀才上《あが》りではこの巧芸はちよつと出来かねた。芥川君などすらも、河童をせいぜい使用したけれども、それを十分知的に、諷刺的に而《しか》も心の底でおづおづとしきや使はれなかつたところに牛久沼の芋銭子《うせんし》にも如かざる近代知性の弱味があつた。よしや鏡花のメタモルフォウズ的空想の系譜が、元明の講史・説経の類のさかり場文学の裔孫《えいそん》であらうが、化政度読本草双紙の庶出であらうが、それは頓《とん》と一向に構はない。われらはこの空想に尚今日の学問によつては打ち砕かれざる人間昔ながらの悲願の楔子《せつし》を発見する。作者鏡花の興味がもと李賀・「述異記」でなくば草双紙・『膝栗毛』のたぐひにあつたればこそ（西洋文学の不消化な知識がなかつたればこそ）悠々空想を美しきクリスタリゼイションに現実化する権利をその文学の中で放胆に主張することが出来たので、鏡花と『膝栗毛』及び草双紙とは不可分のものであり、その怪の気分にすら弥次郎兵衛気分が附庸《ふよう》してゐたことを忘れてはならない。もし小ざかしい大学生上りの秀才であつたら、このよき意味での佳きイグノランスの美と見らるるものは誕生しなかつたらう。而《しか》も彼の此《こ》のイグノランスの美は、後出作者輩の憖《なま》じ不学な白痴美ではなくして、直ちに一路直観的世界観の高みに通ずる芸の賢を本有《ほんいう》するイノセンスの美であつた。

なほ人が全く他物に化して了《しま》ふといふのでなくて、化しはせぬが化した観を付《あた》へたとか、化したかどうか判明せぬ幽境に追ひ込まれたとかいふやうな場合を扱つた小説もありうることにも思ひ及ばねばならぬ。

例へば「やどり木」は明治卅五年中の「太陽」に掲げられた、猫万とあだ名せられる鉄道掃除夫の怪を描いたる小説で、わたくしはこの年この作品で初めて鏡花といふ作者に意識して接した記憶があるが、数へ年十三歳の平凡少年にとつて、この鏡花怪異物の妙といふよりその筋立が構造の上からよく飲み込めず、猫万は人間か猫か半ば猫に化したものかよくは判らなかつた。猫の歯型が残遺せられたところより見れば化猫のやうであり、終りに猫そつくりとある辺より見れば人間であるやうに感じられたのであつた。

かういふ人と怪とのけじめがつかぬさがの筋立は浪漫派已来《いらい》少くはないもので、之《こ》れが一歩進むと『高野聖』の怪となるのであるが、このやうな立場におくことは却《かへつ》て幽妙の詩趣を沸き立たせて興が深くなる一面があるとともに、何か割り切れぬものあつて落付《おちつ》かせぬ感じが後味として残りもする。ホフマンの『ザントマン』は、砂男と状師《じやうし》コッペリウスとの更代《こうたい》的出現が見どころで、やはり大体は、この立場を離れぬものだが、ホフマン的な精審な筋の立て込みが、鏡花よりも一層怪異の感情それ自身を掻き立てる度合が杳《はる》かに高い。科学の鑒《かん》視《し》をしつかと脇において、そのスウパナテュラルの信を飽くまで押し通してゆくのがホフマンの常套手段であつて、その点がホフマンと鏡花と大《おほい》にちがふ一点である。『ザントマン』の卓《すぐ》れてゐるのも、気分的にうごかされないがつしりしたテクステュアが一貫してゐるからで、鏡花はどうかすると途中で擲《な》げたり端折《はしよ》つたりしてしまふが、之れは実際問題としては、法官ホフマンとちがひ筆に衣食する弱味から、〆切や物質的必要から仕上げをいそがねばならなかつたやうな場合が多かつたからでもあらうか。尚怪と笑ひとを絡み合はせる筋立も鏡花にあり、之れはエヱルスの小説やロゼッティの詩にもあることだが、怪の本意から考へて面白くない。

第九節　不思議

『高野聖』の上板せられた比《ころ》は、鏡花が尚その文体を文語口語両様で使用した時期で、言文一致と何とやらは好かぬと公言してゐた紅葉も、後には『多情多恨』で幾分まだこは張《ば》つてはゐたが粒々辛苦《りふりふ》の口語体を用ゐた。師承《ししよう》を奉ずること鞠躬如《きくきゆうじよ》として神意の如き鏡花も、芸の本情では強《あなが》ち江戸子《えどつこ》の颯爽と同時に軽忽《きやうこつ》を旨とする紅葉山人その儘《まま》の道を踏んだものではなくして、鏡花小史には夙《つと》に北国《ほつこく》金沢者《もの》の血も環境の感化もあり、鏡花小史といふものの大道が確として別存し、彼は時に文語口語をほぼ等量に交錯してその文のロマンスの丁々たるひびきを清く高からしめもし、又文語に口語の軽易を交へ、口語の本意に文語の措辞《そぢ》を加へることをも忘れなかつた。

『高野聖』は、地の文を純文語として会話を口語とした方がより宜《よろ》しかつた処であるが、彼は普通の口語で押し通してゐるのである。彼は一たいに好むで長い談話を用ゐ、中には談話中の談話が長くつづく場合すらある（鷺の灯）。しかも、この中篇のロマンス調が高調し得たのは、作者の空想が無拘束に暢《の》び暢びと振舞ひ得たためで、それは彼の文学の中の主要な骨子をなす怪異文学系統の作意のうちでも、最も作意貫通が純粋であつたからに外ならなかつた。

『高野聖』より遅るること五六年、自然派勃興の際に漱石は『彼岸過迄』の中で、三条の小鍛冶が丁と打ち、丁と打つといふやうな語法を用ゐたのを、抱月がロマンスのひびきとは之れであると評した。鏡花の「柳の横町」は駄作だが、鍛冶屋の条りには「めらめらと火炎が立つのを、曳《えい》、丁と打つ、丁と打つ」といふ措辞を肯《あ》へて用ゐてゐる。漱石のロマンス調には学者の趣味柄といふ色合がつよかつた。鏡花のロマンス調は生来の肌合の自然の荒玉《あらたま》の露出といふ見えがあつた。しかるに『高野聖』にはそのやうな生来的ロマンス調がない。あつても少ない。況《ま》して漱石流の智巧的に故《ことさ》らめいたロマンス調などは微塵もない。むしろ淡々と現実を報告する口吻《こうふん》語脈の地味に落付いた作文語韻である。

山に入つてから、

今度は蛇のかはりに蟹が歩きさうで草鞋《わらぢ》が冷えた。暫くすると暗くなつた、杉、松、榎《えのき》と処々《ところどころ》見分けが出来るばかりに遠い処から幽《かすか》に日の光の射すあたりでは、土の色が皆黒い。中には光線が森を射通す工合であらう、青だの赤だの、ひだが入《い》つて美しい処があつた。

之《こ》れなどはむしろ当時の文体の中では最もリアリスティックなオウラルな写実派文脈で、後の彼のものに往々見る、色相に浮れた上調子は微塵もなく、反省的自己の才に溺れた程の軽佻とても些《いささ》かもない。

而《しか》もその直ぐあとにつづく、

時々爪尖《つまさき》に絡まるのは葉の雫の落溜《おちたま》つた糸のやうな流《ながれ》で、これは枝を打つて高い処を走るので。ともすると又常盤木《ときはぎ》が落葉《おちば》する、何の樹とも知れずばら〳〵と鳴り、かさ〳〵と音がしてぱつと檜笠《ひのきがさ》にかゝることもある、或《あるい》は行過《ゆきす》ぎた背後《うしろ》へこぼれるのもある、其等は枝から枝に溜つて居て何十年ぶりではじめて地《つち》の上まで落ちるのか分らぬ。

といふ条りには、紀行文家でもさりげなく常用する落葉の堆積の見積りが地道に使はれてゐるのが目立つ位なリアリズム振りである。
　又そのあと、蛭《ひる》の林を通り抜ける条り、

　此《こ》の恐《おそろ》しい山蛭《やまびる》は神代《かみよ》の古《いにしえ》から此処に屯《たむろ》をして居て、人の来るのを待ちつけて、永い久しい間《あひだ》に何《ど》の位何斛《なんごく》かの血を吸ふと、其処でこの虫の望《のぞみ》が叶ふ。其の時はありッたけの蛭が不残《のこらず》吸つただけの人間の血を吐出すと、其《それ》がために土がとけて山一ツ一面に血と泥との大沼にかはるであらう、其と同時に此処に日の光を遮つて昼もなほ暗い大木が切々《きれぎれ》に一ツ一ツ蛭になつて了《しま》ふのに相違ないと、いや、全くの事で。

といひ、すぐ（九）節に入つて

　凡《およ》そ人間が滅びるのは、地球の薄皮が破れて空から火が降るのでもなければ、大海《だいかい》が押《おツ》被《かぶ》さるのでもない、飛騨国《ひだのくに》の樹林《きはやし》が蛭になるのが最初で、しまひには皆《みんな》血と泥の中に筋の黒い虫が泳ぐ、其《それ》が代《だい》がはりの世界であらうと、ぼんやり。

となどある条《くだ》り条りは、山僧の回顧談といふかたちの為の談話調が交つてゐる為に純な自然描写に一抹の不純な語脈も交つてはゐるが、想像の美が叙景を高め、叙景の美が後のウヰッチクラフトのシインの前提の一つともなつてゐる。さして「不思議な考へ」でも実はないのだが、不思議といふのは泉鏡花でなくて、高野の山僧が左様に感じたまでで、「いや、全くの事で」といふコロキアルな云ひ方が、少し空想を醒ましはするが、妖蠱《ようこ》の術の場に詣《まい》る順序としては正しい。

第十節　鬼才

弥《いよい》よウヰッチクラフトの場となつて、女の呪力により、人間から動物に変化させられた蟇《ひき》に言《ものい》ふ女の口調が、十年後に竹風と共訳したハウプトマンの『沈鐘』のラウテンデラインのセリフそつくりであるのは一奇である。

かういふ半常人半ウヰッチ染《じ》みたコロキアリズムは却々六《なかなかむ》づかしいもので、俗に近づけば下町の蓮葉女《はすはをんな》になり、仙に入《い》れば大時代で滑稽に陥る。前《さ》きにも一寸《ちよつと》触れたが、近頃公けにされた露伴日記の中で、鷗外の『ファウスト』を貫つて一読した露伴が、ファウスト天上の場辺の会話にどうともやり切れぬ卑俗でも感じたのか、毒舌を一言振るつてゐるのは、この場合は左もあるべきことで、鷗外ほどの訳文の大手筆《だいしゆひつ》を以てしても、天帝やら何やらの使ふ言葉にはほとほと手を焼いたであらう、天上の序言あたりは決してよい出来ではない。ファウストの書斎の独白に入つてからやうやく落付いてゐる。鏡花のこの妖巫《ようふ》の使ひ言葉にも、余りに彼の好む下町臭い臭味《くさみ》から沸き上る不熟と軽浮とが見えて、読む者の心がどうもウヰッチめく空気の中に落付かれない。

下種《げす》下郎の旅の富山の薬屋が馬に化せしめられた辺りは太《はなは》だ描写が活躍して興がふかい。こんな下等な千金丹売《せんきんたんうり》が、信州辺の農家の妻女を引つかけて逃げたやうな話が、その頃よく南信地方では聞見《ぶんけん》されたのである。

高野聖を魅することには失敗したが、その妖巫の言動から推及《すいきふ》して、想像で読者がめいめい築き上げるその女の性格といふものは、世に絶対ありうべからざる如き型でありながら、（ハウプトマンなどではラウテンデラインといふ女の性格を示唆する言動としては一々肯《うなづ》かれる自然性が見ゆるに対し）而《しか》もその鏡花の不自然性が気にならぬのは、高野聖文の妖冶《えうや》の魅力に魅せられた為ではなくして、このやうな位相の小説に出るこのやうな女の性格としては、不自然が即ちかのをんなにとつて此場合本有《ほんいう》の自然であるといふやうに考へしめる要約が存してゐるからである。

ハウプトマンは、『日出前』以来その頃は少くとも自然派プロパア的劇詩人であり、イプセンに絶えて無き一味の殉情調がイプセンの談論劇と異《ことな》るだけで、『ハンネレの昇天』や『沈鐘』は正しく特殊心法の所産であつたから、ラウテンデラインを描いても十分自然主義的観照の下地の上に染め上げられたる架空的存在であつた。

鏡花にあつては、名詮《みやうせん》自称水月《すいげつ》鏡花のそのさがは、深く生来《しやうらい》と教養とに根ざして、その上に彼の技芸の花咲かせたものである故に、そのウヰッチ的振舞はダンヌンチオの『ヨリオの女《むすめ》』よりも迥《はる》かに架空的に、その架空といふ言葉の意味は、オスカア・ワイルドのディケイ・オブ・ライングという程の、虚妄とか荒唐とかいふおよづれごとの中に含まれる詩興、若《も》しくは可能性に対する情熱といふ含蓄であつて、その誕妄の部分が人の軽視を牽《ひ》くことが一応あつても、その超現実の部分に含まれる爽快感は、本来人間が恒《つね》に具有する先験的欲望に基く必須の感じで、それが浪曼的なる人間であればあるだけ、古典主義的若《もし》くは現実主義的人間のそれより強い。由来現実を大幅に是正するはつねに虚妄である。

「嬢様は如意《によゐ》自在、男はより取《ど》つて、飽けば、息をかけて獣にするわ」云々といふ馬牽き爺の言葉が、女のウヰッチ的性格やその歴史を説明するが、会話中の会話として談《かた》られてゐる為に、地の文章の描写又は記載の記事のやうな確実信頼感が乏しい。之《こ》れは何としても此作品の弱味であつて、ジャック・キャゾットの『恋の悪魔』も亦《また》述懐のかたちを初めからとつてゐるが、之れはそれで一貫し、『高野聖』も幾《ほと》んど初めから述懐の形式を摂《と》つてはゐるものの、初めに山僧の挙措を百行以上も置いて、それから述懐に入る形になつてゐる（何でもないやうでゐて）のが、どうも話の真実感を薄める。況《ま》して終りに近づいて初めて老爺が女のウヰッチ的能力の歴史を説明することは、小説形式としてこの場合はやむをえぬかたちだが、有利有効の序次《じよじ》とは云はれない。述懐話の形を摂らなければならぬわけは強《あなが》ちないので、若しまた鏡花独特の雅文体の地に会話のコロキアリズムを交へて描写形式で一気に揮《き》洒《しや》し去つた方が杳《はる》かによろしかつたであらう。併《しか》し、それでも何でも、兎《と》に角《かく》之れ丈《だ》けの精品《せいひん》に作り就《と》げたのはこの鬼才の才腕といふものであつた。文の初めが参謀本部の云々といふ現代的な口切りであるけれども、文の終りはお若いの修行さつしやれで別れてゆくそのあと、見送ると小さくなつて、一座の大山《おほやま》の背後《うしろ》へかくれたと思ふと、油旱《あぶらでり》の焼けるやうな空に、其の山の巓《いただき》から、すく〳〵と雲が出た、瀧の音も静まるばかり殷々《ゐんゐん》として雷《らい》の響《ひびき》。

といふこの雷鳴の霹靂《へきれき》が太《はなは》だ利《き》いてゐる。それから以上談《かた》り終つて翌朝袂《たもと》を別ち、

雪中山越《やまごし》にかゝるのを、名残惜しく見送ると、ちら〳〵と雪の降るなかを次第に高く坂道を上《のぼ》る聖《ひじり》の姿、恰《あたか》も雲に駕《が》して行くやうに見えたのである。

で畢《をは》つたあたりの幽静な記事が大へんよろしく、作品大半の談話体の不確実感を少なからずとり戻した感がある。但《た》だ末句は「行くやうに見えた。」でとどめた方がよかつた。のであるは据《すわ》りの感じから慣習的につい書きすゑて仕舞ふもので、それも若い人には少く、六七十代の老文士がよくやる措辞で、大町桂月はをはりの「なり」は也としなきや力がは入《い》らぬと言つてゐたが、文の力《ピス》はボキシングの力《ブロウン》とはちがつて、精神力を綜合したものを神経で綜《す》べくくつた感じの力感であるから、なりを也とするなどは些《いさ》さかガサツすぎるが、之れは桂月にとどまらず明治文士には多い例である。さういふ桂月が晩年は、寂然と脂気の抜け切つた誠に佳い稀有の高品の紀行文の作者として終つたが、鏡花の場合も、あれ丈《だ》け作文に苦辛する彼がついのであるの説明臭を匂はせて畢つたのであつた。のである必ずしも常に悪いと

は決して云はない。今の若い文士のヒョロ〳〵とすつこけた末尾に至つてはかれ等の流連《りうれん》荒亡《くわうばう》後の姿みたやうで笑止千万である。かくいふわたくしも、知らずにのである癖をこの一文中にも已《すで》に出してゐるやも知れぬ。

第十一節　女仙譚

十八世紀の怪異談は、英吉利《イギリス》のマテュウリンでもウォルポオルでも、仏蘭西のキャゾットでも独逸のティイクでも、ゴシック・ロマンスでもロマン・ド・フェでもコント・ファンタスティックでもいはゆるテラトロジイでも、その後の作者作風に大なる影響を付《あた》へたことはいふまでもなかつた。そのやうに鏡花も亦《また》前代江戸文学の怪異談説から感化を色々の角度で様々の形相《けいさう》で受けてゐる。特にこの作品の後半のタッチが明らかに化政度以降の一般怪談物（それも南北劇ではなく）の語脈語韻が色濃く承《う》け継《つ》がれてゐるのが見のがせない。マテュウリン等はスコットに感化を付《あた》へ、スコットの構成はユゴオの『惨世界《レ・ミゼラブル》』を生み、やがて輓《ばん》近《きん》ホオフマンスタアルまで延びてゐる。ホオフマンスタアルは十七世紀の英国劇のアダプテイションをも試みてゐる作者である。キャゾットはノディエのやうな本国作者にとどまらず、ホフマンにもマテュウリンにも影響を及ぼし、ノディエは逆にホフマンやスコットからとり入れてゐるものが少くないと看取せられるが、かういふ相互影響がゴオティエやメリメエの佳品を産んだやうには日本では行はれなかつた。地理的にも言語的にもやむをえなかつたことであるが、宋元明清の影響は深く強いものがあり、今詳説はせぬが鏡花のみならず露伴の小説にも亦『水滸伝』の影響あることは別に已に述べた。

鏡花はメリメエに敬意を抱いて、「甲乙《きのえきのと》」の中にも「チュルヂス夫人」如きこの作者のものは机に端坐して読むべきであるがというてゐる。又「薺《なづな》」には「エトルリヤの花瓶」が三四行引いてもある。もし夫《そ》れ『オトラント城綺譚』や『メルモス漂泊記』などの英吉利ゴシシズム小説をも読んだらば、さぞ別の心法にてこれは又大《おほい》に面白がつたことであらう。（島田謹二君の調べではハウフやモウパスサンも取入れてあるものありといふ。）

ティイクの妖精は鏡花の妖とは勿論大にちがふ。ティイクの森のエルフは独自の性格と魅力とがあり、この芸術童話小説のエルフは自然力を象徴にしてゐるが、鏡花は『高野聖』と「眉かくしの霊」を例外として大概は市井巷中の人間生活に近い怪を怡《よろこ》ぶ。メエルヒェンではなくして草双紙の語調趣味を多分に帯び、それ丈《だ》けにとどまらず、而《しか》もその上に泉鏡花ユニイクのゴウスト・ストウリイを描く。あらゆるテラトロジイに興はあるが、フェアリ・テイルズでなくて広義のミステリ物の興味で、従つてゴオティエ風のポンパドオル式タペストリイの怪は好まれるが、アンブロオズ・ビアスのある物には興がなからう。ダンセエニの幽霊を談《かた》る談者それ自身が幽霊であつたとか、メリメエのブロンズのヸナスであるとか、キップリングの旅ゆく駕籠《かご》の怪などは、最も彼の好むところであらう。ハンス・ハインツ・エヱルスの木乃伊《みいら》の怪などの特に初《はじめ》の章などは、鏡花市井文体で粋に砕いて訳しこなすのが一番ふさはしからう。

惟《た》だ鏡花にも「女仙前記」とその本記たる「きぬぎぬ川」のやうな好箇のメエルヒェンが

あり、「二世の契」のやうな幻想談があることは特記しなければならぬ。後者は富士山麓に展開せられたる一大ハルシネイションで、こんな構図にも邦訳西洋浪曼派の布局《ふきよく》の影響があるかも知れぬが明らかではない。ただその幻怪の規模の大は、その浪曼要素がツルゲエネフよりも旧派である丈《だ》け、それだけ放胆により大きいと云へよう。

女仙譚は、北陸の山中にティイクの森のエルフよりも市中の塵気《ぢんき》に富むフェアリイを点出したもので、その立場はさながらフェアリイ・クヰンであるが、その超脱はスペンサアに及ばない。曲中人物の超脱といふよりも、作者の超脱如何《いかん》が気がかりになる場合である。独逸《ドイツ》の浪曼詩人のやうに、自然に対して睦《むつ》みもせねば離れもせず、その睦みは本とナツウラとフマニオウラとの対立感に淵源するもので、離るるものも固《もと》よりいふまでもないが、金沢種《だね》の江戸子《えどつこ》たる鏡花小史は、自然に全く縁のない江戸詩人とは又ちがひ、あの雲低く垂れこめた北陸空を意識の外に放下《はうか》しようとしても放下出来ぬ天縁《てんえん》の約束下に生れてゐるので、その小説（といふよりもロマン・ド・フエ）の中にも人は雪と戯れ、雪は兎といふ小動物を可憐に生みなし、その兎の存在が人間の宿命に示唆を付《あた》へるやうな仕草をとることすらある。鏡花文学中の異色たる女仙譚二種はティイクのやうに空想を掻き立てる底力を有《も》ちながら、ティイクとちがつた対自然の人間観を無意識のうちに確立させてゐる此作者の自由な空想に東道《とうだう》せられてゆき勝ちなモメントを多く持たされる。ティイクはフェアリイランドから読者を帰らせても、娑婆《しやば》に最も遠く、仙境には最も近い停車場で「お弁当はよろし、お鮨はいかが」とは決して呼ばせない。

鏡花の怪が凄いこはいより、美しい凄味が特色であることは、彼のメエルヒェン性から来るもので生来のものであり、怪が時としてユウモアを交へるは都会人としての彼の後天的な嗜好の所出《しよしゆつ》であらう。

そこへゆくと、スコットの怪はリアリスティックなさがの作者の仮染《かりそめ》の趣味若《も》しくはヤマとしてとり入れたもので、（谷崎君の妖術もこの範囲を出ない、）鏡花とは大《おほい》に異《ことな》つてゐる。よく査《しら》べたら詐術だつたといふやうな探偵小説の怪などは論外のもので、凡《およ》そロマン・ファンタスティックから見れば外道《げだう》である。科学の基盤に立つものも鏡花とは対角線上にあるものであり、アナトオル・フランスの諷諧《ふうかい》調も彼とは平行線上にある異種である。ポオは、科学に即しつつ同時に科学を衝《つ》き離してゐる妙な一面を自然に持つてゐるところが彼の文学の根本的の強味で、彼の文学はこの意味で二十世紀後半期にも大きくインフルエンスを付《あた》へつづけることであらう。ホフマンにも已《すで》に科学への懸念関心があつたことが明らかに看取せられる。

第十二節　常識の框

併《しか》し、この小説の出た二十世紀第一年以降今日に詣《いた》るも、鏡花ごとく真正面から真正直にウキッチクラフトの呪力を用ゐて恬《てん》として鼻白《はなじら》まなかつた作者は、日本は勿論中華にも英・米・仏・伊・独・露にもいづこにも無かつたであらう。寡聞《くわぶん》なるわたくしの管見には曾《かつ》て入らないのである。ポオやホフマンの唯今述べたやうな幽深の詩趣は鏡花には絶えてない。鏡

花は呪力をここに藉《か》り用ゐ、眉かくし小説ではアッパリションを出してゐる。その小説の末尾で

電燈の球《たま》が巴《ともえ》に成つて、黒くふはりと浮くと、炬燵《こたつ》の上に提灯がぼうと掛《かか》つた。

とあつて、そこは大へん好いが直ぐ次に

「似合ひますか。」

といふ霊怪の声をつい発音させてしまつて失敗してゐる。この場合に幽霊の声を、而《しか》も似合ひますかのやうな言葉を発声させるやうなことは、西洋怪異小説に絶えても無いことで、外国にあつてもなくても一向構はないが、その一言が折角築いた幻境をむざと毀《こは》して、較《や》や現実的に白《し》ら白《じ》らしい唐突なる滑稽感を感じさせる。而《しか》もそのあとの二行は、玉を列ねて布陣したやうな例の美しい文句で畢《をは》りを告げてゐるのであるから、如何《いか》にもこの一言が惜しかつた。

その二行とは、

座敷は一面の水に見えて、雪の気《け》はひが、白い桔梗《ききやう》の汀《みぎは》に咲いたやうに畳に乱れ敷いた。

といふのだが、ちよつと感じの受取りにくいふしはあるけれど、この拙劣な一言を前後に挿《はさ》んで佳句を成してゐることは争へない。この怪は雪に絡まる怪であるから、凄婉清素《せいそ》の怪がその特徴で、それをあらはす技術としてはこの前後にざつと難はないが、総じて彼の小説に、地の文と会話が時間空間に於て錯交《さくかう》してとりまぎれて仕舞ふ場合が少くなく、之《こ》れは一つの彼の文章構成上欠陥であつて、繰返して読み直さなくては、われ等のやうに永年鏡花物に読み慣れた読書子すらちよつと判りかねることが少くない。ここにもその錯交が見られる。尤《もつと》もこの錯交雑入は、固《も》と彼の文章法の異色特長と表裏した長短所であるのだから、強《あなが》ち一図《いちづ》にそれ許《ばか》り攻めるわけにはゆかない。

『高野聖』の女のマヂック的素性を末尾で談《かた》るのは前述の如く自然とはいへるが、構成上やむをえぬとしても、軽い感じに扱はれて了《しま》ふが、左《さ》りとて並一通りの古風なテエルズのやうに初めから談りだすでは術《すべ》がない。そこは脇役ながら松助のやうな馬牽き老爺の談り口が、更に一般地の文以上の精細を放つて欲しかつた処である。それは太《はなは》だ六《む》づかしい注文だが、構成が抜きさしならぬとすれば、かうも注文する外なく、已《すで》に注文に無理がないとすれば、この小説の一縷《いちる》の物足らなさは、只夫《ただそ》れこの一点に繫《かか》つて存するといふべきであらう。

鏡花物には、何かかう作品の空気が常識の框《かまち》を外れてゐて、時には作者自身かなり精神異常ではないかと思はれるふしが見ゆるといふことを云ふ人がある。

之《こ》れも見のがしてならぬ、文調語脈以上以奥の問題として取り上げるべきことで、おもふに自己の窄《せま》くして深い幻想の埒内《らちない》に始終栖《す》みなしながら、外面的自己は案外気安に腰のひくい一面があり、その間の撞着《どうちゃく》は彼の文学をして、ある時はエラティックにも妝《よそお》はしめ、エキセントリックにも走らしめるに至るので、芸術的自己の身振《みぶり》の定め方にズレが生じることは、生きとし生ける況《あら》ゆる徹底ロマンティケルの、この現人生に於ける生き方の上での常事である。

第十三節　ドウルヴィリイ

鏡花文章的なる非常識印象は、オウブレ・ドウルヴィリイにも存し、ハンス・ハインツ・エヱルスにも存するが、オスカア・ワイルドや芥川君には決して見られぬ。而《しか》も、夫《か》の鏡花が国民泉氏鏡太郎としては平穏無事に古稀天年を終へて妥《やす》らかに道山《だうざん》に帰《き》したに対し、此のワイルドや芥川が、一は巴里《パリ》窮巷《きゅうかう》に窮死なし、一は毒死自決するに終つたのは人生対照の妙をなすものであつて、文情のエラティックは必ずしも実歴のエラティックならず、文気《ぶんき》の分別あり顔は常に実歴終焉の深念後慮《しんねんこうりよ》ではなかつた。

ドウルヴィリイも、鏡花とひとしく、文に奇気あつて人はその挙措《きよそ》途方もなくて言語道断の素振《そぶり》あり、晩年は老衰してエスマンのやうにやや呆然となつたが、ユゴオが悪口したやうな formidable imbécile ではなかつたことはゴスが云つてもゐる。ラヴレスやボオ・ブラムメルに己を擬した dandy-paladin であり加特力《カトリック》センシュアリストであり、「仏蘭西のスコット」などいふ表徳《ひょうとく》は以ての外《ほか》のダイアボリストでもあつた。而《しか》も実は案外に常凡の生を八十年あまり綴り終へ、同じく「ビレイテド」バイロン派でもプウシュキンのやうな最後は遂げずに死んだ人で、その奇情はその人の内なるものの迸《ほとばし》り出た内部的発露であり、かかるさがの人は、外面生活が常凡であればあるだけ、やむにやまれずその内面では異常な情を強《し》ひても自ら遂げてゐるのである。ここにも凡《およ》そロマンティケルの心と行の秘密の一つがある。

ドウルヴィリイの『罪障冥加』はその『魔界集《ディアボリック》』の一篇であるが、美しい腰元に毒を盛られてその位置を奪はれて死んでゆく伯爵夫人の臨終の言葉は、憎悪と報復との常識を離れた奇警な語であるが、之《こ》れは大革命以前の仏蘭西貴族の気負へる誇りの一であるとともに、このエラティックを描く作者ドウルヴィリイのエシセントリシティの表出でもあり、更に又あらゆる浪曼詩人のエラティック性の直截な表現であつて、あたかも鏡花に於けるこのエラティックは、『風流線』結末の夥しい殺人（気弱な作者のフラトリサイド！）とも共通し、特に「外科室」の貴船伯爵夫人（偶然之れもマダム・ラ・コムテッスで）の手術の際の医師と夫人とにつながる罪と幸福とのセンスの絡み合ひに一縷《いちる》類似したるものがそのモティイフの中にある。

鏡花とドウルヴィリイとでは汎《あら》ゆる点で対照的な性格であるが、そのスティルに一点類同がつよいのが興味ある所以である。ドウルヴィリイは文人としてはゴスの伝ふる如《ごと》くんば、熱心な、奢侈《しやた》な、ひどく稚気《ちき》満々たる人物で、言舌もつとも爽かに、その言はその文のやうにパラドキシカルで、目も絢《あや》なるレトリック連発だつたといふから、この点は下獄《げごく》前までのワイルドに彷彿としてゐよう。

ボイドは彼が千八百四十年代のダンディイだつたといふが、ドウルヴィリイにはゴスのいふ「ノスタルジアの眸子《ぼうし》」を以て談《かた》つたるブラムメルに関しては『ボオ・ブラムメルとダンディスム』の一著あり、その加特力《カトリック》とそのダンディスムとは不可分のもので、同じくゴスが、ドウルヴィリイの作中女人に二つのヴァラエティズあり、一は尼僧で一は好色の牝虎で（いはゆる近代劇のパンサア・ウーマンともちがふ）時として二者は渾然《こんぜん》として一になつてゐるというたは至言に殆《ちか》い。

ドウルヴィリイの文学様式《スタイル》はブルウタルで凝り性で激越でデリケエトで苦がくて甘いなどいふ評が行はれてゐるが、ここでもわが鏡花小史とは大分ちがふ。ただその「美しい凄味」が共通してゐる。その美しい凄味の上の差異についてはここでは分析を差し控へる。ムウドに酔ふ強度のちがひとのみ云うておく。夙《つと》にスタンダアルを学んでその長篇『蠱惑』の地の文にもその痕跡が残るが、鏡花にはこのリアリズムの筆触は絶えてない。あればせいぜい硯友社風だ。ルメエトルが、ドウルヴィリイは「帽子の中に神を被つた」というたのはドウルヴィリイのサアド的加特力主義を巧みに釈義した言葉というてよろしい。又彼は仏文学に於ける加特力主義のドウルヴィリイ的不安不穏の伝統を伝ふるはレオン・ブロワだともいうてゐるが、この人のことはわたくしはよう知らぬ。とにかく妥協せぬこの加特力は同時にサタン的神秘道派でもあり、「悪魔にポゼストされた文人」といふ評は動かせなかつた。お怪《ば》けの鏡花は併《しか》し門徒や真言《しんごん》の正信者ではなかつた。モリス・ド・ゲランとは竹馬の友、シャトウブリアンとは旧友で、英吉利のバイロンと伊太利のアルフィエリとを崇拝し、サント・ブウヴとゲエテとを軽視し、ユゴオとは憎しみ合ひであつた。前掲ユゴオの語に対し一方ドウルヴィリイはユゴオを「天才の低能児《アムベシル》」と罵《ののし》つてゐた。「天才」の「低能」なるものか、「天才的低能」か、何《いづ》れにしてもユゴオの一点を衝《つ》いてゐる。実は罵つた当人も亦《また》、或《ある》ひは仇《かたき》以上にこの評言がブッチャアとしてでなく暖《あたたか》く見て当て嵌《はま》るであらう。常識を踏みにじるダンディイの一種である点では二者同一である。

　このやうなドウルヴィリイに対し、わが鏡花小史は戦々兢々として師紅葉に師事し、小心翼々として月末の「稼ぎ」の次第を小説中に報告して恬然《てんぜん》たる文人で、人に喰はれ通してゐるやうで、実は世の中を大《おほい》に喰つた面があり、潔癖で非妥協、篤信にして享楽的、摩耶夫人《まやぶにん》に対するその芸術的信仰は、狭斜煙花《けふしやえんか》の巷《ちまた》の婀娜《あだ》たる風情（この語を多く彼は用ゐた）の手弱女のたをやかな美の感念と帰一して彼の小胸に秘仏の如く畳み込まれてゐた。彼のスティルは明らかに明治已降《いかう》三代のダンディイ文章であつた。ろくにスティルの巧芸美を感得できぬ石あたま者などがよく鏡花の文章など称して長々と解題文中などで論じてゐるが笑止千万で、鏡花の美はイムビサイルの如くにして神巧、口語にして文語、最も喩辞《ゆじ》に長じた。そのアレゴリイは暗喩《メタフオ》も明喩《シミリ》もともに用ゐてゐること次の例証の如くである。「夜の帳《とばり》」とは前者で「人は草の如し」とは後者を斥《さ》すのである。プルウストは、この鏡花的シミリの喩語の初篇の間だけに六十余のつながりで肉附けと暗示性とをゆたかに万一せむと企てた文章道のアムビシャスな革新家であつた。

　鏡花の喩語の巧みなるや、新聞物の腰を下《おろ》して書いた平凡な長篇の中にも、時として（絶えずではない）不用意の内に洵《まこと》に巧みな適切な喩語、何々の何々の如く、といふやうな形容が発見せられる。マシュウ・プライオウは云《いは》く、「シミリは恋唄のごとく、多く描いて、何ごとも証しせぬ」と。之《こ》れでよろしいのである。紀行文「大阪まで」に、横づけに成つた汽車を暗喩法で描いて、

大《おほき》な黒い縁側が颯《さつ》と流れついた

と云つてゐる。小品「傘」には、赤電車が、シミリもて

黒雲に乗るやうに来た。

とあり、「朝湯」には明暗喩をつなぎ用ひて、怒つて去る事業家が

階子段の鳴るのが格子戸まで遠雷の如く轟いて黒雲を捲いて

去つたとある。同じ文に櫨《はぜ》、漆《うるし》の小さな紅が

夢の紅梅のやうに

とある。

『無憂樹』に

「あゝ不可《いけな》いよ〳〵。帰つちや不可いよ、姉さん。」とあはれな声なり。聞かないふりで曲《くね》つて立つ、末黒野《すぐろの》の女郎花《をみなへし》。

とある。

但し末黒野を秋の末と誤つて見立てたので偶《たま》まこの句光るのであるが、実際は末黒は春季に属する。又「露宿」には

雲の底で、天が摺半鐘《すりばん》を打つと思つて戦慄した。

とある。之《こ》れなどは印象的奇警にして図星妥当此上ない好辞といふべきである。「一葉の墓」には、樒《しきみ》の葉乾《ひ》からびて

月夜に葛の葉の裏見る心地す

とある。之《こ》れなど凄いまで衝《つ》き入《い》つた形容というてよろしい。「幻の絵馬」はさういふコンセッティズム百出の劣品で、出来は悪いが、

　鬼瓦が蝙蝠を吸つたやうな、へんてこな嚔《くさめ》、

とか、「恐らく魔界の蓄音器」などいふシミリが夥しい。鏡花の文はもと自ら生に酔へることを匿《かく》さざる詩人の文章である。プルウストと鏡花とは等しきシミリの天禀《てんぴん》を極度に正反対に発達させた詩人的作者であつた。かういふ妙辞は佳品にあるのみでなく、長篇愚作駄作中にも、河原の中の砂金のやうに光つてゐる。その点はシェレの長く間延びすぎた長篇詩中に、一点光る凄く素晴らしい佳句のあり方とほぼひとしい。

ドウルヴィリイの才能が晩《おそ》く発した点は鏡花とうらはらで、その才能を最も興味多い形式で示《あら》はした点は同一である。ポオル・ド・サンヴィクトルは評してドウルヴィリイのスティルは「虎の血と蜂蜜とがまじつて、奢侈《しやた》の美にみちみちたり」というたは当を得てゐる評であつたが、鏡花文はこれに対して「小羊《こひつじ》の血と灘《なだ》の春酒とがまじつて、怪麗《くわいれい》の美にみちみちたり」ともいふべきであらう。

第十四節　幸福な魚

「罪障冥加」には、オウト・クレエル・スタッサンという女剣士が、サヴィニ伯につき纏《まと》ひ

巧みに伯夫人を殺し去つて、後に結婚して事なく天年を終へたることに対し、評家ゴスはその平穏に暮せるは青春を杳《はる》かに延長し得たるものにして、之《こ》れはドウルヴィリイの神の祝福に関する特別のアイデアであるとなし、熱帯の森のはげしき水分に於《の》て蔓びゆく一本のすばらしい植物のやうだと云つてゐる。

なほ小説のモラルは悪を行うて罰せられずに終る壮厳といふべき気質の人が、その不公平について快活に「瀆神的なあつさりした冗談」を談《かた》つてゐる。この一つの plaisanterie としきや見ないといふ心理は、近代文学には珍らしくないことで、ひとりドウルヴィリイを待つまでもないが、肯《あ》へてこのやうな激語の中に、激語の形式を用ゐることによつてのみ、彼の哲学がよく示されるといふゴスの評言には略《ほ》ぼ共感を付《あた》へてよろしい。

鏡花にもこの種のパラドックスは意識無意識の中にリヤライズされてあつた。「外科室」の終りには

語を寄す、天下の宗教家、渠等《かれら》二人は罪悪ありて、天に行くことを得ざるべきか。

と言うてゐる。「朝湯」では

「一度、さつと朝湯に入れゝば。……別に仔細はありません。」

と、甥に通じたる妾《めかけ》について、その叔父なる能楽師が被害の旦那に肯《あ》へていうてゐる。之《こ》れが朝湯である。

一方ドウルヴィリイも古雅にして幽聳《いうしよう》な文を為す中に奇警の句が鏤《ちりば》められてある。

その日といふは、征《ゆ》く燕《つばくろ》をも遏《とど》むるてふ、くつきり晴れて輝《かゞ》よへる秋日和の一日《ひと》なり。あだかも聖母院の午《ご》の鐘声とどろきて、大釣鐘の殷々《ゐんゐん》たる響《ひびき》は重々しく川の水面《みなも》をさわたり、云々（日夏訳、以下同じ）

といふやうな地の文（談話なるも）も、それから罪ふかい女剣士の豹のやうな感じを、現実の動物園の豹の前に立たせて描き試みるそのあとの条《くだ》り。この人間豹のやうな女が「菫《すみれ》いろの手袋の十二の釦《ボタン》を外し、言葉もなくて、胆《きも》太くも檻の横木の間より手を差し入れ豹の鼻づらをはたと打つ」あたりの描写は、鏡花の妖異文章を以て訳出したならばさぞといふ所である。「ああ、豹対豹だ、繻子《しゆす》は天鵞絨《ビロード》よりつよいよ。」などと医者がいふ所が印象的である。談話体といふもその叙景は普通文体のやうに細かく慎密《しんみつ》であることは、ドウルヴィリイも鏡花小史も相似てゐる。イマジネイションと感覚とがともに鋭くて、その絡み合ひが感性的妖異の情を沸き上らせ、その背後に彼等の妖異興味が、かの仏人では多くの理智を交へて、この邦人では努めて反理智的に、而《しか》してともに自己中心的なタッチの作文感覚でうごいてゐる点はほぼ相等しい。鏡花は日本的単純な正義感が常に底にある一方、弱く正しき者をいぢめ抜いて悲惨な境涯に落《おと》す草双紙戯作者的残忍の間に、悲惨なるが故の、弱きが故の美しさを欲望する心持も常にうごく作者である。

ドウルヴィリイにも勿論それがあり、而《しか》も「罪障冥加」ではそれに今一つ理念が添へられてある。

「先生」と伯夫人は憎悪にみちし声あげて、「わたくしが死ぬるのは嘘間違ひでは厶《ござ》りませぬ、罪悪故で厶いまする。夫セルロンが腰元ユウラリイに打ち込みまして、それであの女子奴《をなごめ》がわたくしに毒を盛りました。いつぞや先生が、あのをなごは腰元にしては些《ち》と別嬪《べつぴん》すぎる哩《わい》など仰有《おつしや》りましたけれど、その時は気にも留めず居りました。それが間違ひで厶りました。夫はあの憎らしい毒婦めにうつつを抜かし、このわたくしを殺させました。あの女よりも夫の方が罪深いわけといふのも、あの女に想ひを懸けてそれ故わたくしをたぶらかしたからこそで厶ります。この四五日この方、寝台を横《よ》切《ぎ》つて投げ換《かは》すふたりの面もちが思へばその警《いまし》めで厶りましたのに。云々

といふ伯爵夫人の臨終の言葉、少しその後の条りで

わたくしが亡《なくな》りましたその後で、サヴィニ伯がその妻を殺したと評判になることは好みませぬ。あの人が重罪裁判に掛けられて、召使の毒殺犯のあの姦婦との共犯を咎《とが》め立てせ

られることは好みませぬ。この身に帯びてゐるサヴィニ家の旧家名に、そのやうな汚染《しみ》をよう点《つ》けたうはムり《ござ》ませぬ。

といふ嫉妬に打ち勝つて強くなる貴族の女人の性格は、本とドウルヴィリイの嗜《この》む所、而《しか》して之《こ》れも鏡花の好みでないことではなかつた。何となれば、そのやうに本能を一つの感情や理念で捩《ね》ぢ曲げて満足する所作は、貴族や都会人に特に見らるるプロギンシャルな特質であり、それらの属《ジイナス》に位する作者の必ずしばしば好んで扱ふテマでもあるからである。

併《しか》し、その姦婦姦夫が善悪の世評の彼岸にあつて平穏に余生を送つて、小供はなく、そして「不仕合せ女にとつては小供も佳いものでムいませうよ。」と侮蔑の語調でものいふ女剣士。「罪人とはいへ、この女には心牽《ひ》かる丶」といふ条りで長話を終へる話し手の医者。かういふ型は決して鏡花文学中の人物ではない。しかし亦《また》必ず些《いささ》か似たふしはあつて、而《しか》も亦大《おほい》に根本にちがふふしが別に存する。ここがかのジュル・アメデエ・バルベイ・ドウルヴィリイと、わが泉鏡太郎・鏡花小史との異《こと》なるふしである。

罪びとにも心牽かるるは、人間性の強みか角度の奇想か、若《も》しくは道徳の彼岸に達した一種の美であるが、鏡花の文学にも、例へば『風流線』の大量の殺人の背《そび》らには、作者のノン・モラルとかイモラルとかいふのでない、アモラルな心のトオンが明らかに看取せられる。之《こ》れは不消化な西欧デカダンス文学の影響ではなくして、本能的に美に対する憧憬《しようきよう》や礼拝の心法がくつがへされたり裏切られたりした後に生じる心調の陰翳であつて、「楹桴《まるめろ》に目鼻のつく話」には更に幽妙に根つよく（その作品が一向うまくもないに拘《かかは》らず）その反道義的ムウドがただよつてゐる。作品を作りながら、イロヂカルな点や歪みや捩りに気をつけてシミトリイをとり乍《なが》ら添削を加へても、尚且《なおかつ》この作者にはこのやうなシュティムムングが夕かぎろひのやうに漂ひ寄るのであらう。この点を比較すればドウルヴィリイよりも一層中世的で前ルネサンス的で生来的なる美至上感覚の所有者鏡花の抒情の特性が認められる。

鏡花は『風流線』の大尾《たいび》で、あの弱気な眇《べう》たる優《や》さ男がと想はしむる程の酸鼻極まる殺人を敢行してゐる。この浪曼者のフラトリイサイドでありマトリサイドである。『婦系図』や「紅雪録」にも血腥《ちなまぐ》さがつよい。白粉《おしろい》に塗《まみ》れる鮮血である。ドゥルヴィリイの同情は、悪を人生の花として感じとる立場のボオドレエル的詩情であるが、鏡花に於ては東洋的善悪の応報が根本にあつて、直ちにコオザリティとして現じずとも、何かの迂路を経て死にまでいつしか結びつけられる糸筋が必ずそこにはあるので、その理念は一往《いちおう》単純なものにすぎぬのであるが、死を美しく感じとる浪曼派一般の感懐《かんくわい》は彼にもつよく作《はた》らいてゐて、美しきものは脆《もろ》く、而《しか》れども永劫であるといふ浪曼者の「詩」が彼の散文の中に不断にうごいて、その宿命の曲中人物を美しからしめ強からしめ久《く》遠《おん》ならしめもしてゐる。「身を投げたのは潔い」（縷紅新草）といふのは作者胸中の心法の吐露である。「丁山さんの、おいらんだよ」といふ叫びは、この詩人の生そのものに向つて吹きかけた啖呵《たんか》であつた。自然主義を濾過《ろか》しなかつた意味では鏡花もドウルヴィリイも旧浪曼者であつたが、ドウルヴィリイはネオ浪曼的に片《かた》脚《あし》かけ、鏡花は依然としてパレオ浪曼派の幽水の中に晏如《あんじよ》としてあぎとふ幸福な魚であつた。

第十五節　グルモン的批判

ドウルヴィリイを以て、ダンディ中のダンディ、木乃伊《みいら》化された不滅の脂粉客《ボオ》、その作中の人物ブラッサアルやメニルグランの原型となすといふゴスの評は、併《しか》し此《この》人の人と文とを双方等分に抱き合せて感得した印象語で、鏡花は之《こ》れに対し、文だけ見れば稀代のダンディ、逢うてみれば番丁《ばんちやう》の借家の二階に莨《たばこ》くゆらす、挙措軽々しい平々凡々の市井人、それを抱合した印象とてドウルヴィリイとは全く異《こと》なるものがある。心地よく悪魔に魅せられたドウルヴィリイというたルメエトルは、筆を翻してこの東洋の文人に関し快く眉かくしの霊に魅せられたるムシウ・キヤウクワとは能《よ》く得云はぬであらう。かの仏人がその密教に根本的に浪曼的にして想像力的な興趣を濺《そそ》いだに対し、この日本人はわが幼時の甘き回想に於てのみ、その母とアイデンティファイされて了《しま》つた摩耶夫人《マヤブニン》の浪曼的信仰をつよくはないが一縷《いちる》たしかに一生棄てなかつた人であつた。異端的彼のは、加特力《カトリック》本来の信でなく、煙火巷中の人の此《これ》は、尋常一様の兜率天《とそつてん》信仰でない。ドウルヴィリイの加特力サディズムは今日の日本青年が解すること却《かへつ》て易く、鏡花の怪異篤信や摩耶夫人信仰をよく全的に解しうる戦後の青年は、さて幾人ありや否や。

これには略註の要がある。ドウルヴィリイ的サディズムやディアボリックは、その後多くの仏蘭西作者に手掛けられた上に輸入せられて、物真似上手の日本の作者、谷崎君のやうな純作者から大衆俚《り》俗《ぞく》中間物作者が之《こ》れをそのあたまの程度に俗解浅釈したものが通俗小説や活動写真に氾濫したので、筋としては、も早《は》や日本読者はドウルヴィリイにもシュオブにもビヤスにもエヱルスにも今日已《すで》に一向驚かない。ただその歌口《うたぐち》、譚《かた》り口の上下甲乙に就ては十分に鋭く感覚する準備は有《も》たない(3)。

然《しか》るに鏡花の古色したたる旧信仰は、この邦《くに》の青年には寧《むし》ろルネサンス以前的存在で、霊恠の客観的存在性は彼等には夢以上のたは言《ごと》であり、人《ひと》化して馬になるは一片のメエルヒエンであつて、稚《いとけな》き思ひ出の沁み込んだマタアナル・ラヴと超自然的汎神的信仰と騎士的慇懃《ギャラントリィ》との複雑に混淆《こんかう》した心理に裏附けられた摩耶夫人を代表的アイドルと見做す篤信的感情の絶えざる縷《いとすぢ》などは、かれ等にとつては例の口癖の「封建的」（進歩的でない。彼等は進歩的とは十九世紀的陳腐な唯物論的世界観を斥《さ》すのであるが）なる残滓《ざんし》にすぎないものとなし去つて了《しま》ふ。それ以上の考察は彼等には為し得ない。為し得まい。

鏡花の難解は之《こ》れ丈《だ》けにとどまらぬが、鏡花的スウパナテュラリズムの理解そのことは、判る人には十分判りうることで、その数は今日の日本と雖《いへども》少くはない。判りにくいとなすのは寧ろその文章美で、文章のエマスン的エランもあれば、センテンスの長さの感じの問題もあり、形容の措辞のアアケイズムに含まれるニュアンスのプレシオジテの微妙といふこともある。さうなると一鏡花にとどまらず、凡《およ》そ高級な文芸におさらばを告げてゐるのではあるが、特に鏡花の空想と感覚との混り合ひの美が、草双紙的ディクションで表現せられてゐる条《くだ》りなどは、その美の本質が古きが如くにして新らしいが故に余計に判りがたい(4)。

ドウルヴィリイのスウパナテュラリズムも内に情熱を罩《こ》めて、かのスコットのやうな冷たいタッチのプロフェッショナルな下心の構成ではない。猟奇に傾いても、傾けば傾くほど却《かへつ》て到底ひろく読書人の嗜読《しどく》する底《てい》のものでない。よつて、その小説では衣食出来ず、その浩瀚《かうかん》なエラティックな批評文で糊口《ここう》を過《すご》した彼は、そのためにひどく宿敵を作つたと評伝家は伝へてゐるが、その点は鏡花には全くなく、むしろこの文の筆者の身の上にどうやら似てゐるやうすである。一笑。

毒舌サント・ブウヴと雖《いへど》も、傲岸《がうがん》にして才気煥発の器《うつは》と彼を評し、グルモンは十九世紀文学中最もオリヂナルなる人材の一人と評したが、鏡花に対しては前者は全く当て欲《はま》らず、後者は世紀さへ改めれば全く一致してゐる。而《しか》もこのグルモン的批判を鏡花の上に加へた批評家は、三代文芸批評史中今日まで不思議にも一人もなかつた。これは Curiosity in Literature といふものである。仍《よ》つてわたくしが肯《あ》へて筆路《ひつろ》それをすこし為さむとしたものであるにすぎぬ。

（今日も文学の神とか鬼とか夜叉とか軽々しく名附けられる化物が文壇の泥沼にもあるやうすであるが、それは一つの半善悪的ジョークといふものであつて、実は今どきそのやうな奇特の存在などは在りはせぬ。鏡花やドウルヴィリイは、今の和製の末社神や牛頭馬頭《ごづめず》を杳《はる》かに超えて、恒《つね》に惨として文学のスウパナテュラルなる存在であつた。ともにそのさがにしては長命したのが一奇であつたが、惟《おも》ふに目路《めぢ》の限りの彼岸に、一つの超自然的にしてたやすく現実の霜露に虐げられ難き不屈の目途《もくと》がいつも仄明るくあつたからであらう。）

第十六節　別天地

何としても高野聖小説は当年最も卓《すぐ》れた鏡花物であつたのみか、明治卅三年二月といふ発表の月は、外《ほか》に彼にも文壇一般にも目星《めぼし》い佳作のない実りなき月で、彼には「女の輪」（太陽）といふ怪談と銘打つた凡作があつたのみ、前月の一月には、「名媛記」（活文壇）と「弓取町人」（ふた葉）とあるのみ。之《こ》れ亦《また》凡品にすぎなかつた。三月には「榾物語」（太陽）がわづかにあり、五月に至つて「湯女の魂」、八月に至つて『三枚続』が大阪毎日に掲げられ、この歳は外に「女肩衣」（帝国文学）と「葛飾砂子」（新小説）と「政談十二社」（小天地）とを記録するに足るのみ、傑作として聴《ゆる》されるは『三枚続』の外にこの『高野聖』があるばかりであつた。

一般としては、露伴『椀久物語』後篇、紅葉「東西短慮の刃」、『寒牡丹』が一月に、二月はなく、蘆花『思ひ出の記』が三月に、鏡花の『照葉狂言』が之《こ》れは四月に単行されたものであるが、発表は二十九年十月から読売に掲げられた。五月は天外『はつ姿』、六月になく、七月に露伴「太郎坊」と淡島寒月「馬加物語」、天外「楊弓場の一時間」、八月に嵯峨之舎「田舎美術家」（ツルゲエネフの猟人日記中の一篇の翻案だが、それは非常に卓れた彼の翻案物である）、九月になく、十月に独歩「郊外」、十一月に独歩「小春」、十二月に無かつた。

かう見てくると、『高野聖』は彼及び文壇のこの歳唯《い》一の傑作として允《ゆる》さるべく、わずかに露伴紅葉は別として、独歩、嵯峨之舎、寒月など謂はば場ちがひの素人上りが、却《かへつ》て留目《りうもく》するに足る好品を公けにした文学上一つの奇異《アンヌス・ミラビリス》なる年であつた。

鏡花の『三枚続』は佳品で、「葛飾砂子」も精品と称せらるべく、しかも共に『高野聖』には実価《じつか》も世評も及ばなかつた。世評は兎《と》に角《かく》、実際の文学価値としては、勿論《もちろん》『高野聖』が一段卓《すぐ》れてはゐるが、彼の創作力のヴァアサティリティを示《あら》はすものとして右二作も必ず亦《また》並び引証するを佳とする異色の水際立つた好作品であつた。

この三篇で鏡花は卓然《たくぜん》として大作者たるその腕前を夙《はや》くも試《ため》し済みであつた。紅葉在世の砌《みぎり》、而《しか》もその翔ぶ鳥おとす全盛の比故《ころゆえ》、彼は我が腕前の自信の程もよくは自ら悟らず、一《ひと》たび師匠の前へ出てはさながら、一期半期の年期徒弟筋のやうに恟々《きようきよう》としてゐたが、その創作力の卓抜は、既にこの歳の紅葉の「短慮の刃」を杳《はる》かに凌《しの》ぎ、「茶碗割」を遠く突き離してゐた。

之《こ》れが仏蘭西あたりであつたなら、いや今日の敗戦革命後の日本であつても、如何《いか》に師承《ししよう》の感恩《かんおん》が情として勁《つよ》くあつても、一方自己省察と批判との操作の末勢《まつせい》として、いきほひ紅葉に対する外に表れた心的態度にも何かの変徴が已《すで》に見ゆる筈だが、面白いことに夫《そ》れが殆ど全く見られず、師紅葉はその死後六十歳になつてもいつまでも恐《こは》いお師匠サンで、批評を挿《はさ》む心の余地はとても無ささうに看《み》られた。かくの如く子飼《こがひ》弟子的に全く批評的精神といふものを欠いた近代作者はまことに稀有にして珍らしい。

対他批評のみならず、自己批評も一見後出の近代人とは全然異《ことな》つた他律的人物のやうにも見えるが、ここには自《おのづか》ら別天地があり、この郭落《くわくらく》たる別天地あればこそ鏡花は、明治大正昭和三代を貫く鬼才卓《すぐ》れたる稀有の文人として自らを確実に位置附け得たのであつた。この別天地は極端に潔癖なセルフ・プレザヴイションの密房《みつばう》であつて、ここに実はセルフ・コントラディクションを揚棄《やうき》する力量も籠《こも》れば、自負心のあらはれとしての自衛も成立つ。自己をのほほんと放擲《はうてき》し去つた生活を樹《た》ててゐて、而《しか》も自己をいさぎよくその場で適時に拾得してゐた一人の文人の例が、泉鏡花といふ三代稀有のパレオ浪曼子であつた。

註

（1）二十世紀的でないスウパナテュラリズム作者といふ見方は、鏡花にリアリズムの欠乏を算《かぞ》へる、すなはちリアリズムを揚棄し去らぬ旧浪曼的なる作者であるとする筆法であるが、鏡花はいはゆる生え抜きのリアリストではないが、硯友社風の写実精神はその師匠伝来のもので、紅葉の玄関子であつた比《ころ》から年期奉公の徒弟の如くたたき込まれたものであつた。明治三十年代の頃写実手法と一口にいうても、紅葉のそれと子規のそれと方法精神に大差があつたは言を俟《ま》たない。鏡花はその一生を、かくまでに幻法派的賦色《ふしよく》構成に徹底して空想の花火を打ち上げることを怠らなかつたが、その花火の艶光《つやびかり》星として開いた妖怪や亡霊の描写にも、十分その独自の写実手法を用ゐることは忘れなかつた。

故人となつた鏡花未亡人は、その亡夫に就ては口を噤《つぐ》んで濫《みだ》りに他人に談《かた》らなかつたたちの人であつたが、熱海在世の砌《みぎり》某日偶《たまた》まA社長の嬢子に向つて、亡夫鏡花が小説中に取り出す霊怪の描写の下拵へのために、細君をして棒の突端に芝居の怪し火のやうな火を点《とも》させて、窓から外へ突き出さしめ、幾度も火を上下左右せしめて夜陰に燃えるその火色をよく繰返して打ち眺めて初めて筆を執つたと談《かた》つたといふ。こんなアネクドオトは、故《ことさ》ら芸苑の美事として伝はるべきでもなんでもないが、空想的に一抹の下に速かに描き下された文章らしい感じの鏡花文の出来上る底には、このやうな鏡花らしい鏡花染《じ》みた苦辛が存したこともあつたといふことは一応知つて居てよろしからう。

（2）岩見武勇伝に就ては、岩見武勇伝考を近く発表する故それに就て参看せられたい。

（3）活動写真の怪はうまく功を奏すれば独逸映画の如く大《おほい》によろしく、俗に下《くだ》れば日本映画の如く汚なくて下卑て到底見てゐられない。ハンス・ハインツ・エヱルスは「維納《ウィーン》の大学生」で影を売る伝説を映画化して、十種にも及ぶ先人の同モティイフ小説の間に伍して能《よ》く功を成した。影を悪魔に売る説話は、シャミッソオのペエタア・シュレミイル外《ほか》十種已上《いじやう》を算するが、輓近《ばんきん》のエヱルスがアレンヂしたる映画まで籠《こ》めて、その説話のモティイフのスウパナテュラリズムは、何《いづ》れも大体、人馬に化す化せしむの超自然の程度とちがひはなかつた。鏡花は「三人の盲の話」のなかで

上へ五本めの、一つ消え残つた瓦斯燈《がすとう》の所に、怪しいものの姿が見える……其《それ》は、凡《すべ》て人間の影を捉《と》る、影を摑む、影法師《かげぼふし》を啖《くら》ふ魔ものぢや。

彼めに影を吸はるれば、人間は形瘦《かたちや》せ、萎《な》められれば気衰《きおとろ》へ、蹂躙《ふみにじ》らるれば、身を悩み、吹《ふき》消《け》さるゝと命が失《う》せる。

凡《およ》そ、月と日とともに、影法師のある所、件《くだん》の魔もの附絡《つきまと》はずと云ふ事なうて、且《か》つ吸ひ、且つ萎め、蹂躙る。が、いづれ其の人の生命《いのち》に及ぶには間があらう。

と書き又

今夜……汝《こなた》が逢ひに行く……其の婦《をんな》の影を捉《と》らうと、予《かね》てつけ狙うて居《を》るによつて、厳《きび》しい用心、深い謹慎《つつしみ》をしますやう、云々

と云はせてゐる。此《この》モティイフは東洋のものでないらしい。或《ある》ひは友人の独逸学者にでもシャミッソオなどの梗概でも聞いてゐたのであらうか。そしてそれを応用し脱胎《だつたい》させたのであらうか。構成の出来栄えはよろしいが、極佳品とは云はれない。「消えたる瓦斯《がす》に、幻や、杖《つゑ》の影」のやうな美文の詠嘆調がふさへる如く、この作品は若《も》し西洋であつたなら必ず韻文で物されたであらう。併《しか》し鏡花なればこそこの作品をこの度合までよく構造する心法がうごいたといふべきであらう。

（4）　スウパナテュラルを描いた文学のうちで、特にその事件よりも思惟《しい》に作者が興味を有《も》つて、もしくは有ちすぎたため、思想と事件とを等分に見て、前者の方を余計に解説することに終つた作品に、バルザックの「セラフィイタ」がある。バルザックは明らかにその写実手法を用ひながら、スヱデンボルグ的思考に魅了せられてゐる。魅了せられながら、（ハラでは抗《あらが》ひながらも）リアリスト・バルザックはそれを資材として扱つたつもりであるが、ここでは此《この》大作者は舞台取材が舞台取材故《ゆえ》是非もなく全く負けじとして全くかの瑞典《スウエーデン》の大科学者大見神者に打ち負けた観がある。そのバルザックから見たら、お怪《ば》けの鏡花のごときは、白粉箱《おしろいばこ》のなかからミミズの怪《ば》けものでも出した頓狂な辺土《へんど》日本の作者にしか見えまい。ここが両者のちがふ所、依然として鏡花小史の興がるべきところである。「セラフィイタ」は小説としては退屈なつまらぬ作品だが、ス

ウパナテュラル文献としては太《はなは》だ面白い稀有の作品である。しかるに、鏡花の霊怪作品は、作品としては「眉かくしの霊」でも「火のいたづら」でも「三味線堀」でも「ささ蟹」でも皆面白い精品高品佳品だが、スウパナテュラル文献として算《かぞ》へようとしてもつひに一向面白くも何ともない。しかしその読本草双紙興味に彼が引つかかりすぎたからだとは決していへない。草双紙読本調がなかつたら、蓋《けだ》し鏡花といふ文学的存在は世界文学の上には生れなかつたであらう。それはそれにてよろしいが、只超自然現象に関はる限り、鏡花は篤信的にして些《いささか》の科学的探究心も持たなかつたから、その霊怪像は昔の草双紙の瘦身蒼顔柳腰《やなぎごし》を一歩も出ないのはやむをえないことながら、単調といへば是程単調なことは無い。文学上ゴウスト・ストウリの興味から見ればこの単調は多趣味のものとは云へない。ただデウス・エクス・マキイナが出現するやうなことはないが、草双紙では之《こ》れが読者の正義感を満足させてヤンヤと喝采を受くるのである。鏡花は救助神としてのカラクリ神《デウス・エクス・マキイナ》を要せずして（この芝居道の拉甸語《ラテン》は劇作者のヘタな舞台技巧といふ程の意にも使用せられてゐるのである）作者の気持ちの救ひ神として、怨恨の的よりも審美的満足のミディアムであるかの如くに用ゐられる。さういふ使用の場合が草双紙にもあつて、その点のみがこの唯美的浪曼詩人の興をそそつたのであつた。この選択にはこの作者の文学上プレシオジテが操作して居り、このプレシオジテは文学史的に有意義でないことはないが、劃期的な何物をも別に附与する底《てい》のものでもない。その点鏡花は淡として保守的であり無反省であつた。併《しか》し、文学上エフェクトとしては、よく動くマテュウリン一派ゴシシズム作者のゴウストよりも概して根本的であつた。この根本的である感じを与へる所以は、鏡花と霊怪との二つの世界の二つの存在の間に結ばれる因縁の本質的なるものがあるからに外ならない。其処へ行つたら、スコット如きは、霊怪の側から申せば、一箇の杳然《えうぜん》たる縁なき衆生《しゆじやう》にしかすぎないであらう。ブレイクの如きも鏡花の立場にほぼ近い。羅両峯の鬼図は本《もと》より見たことがないが、まづこの方の側であらうと推及せられる資料がある。往年応挙の幽鬼図の相当の佳作を信劦北原家で一覧したが、ブレイク等のディヴォウションには杳《はる》かに遠い人のまことに巧妙な絵画といふ程度のものであつた。かういふ巧妙が、文学の上ではゴシシズム作者やスコット一派やバイロンにすらも出てゐるが、すべてコント・ファンタスティックの本道の上からは邪宗的といふものであつた。

補註

人、馬に化す荒唐無稽を楽しむ文学心理への基盤には、中世期に女猫に化す常識があつた事を思出《おもひだ》す必要がある。ユイスマンの『彼方《ラ・バ》』に、ヂュルタルは小女が猫の様態そつくりになつた事実をあげ、近代科学悉皆《しつかい》の努力は昔の魔法の発見の是認にあると云うてゐる。犬神や狐憑きは日本民俗学も多く報告してゐるが、われらの祖先から凡《およ》そ文学の超自然に淫浸する心情には、不可能を可能に導く憧れ以外に、等しく此《この》テルラ遊星からわいた蛆虫《うじむし》相互間に於ける万法相感《コレスポンダンス》の度合への詩的模索が精妙に作《はた》らいてゐる。この探索は浪曼文学の宇宙論的近寄りの一証で、学的寄与に無関係なことはその美的評価に拘《かかは》りはない。

又云《いは》く、『聊斎志異』造畜の章に、人を化して家畜とする術を称して造畜といふといひ、河南地方にもつぱら有るといふとある。

人《にん》外《がい》

高原英理

1　「人外」の心――中井英夫、江戸川乱歩

人外《にんがい》というと人倫に外れた人でなし、人非人、あるいは人交りのならぬ下賤な輩《やから》と解されそうだが、この言葉にはもう少し自分で自分の優しさ悔しさを身に沁みて知っているニュアンスがあり、誤って地上に生を承《う》けた思いの強いひとほど共感する言葉であろう。（エッセイ集『地下を旅して』所収「人形への惧れ」より）

中井英夫はアンチ・ミステリ『虚無への供物』や幻想小説集『とらんぷ譚』で知られるが、その最初の作品集に推薦文を寄せた澁澤龍彥によって、ゴシック・ロマンスには一家言ある人、としても紹介されていた。

ここからは内面的な問題としてのゴシックな自己像について考えてみたい。

そこで特に用いたいのは、中井の告げた「人外《にんがい》」という語だ。

前掲部に続けて中井は「ここにいう優しさもまた原義の身の細る思い、ないしは恥ずかしさ、みっともなさをいう」と加え、さらに江戸川乱歩の『影男』冒頭あたりに用いられたその語を引用している。それはボロをまとったアル中の五十男によって発される言葉だ。


「ほっといてくれ。おれは人外なんだ。人外とは人間でないということだ。お前さんにゃ分かるまい」

（中略）

「そこいらのみんな、聞いてくれ。人外というものを知っているか。ここにいるおれがその人外だ。人間の形をして人間でない化けもののことだ」


これを見ると江戸川乱歩にはとてもゴシックなセンスがある。だがそれは整合性をもった態度としては考えられていない。たとえばこの場面でも、悲しくもおぞましい「人外」であることを、そうでない普通人の皆の衆に訴えかけてどうなるというのだろう。ここではただ、どう見ても単に社会から落伍した凡人でしかない男が自己の価値をこういう負の形で主張しているだけにしか見えず、しかも、その価値などあなたたちにわかるまい、という言葉を他者に聞かせようとするのはただの甘えだとも言える。もちろん乱歩はこれを都会の一風景として書き添えただけで、読者にこの男の価値を認めさせようとしているわけではないが、しかし、だとすればわざわざ「人外」と言わせるのは何か過剰で、そこには乱歩の、「人間」を降りてしまおうとする者への密かな共感があってのことだろう。つまりこの言葉は、いかに普通らしく暮らしていても、実のところヒューマンなものに背を向けたいと感じてやまない「人でなし」を志向する自身の、他人の言葉を借りての自覚なのだ。人形愛をテーマにした『人でなしの恋』の作者らしく、である。なお、その題名にある「人でなし」は一般に言われる「薄情・人としての値打ちもない悪人」といった意味ではなく「人間の世界の外に目を向けてしまう異端者」を意味していた。

中井英夫の言葉に戻れば、これは乱歩が脇見をしながら語った片言を真正面に見詰めて語り直したものと言える。だがこれさえも、声高に語れば乱歩描くアル中男と同じ矛盾を演じてしまう。自らを、人の形をしながら人でないと感じるにしても、それは秘められた内なる悲哀としてのみあるはずで、他者に向けて主張する理由はない。むろん中井はそのことがわかっていたから「身の細る思い、ないしは恥ずかしさ、みっともなさ」と言い添えているのだ。

「人外である自己」を感じる、とは決して他者に誇示できることではなく、ただひたすら何かを欠落させた「人交はりのならない身」（これも人外の心を多く描いた人、三島由紀夫による『仮面の告白』から）である自己をうとみ、一方でそれにもかかわらず自分も人間の限界内にしかないことを恥じ、絶望する心の動きである。

まずあるのは自分が十全な人間になれないことへの無念の自覚だ。だが同時に、ただ人間であるだけでは満足できず人間以上の何かを求めてしまう自己のどうしようもなさへの嘆きをもそこに見たいと思う。後の方の自覚からは人間的ななまぬるい情感と感情吐露を厭い、鉱物のような永遠性を持つものに憧れるといったドイツ・ロマン派的想像が生まれてゆく。

2 フランケンシュタインズ・モンスターの「人外」

中井によれば「誤って地上に生を承《う》けた思いの強いひとほど共感する」という「人外」の心は、やはり『フランケンシュタイン』のモンスターの言葉として考えれば納得がゆく。次がそれだ。

『おれが生を受けた日こそ憎まれてあれ！』と、おれは苦悩のあまりに絶叫した。『呪われたる創り主よ！　なぜおまえは、自分でも嫌悪を感じて顔をそむけるほど、それほど醜い怪物を作ったのだ？　神は、あわれんで、人間を美しく、魅力的に、ご自身の姿に似せてお創りになった。だのに、おれはおまえの姿にきたならしく似せられてあり、似ているからこそ、いっそう恐ろしくさえある。セイタン（註：サタン）には、悪魔同士のつれがあり、賞讃や激励を与えてくれた。が、おれは孤独で、毛嫌いされているのだ。』（臼田昭訳）

怪物が自分の創造者ヴィクター・フランケンシュタインにその責任を追及するところである。語りかけられている「おまえ」とはフランケンシュタインその人をさす。

今更言うまでもないことだが、「フランケンシュタイン」というのは人造人間を作りだした科学者の名前であって、作られた者の方には名前が与えられておらず、怪物、としか書かれていない。よってフランケンシュタインのモンスターと呼ぶ以外に彼をさす言葉はない。

名さえ与えられなかった人造人間は、フランケンシュタインによって複数の死体の器官をつなぎあわせ、特殊な電気を通すことで生を与えられたものの、創造者自身に捨てられ、荒野を彷徨うこととなったのだった。

しかし彼は、さまざまな経緯から言語を覚え文字を覚え、人間社会と歴史に関する知識をも得、思索することを知り、偶然所持することとなったゲーテの『若きウェルテルの悩み』、プルタークの『英雄伝』、そしてミルトンの『失楽園』を読み、今や知的には優れた存在であるばかりか、普通人と変わらない感情を持つ。

なお、メアリ・シェリーによる『フランケンシュタイン』は、映画としてはよく知られているが、往々にして原作と微妙に異なるストーリーであるので確認の意味から原作を簡単に紹介しておく。

北極探検に来ていた語り手は、そこで氷山に乗って漂流する男性を助ける。彼の名はヴィクター・フランケンシュタイン。ジュネーヴの名門の出であるという。彼の告白が以下続く。ヴィクターは大学で科学を学ぶうち、生命誕生の神秘に憑かれ、自ら新たな生命を造りだそうと考えるに至る。人間の死体を掘りおこしてきてつなぎ合わせ、遂に人造人間を完成するが、それはひどく大きく醜悪な怪物であった。その外見に怖れをなしたヴィクターはこれを置き去りにしてしまう。捨てられた怪物は森に隠れ住み、自力で衣食住を確保し、さまざまな経験を積みつつ情緒的・知的に成長する。だがその醜さにより彼を見た人々からはひどい迫害を受ける。怪物は怒りと絶望から彼らの住居に火を放ち、このような自分を捨てたヴィクターへの復讐を決意する。彼は偶然出会ったヴィクターの弟を殺し、その子守である純真なジュスティーヌに疑いがかかるよう細工する。ヴィクターは自分の造りだした怪物が犯人だと直感するが自らの責任を回避し、ジュスティーヌが無実の罪で処刑されるのを放置する。遂に怪物はヴィクターのもとへ現われる。怪物はヴィクターに「親」としての責任を追及し、ヴィクターもその正当性を認める。そこで怪物は伴侶となる女性の創造を要求し、それがかなうなら人間の土地から離れて住むことを約束する。ヴィクターは要求をのみ女性の人造人間を創造しようとするが、しかし邪悪で醜悪な怪物が増殖することへの怖れから結局怪物との約束を破り、女性の人造人間を未完成のまま海に捨てる。怒った怪物はヴィクターの親友クラーヴァルを、次いで結婚相手エリザベスを殺す。ヴィクターはこれを憎み、怪物を自ら葬ろうと追跡を始める。怪物は故意に逃亡の跡を残し、それを追ううち、ヴィクターは北極までたどり着く。そしてまさに怪物に追いつこうとしたとき氷が裂け、そのまま漂流していたのだった。この告白を終えたヴィクターは語り手に怪物の抹殺を託して死ぬ。語り手はこれ以上の危険な北極探検を断念することにした。そこへ怪物が現われ、自分は死ぬつもりだと告げて去るのだった。

途中、人造人間による告白を伝える部分もあるのだが、それを読んでゆくと、彼は単に容姿が飛び抜けて醜いとされているだけで、内面はごく繊細な存在であることが感じられる。悪いのは彼を見ただけで石を投げる人々の方であるとしか思えず、また創造主ヴィクター・フランケンシュタインには、君、責任を果たせよ、と強く言いたくなる。

先の引用部分「おれが生を受けた日こそ憎まれてあれ!」とはまるで旧約聖書の『ヨブ記』にあるヨブの言葉のようだ。教養深い作者はこれを意識していたに違いない。神と悪魔との論争の都合で、全く罪もないのに財と家族を失い全身腫物だらけにされて見捨てられ、呻吟し続けたヨブの言葉はあらゆる「人外の叫び」の始まりだ。聖書ではかろうじて最後の最後で神がヨブを救うが、そもそも神の方が悪いのではないか! と、キリスト教信者でない私ははっきり言いたい。

『フランケンシュタイン』でも創造者こそが間違っている、と思わせるところは同じである。ただし後に彼・怪物の犯す殺人は罪もないヴィクターの弟に対してであるし、さらにそれがこれまた全く罪のない養育係ジュスティーヌに冤罪を着せることになって理不尽は連鎖する。しかし、最初にヴィクターが怪物を捨てさえしなければ彼はそんなことをしなかったのだし、ヴィクターはジュスティーヌの冤罪を晴らしてやることができるのにそれをしないのである。

現代の私たちは、いかなる生まれと容姿であれ、自他を冷静に見ることのできる知的な存在に対し、怪物とは言うまい。だが『フランケンシュタイン』が刊行されたのは一八一八年、イギリスでは身分制がまだ堅固だった時代だ。ルソーの『社会契約論』などの著作は既にあったものの、人間とも思えないような存在のために平等とか人権とか言い出しても聞く人はなかっただろう。まして、(迫害者たちはモンスターの出自を知ってそれをしたわけではないが)キリスト教文化の中で「神の祝福しない生」をうけた者に容赦はなかったとしても不思議はない。

この物語にわれわれから見て時代的な視野の制限があるのは仕方ない。にもかかわらず、メアリはこの怪物をただ忌むべき者としては描かなかった。それは物語のちょうど真ん中あたりに怪物の一人称による語りをはさんでいるところによく表われている。作者は怪物自身にその無残な経歴と悲痛な感情を語らせた。結果として酷い虐殺を繰り返す怪物が、知性感情ともに優れた、環境さえ違えば確実に殺人鬼にはならなかった者であることが示されている。

ただし、今なら単に容姿によって差別迫害された者の悲嘆と復讐の記録とも読める『フランケンシュタイン』の怪物の言葉は、そもそも、人間ではなく呪われた怪物に生まれてしまった意識の言葉として読まねばその本当の悲劇がわからない。彼・怪物は飽くまでも人造人間という「真の人間ではない出来そこない」という位置に置かれ続けている。読めば彼の意識はわれわれと変わらない、ところが、この物語にあって怪物は最後まで本当の人間と認められることはないのだ。

ここに私たちと質的に異なった感じ方があることを指摘したい。

もっとわかり易く言えば、知性感情は人間のまま、人間とは似ても似つかない、遺伝子さえ異なる醜悪な獣か何かにされてしまった者として彼を考えることが必要だ。

それでこそ「人外」という語が生きる。フランケンシュタインズ・モンスターの情動は、「人間と同じ意識を持ちながら遂に人間になれなかった者」のそれである。

知られるとおり、この発想は後にSFに引き継がれた。ウェルズの『モロー博士の島』やヴァン・ヴォークトの『スラン』からディックの『アンドロイドは電気羊の夢を見るか？』にまでいたるミュータントもの・ロボットもしくはアンドロイドものがそれだ。

ロボットの物語なら、たとえば日本ではおそらく最もポピュラーな手塚治虫の『鉄腕アトム』もまたこれと同じ位相にあることがわかるだろう。こちらはお茶の水博士という庇護者もおり、目覚ましい手柄によって人々に歓迎されもするが、しかしその出自は、事故で死んだ少年トビオの代用として作られたものの、いつまでも成長しないことを理由に創造者天馬博士から捨てられ売り飛ばされたロボットだった。アトムはその後も幾度となく機械であることを理由に差別軽蔑される。

さらに、私には『妖怪人間ベム』というアニメーションが思い出される。どこかの実験室で生まれた人工の細胞が三つに分かれて増殖し、できた異様な生物、ベム・ベラ・ベロ。彼らは悪魔のような姿をしているが人間以上に優しく正しく賢く、また人間以上の能力を持ち、魔物に狙われた人々を救い続ける。いつか本当の人間になれることを信じて。彼らは普段、変身能力によって人間と同じ外見をしているが、魔物と戦い能力を発揮するときはもとの姿にならねばならず、その姿を見た人々は彼らを怖れ、迫害し、逃げる。彼らによってその命を救われた人々でさえだ。最終回、彼らは遂に人間になる方法を知る。だがそれは他の人間をとらえ殺し、その肉体に自分たちの魂を移し替えるというものだった。自分たちのために人を殺すことを肯《がえ》んじ得ない三人は自ら炎に身を投じる。

　こういう淋しい悲しい、孤立無援の心、仲間を求めて得られず、人であろうとしても他者は誰一人それを認めない、そんな様相を変更不能と自覚した心が「人外」である。

　だがそれも悲しい可憐な部分を強調した場合で、これだけが「人外」を成立させるのではない。あとの半分に、どうにも人でいられない忌まわしく凶暴な性格がある。

　フランケンシュタインズ・モンスターの場合ならばそれこそ無残で暴力的な、復讐する怪物のそれだ。『鉄腕アトム』や『妖怪人間ベム』にこちらは反映されなかった。それゆえ純粋に正しい受難者なのだったが、フランケンシュタインズ・モンスターは違う。自らの手を血で汚してしまう。彼は無辜の者を殺し続けたことにより受難者の資格を失う。いかに同情に値するにしても、後半の彼はもはや誰が見ても恐ろしく悪魔のような怪物だ。

　この怪物性あってこそゴシックはその衝撃力を発揮する。そして、冷酷・残忍・凶暴、というその面は、人間が人間を越えてしまったところのものとして想像されている。それは日常にいる私たちにない超越性であり、人間性を踏み躙ってやまないこの悪の超越性をもゴシックの心は求めている。

つまりフランケンシュタインズ・モンスターとは人間以前であり人間以上であるが人間そのものではない者、ということだ。これを「人外」と呼ぶのである。

3　吸血鬼の「人外」

人間を越えてしまう、という想像は、ニーチェの「超人」にも通じるものであり、ニーチェ自身、「超人」は凡人のように人間的な（つまり弱く嫉妬深く情けない）感情は持たないという。むろんそれは本来の「健康」を持ちいかなるニヒリズムにも耐え得る肯定的な自己の理想として非人間的であるということなのだが、もっと具体的なあるいは直接的な「非人間性」への憧れが負の形で形象化されたとき、たとえば吸血鬼が描かれる。

フランケンシュタインズ・モンスターには限りない孤独の悲しみがあったが、現在われわれのいだく吸血鬼像には選ばれた者の傲慢と冷酷さがつきまとう。

ただし文学的に造形される以前の吸血鬼というのは、もともと東欧に伝わった悪鬼のことだった。食屍鬼と変わらないものとされている地方もあるらしく、現地で語られてきた「ヴァンパイア」とは永遠に死ねないまま墓地を彷徨うゾンビに近い、穢れた、ひたすらおぞましい存在である。

本来汚く醜く、忌まれるだけのそれを、魅力的な美貌の貴族として描いたのがジョン・ポリドリである。詩人バイロンの侍医であった彼の描くヴァンパイア、ルスヴン卿には当のバイロンを念頭に置いて書かれた部分があるという。

『吸血鬼』はおよそ次のようなストーリーを持つ。

早くに両親をなくし妹と二人暮しの青年オーブリーは、莫大な財産を管理人にまかせ、自由に暮している。彼は社交界には失望したが、ルスヴン卿という人物に出会い、憧れて共に旅に出る。容姿もよく魅力もあるルスヴン卿はしかし、悪魔的なギャンブラーで、弱者からはすべての金をまきあげ、一方、金持ちには勝負で負けてみせ、親しくなった後、悪の道に引き込んで破滅させる。後見人からの手紙でルスヴン卿の女性に関する悪事を知らされたオーブリーは彼のもとを離れる。オーブリーはギリシアへ赴き、そこで美しく素朴な女性アイアンシーに恋をする。そしてアイアンシーから人の生き血を吸って長生きするという吸血鬼の話を聞かされるのだが、その容貌はどうもルスヴン卿に似ているのだった。その後アイアンシーは森で何者かに喉を嚙まれて殺される。オーブリーも絞め殺されそうになり、高熱を出して寝込む。そこへルスヴン卿が現われ、親切に看病をしてくれた。オーブリーは内心怖れつつも再び二人で旅を続けることにする。旅の途中、山賊に襲われ、ルスヴン卿は撃たれる。彼はオーブリーに「一年と一日が過ぎるまで自分が死んだことを他人に告げるな」と言い、オーブリーは固く誓う。ところが山頂に運ばれた筈の遺体は消えてしまっていた。帰国したオーブリーはロンドンでマースデン伯を名乗っているルスヴン卿を見て驚愕する。しかし誓いを破って彼は吸血鬼だと告げても誰も信じず、狂気を疑われるだけと思い、苦悩のあまり病床に就く。その間に妹がルスヴン卿に連れ去られる。オーブリーは後見人にすべてを語り、死ぬ。後見人が後を追ったが、妹は殺され、既にルスヴン卿の姿はなかった。

この小説『吸血鬼』が発表されて以後、吸血鬼は暗黒の貴公子となった。肌こそ死人のようであるものの容姿は整い、社交界で人気者として遇される。その裏では悪辣な手口で他者を陥れ、財を奪い、また女性を襲う。そして血を吸い、殺す。

周囲の人間をことごとく破滅させる、残酷で恐ろしい魔物である。極悪の存在だ。しかしその在り方はフランケンシュタインズ・モンスターと異なり、いかに悪が強調されても、もともと卓越した存在として描かれている。周囲の他者が彼を厭わず、それればかりか憧れさえするからだ（ただしポリドリの小説より後に書かれる吸血鬼ものは必ずしも優越者とだけは言えず、追われる者の意味も生じる）。

吸血鬼はまたノスフェラトゥとも言い、その意味は「不死者」である。キリスト教圏にあって不死者とは永遠に神の国に入ることを拒絶された悲惨な者でもあるのだが、われわれから見れば不死はむしろ羨望される。不死でかつ他者を犠牲にして生き続ける者とはキリスト教的には絶対悪だが、そろそろ無神論も囁かれ始め、ニーチェ的な超人を望む潜在的な志向もあったためだろうか、ポリドリはそこに人間（としての平民）の辿り着けない超越的な優位者を見ていたようである。

辺境の地の土俗的妖怪であった吸血鬼のイメージが完全に反転したのは、ポリドリによるこのイギリス初の吸血鬼小説からなのだ。

その描写は、貴族であり天才詩人と呼ばれスキャンダラスな女性関係を誇る社交界の花形であったあるじバイロンへの、貴族でなかったポリドリの屈折した感情が促したものでもあるだろうか。また、貴族の勢力が最大だった頃には、彼らは実際にためらいなく平民から財を奪い自らのものとし生涯遊び暮らし、またときに平民の幾人かを殺しても罪に問われることはなかった。こういう意味での吸血鬼は確かに実在した。そして後の世から見ればそれは神話伝説上の人物のようでさえある。

その権力者の末裔の一人に付き従っていた平民ポリドリ作の『吸血鬼』によって、それまでの吸血鬼伝説になかった吸血鬼＝貴族という図式が新たに導入されたのだ。

この作のずっと後に書かれるブラム・ストーカーの『吸血鬼ドラキュラ』（一八九七年）では美しさや魅力という要素は示されていないが、ドラキュラ伯爵はやはり大貴族として登場する。吸血鬼＝貴族という連想ではポリドリのそれを踏襲しているのだ。

ところで『ドラキュラ』のモデルとなったのはルーマニア・ワラキアの君主ヴラド・ツェペシュ公（ヴラド三世）である。一四三〇（一説に三一）年に生まれ、一四七六年に暗殺されている。だが吸血鬼それ自体には関係がなく、ばかりか、現在のルーマニア人からは政治・

軍事における偉大な指導者との歴史的な位置づけがされているという。ただ、トルコとの戦争での敵兵や敵対者への処刑が甚だしく、非常に多くの捕虜や敵を、先の尖った丸太に突き刺し殺し続けたことからヴラド串刺し公とも呼ばれた（「ツェペシュ」は「串刺し」の意味のあだ名）。それがさらにドラキュラと呼ばれるようになったのは父王ヴラド・ドラクルの呼び名（ルーマニア語で「ドラクル」は龍を意味する。ときに龍は悪魔の意味でも用いられたが、もともとの「ドラクル王」の呼び名はドラゴン騎士団に所属していたことによるらしい）からの転用とも、ドラクルの息子の意味からとも言われる。いずれにしてもこの君主を吸血鬼の元祖としたのはブラム・ストーカーによる完全なフィクションである。だがその、強く賢く残酷な存在、という意味は史実から受け継がれた部分でもあるようだ。

これら吸血鬼ルスヴン卿からドラキュラ伯までの人間を超越した貴族性、そして「恐ろしい父親」の面を受け継ぐ現代のヒーローとして、トマス・ハリス作『レッド・ドラゴン』『羊たちの沈黙』『ハンニバル』に登場するハンニバル・レクター教授がいる。超絶的に知能が高く教養深く常に冷静で行動力に富み、独自の倫理を持ち、それに反する者はためらいなく殺し人肉を食う悪魔的なこの人物像には確実に、「吸血鬼＝貴族」という形で続いてきた超人への憧れが反映している。

そもそも「生ける屍」でしかなかった者が美的な選ばれた者として描かれることになったのは、やはりそこに、非人間的な存在への憧憬が加えられたからだ。

それは言わば「望まれる人外の境地」である。そして、無意識にでもそうした美的な悪への羨望をいだくとき、われわれはゴシック者である。

人間という限界の中に閉じ込められているにもかかわらず、絶えず非人間という超越を求めずにいられない、そのいたたまれなさを感じるのもまた「人外」の意識である。フランケンシュタインズ・モンスターは「人外」の悲しさを、吸血鬼は「人外」を求めることの悲しさを教えてくれる。

なお、これもよく知られた史実に属するが、メアリ・シェリーの『フランケンシュタイン』とジョン・ポリドリの『吸血鬼』とはその執筆の契機を同じくしている。一八一六年六月十五日、スイスのレマン湖畔にメアリ（後のメアリ・シェリー、このときはまだメアリ・ウルストンクラフト・ゴドウィン）、後に正式にメアリの夫となる詩人パーシー・シェリー、メアリの義理の妹で当時バイロンの子を宿していたクレア・クレアモント、ジョージ・ゴードン・バイロン（詩人、若くして男爵）、そしてポリドリが滞在していた。たまたま雨夜であったゆえ皆はドイツのゴースト・ストーリーを読んで無聊を慰めたが、このときバイロンが「それぞれに怪奇物語を書き合おう」と提案したという。結果としてメアリは『フランケンシュタイン』を書き、ポリドリは『吸血鬼』を書いた。クレアモントは書かず、パーシーとバイロンも完成した物語は残せなかったが、「現代のプロメテウス」という副題を持つメアリの『フランケンシュタイン』はパーシーの「鎖を解かれたプロメテウス」を意識して書かれたと言われ、ポリドリの『吸血鬼』はバイロンの残した断片をその発想のもとにしているとされる。なお『吸血鬼』は一時、バイロン作と考えられていたことがある。

『フランケンシュタイン』初刊は一八一八年（三一年改訂）、『吸血鬼』初刊は一八一九年。『オトラント城綺譚』『ヴァセック』以後、ゴシックの意識に典型的な様式をもたらした二小説はいずれも同じ日同じ場所に起源を持つのだ。

それはまた後に「人外」の二つの顔がはっきり描かれることを約された時と場所だった。

編者解説

東　雅夫

〈ゴシック〉をテーマにアンソロジーを編むのは、これが二度目となる。

一度目は、いまは亡き学研M文庫の〈伝奇ノ匣〉で出した『ゴシック名訳集成』全三巻——平井呈一による伝説の擬古文訳「おとらんと城綺譚」や黒岩涙香「怪の物」などを収めた『西洋伝奇物語』（二〇〇四）、ベックフォード「ヴァテック」とメレディス「シャグパットの毛剃」（夏目漱石が絶讃したことで夙《つと》に名高い）の両傑作が並び立つオリエンタル・ゴシック集成『暴夜《あらびや》幻想譚』（二〇〇五）、佐藤春夫訳「バイロンの吸血鬼」（下訳は平井呈一）や芥川龍之介訳「クラリモンド」などを含む『吸血妖鬼譚』（二〇〇八）……三巻立てで総計一八〇〇頁に及ぶ超大冊であった。

　さすがにこれだけの容量があると、ありがたいことに、やりたい放題。かなり満足のゆくセレクションを実現することができたと自負している（残念ながら紙版はとっくに絶版だが、なぜか第一巻と第二巻は電子書籍で発売中）。

……とはいうものの、あまりにマニアックかつ分厚すぎて（！）これからゴシック文学に親しもうとするビギナー読者には、いささかハードルが高いのも事実だった。

開巻いきなり〈御主《おんあるじ》の心ぜきをおしあてに、しりうごといふ者ふつになかりけり〉（平井呈一擬古文訳「おとらんと城綺譚」より）などと云われても、し、尻がウゴウゴ⁉……いったい何のことやら途方にくれる向きもあっただろう（まあ、そこを張り切って、よく分からないながら、辞書を片手にじりじりと読み進めることで、少しずつ理解できるようになる＝読解力を高めてゆくのが、文学読書本来の醍醐味でもあるのだが……漢文素読や小学唱歌の佳き伝統が喪われたことが、返すがえすも悔やまれてならない）。

そこで、このたび幸いにも、筑摩書房編集部の担当Iさんから、今年のアンソロジー企画として、〈ゴシック〉入門という嬉しいお題を頂戴したので、腕まくりして企画書をしたためた結果が、すなわち本書および続刊の『ゴシック文学神髄』ということになる。

ゴシック文学の輝かしい幕開けを告げたホレス・ウォルポール「オトラント城綺譚」（今回は現代語訳バージョンだ！）とウィリアム・ベックフォード「ヴァテック」の両傑作、ゴシック全盛期の掉尾を妖艶に彩るシェリダン・レ・ファニュの「死妖姫」こと「カーミラ」、そしてゴシック・スピリットを新時代の幻想文学へと昇華せしめたエドガー・アラン・ポオの詩篇「大鴉」と「アッシャア屋形崩るるの記」――とりあえず、これだけ押さえておけば、ゴシック文学の真価に触れることができると信ずる「絶対名作」を、歴史的な名訳により収録する『ゴシック文学神髄』。

右の作家と作品、およびその背景について、日本におけるゴシック移入の大いなる先覚者たちが、達意の筆で綴った名エッセイと里程標的な論考の数々を、一巻に集成した本書『ゴシック文学入門』。

要するに「作品篇」と「解説篇」の二冊ワンセットを提示することで、泰西ゴシック文学の汲めど尽きせぬ魅力を心ゆくまで満喫していただこうというのが、本アンソロジー編纂の狙いである。

それでは以下に、収録作家と作品について、知るところ若干を記す。

江戸川乱歩「「幽霊塔」の思い出」

かの宮崎駿監督が熱烈称讃したことでも記憶に新しい『幽霊塔』。米国作家アリス・マリエル・ウィリアムソンの『灰色の女』を、黒岩涙香が独特な名調子で翻案した長篇怪奇スリラーである。同書に深く魅了された乱歩少年は後年、涙香版をベースに乱歩独自の『幽霊塔』を書くに至る。

『幽霊塔』との出逢いの衝撃を瑞々しい筆致で回想した本篇（初出は黒岩涙香『幽霊塔』愛翠書房／一九四九）を読むと、若き乱歩を幻惑した〈怪奇と恐怖の天国〉に仕掛けられた道具立てのほぼすべてが、泰西ゴシック文学に特有のそれであることに気づくだろう。

ちなみに涙香には、蛇人間の恐怖を描く『怪の物』という怪作長篇もあるが、これまた乱歩は『人間豹』としてリメイクしている。

明治の涙香から昭和の乱歩へと受け継がれた「ゴシック・ジャパネスク」――その初発の狂熱と、西欧文化の〈夜の領《くに》〉へ注がれる切なる憧憬に浸された本篇は、本書のプロローグに最適な好エッセイと申せよう。

小泉八雲（ラフカディオ・ハーン）「『モンク・ルイス』と恐怖怪奇派」

小泉八雲ことラフカディオ・ハーンは、来日後の明治二十九年（一八九六）から六年間、東京帝国大学文学部で英文学を講じた。文学への敬意と情熱に満ちた名講義は、後に大部の講義録にまとめられ長らく愛読されてきた。本篇（初出は『英文学畸人列伝 Some Strange English Literary Figures of the Eighteenth and Nineteenth Centuries』一九二七）もそのひとつで、「恐怖の文学」としてのゴシックの確立者たるM・G・ルイスを中心に、ゴシック文学の里程標的名作を的確に跡づけて余すところがない。すでに明治三十年前後の時期に、このようなゴシック本流をめぐる本格的講義が、東京帝大で行なわれていたとは驚嘆に価しよう。

なお、先ごろ刊行された『小泉八雲東大講義録』（池田雅之編訳／角川ソフィア文庫）所収の「文学における超自然的なものの価値」は、本篇の姉妹篇というべき内容なので、ぜひとも併読をお勧めしたい。

種村季弘「恐怖美考」

ドイツ語圏の文学から美術、映画、果てはオカルティズムにまで及ぶ該博な知識と鋭い着眼、達意の語り口によって、盟友たる澁澤龍彥と並び称された稀代の怪人タネラムネラ。新人物往来社版〈怪奇幻想の文学〉第四巻『恐怖の探究』(一九七〇年四月刊)の巻頭エッセイとして掲げられた本篇は、「恐怖の文学」としてのゴシックの内実に肉迫するとともに、マリオ・プラーツ(その主著『肉体と死と悪魔』は、ゴシックのみならずロマン派文学全般の暗黒面を探究した不朽の名著だ)などを援用しつつ、エリザベス朝の恐怖演劇やマニエリスム系の恐怖文学といった、いわば「ゴシック前史」を射程におさめた、堂々たる力業である。右のハーンの論考と併せ読めば、西欧の文学史におけるゴシック・ロマンスの位置づけに関して、ひととおりのパースペクティヴを得られるはずだ。

紀田順一郎「ゴシックの炎」

昭和四十四年(一九六九)冬から翌年の春にかけて刊行された新人物往来社版〈怪奇幻想の文学〉全四巻(後に増補されて全七巻)は、日本におけるゴシック移入史において、特筆すべき叢書であった。平井呈一(訳者代表を兼務)・中島河太郎・紀田順一郎という編者の顔ぶれといい、当時新進気鋭の荒俣宏が全巻の巻末解説を担当していることといい、戦後怪奇小説シーンのMVPが総力を挙げた趣がある。とりわけ『戦慄の創造』と銘打たれた第三巻(一九七〇年三月刊)については、企画のオーガナイザー役を務めた紀田による次のような注目すべき証言が残されている。

この企画は『オトラント城』を初めて世に出した企画なんです。とにかく『オトラント城』が出なければ何も始まらないという気持ちがあって、しかし『オトラント城』だけでは売れないから、こういうふうにアンソロジーの中に組み入れたわけです。平井先生はその時すでにこの作品を訳しておられて、これが出版できるというので積極的にのってこられたということもあったんでしょうね。

（東雅夫編『幻想文学講義』国書刊行会所収のインタビューより）

その平井訳「オトラント城綺譚」に始まり、ブラム・ストーカー「判事の家」、M・R・ジェイムズ「十三号室」を経て、H・P・ラヴクラフト「チャールズ・ウォードの奇怪な事件」に至る（磐石の布陣！）第三巻の巻頭に掲げられたのが、本篇である。ゴシック・トラディションの大いなる始祖たる〈オトラント〉と、その創造主ウォルポールをめぐって、そこに漲る〈反時代的精神〉をめぐって、その遙かな末裔たる、もう一人の神話創造主ラヴクラフトをめぐって――行間から時代の熱気が伝わってくるような、これはひとつのゴシック文学宣言に外なるまい。

澁澤龍彥「バベルの塔の隠遁者」

初期シブサワの代表的著作のひとつである『異端の肖像』（桃源社／一九六七）を初めて手にしたときの異様な昂揚感は、今に忘れがたい。黒地に緑と赤のコントラストが印象的な函から本体を抜き出し、大聖堂のステンドグラスを彷彿させる本扉を開くと、濃紫のインクで刷られた版面の余白部分を、中世の写本から採られたとおぼしき異形異獣の図像が覆い尽くす……これはまさしく、ゴシックの本ならぬ、本のゴシックではなかろうか！

ルドヴィヒ二世、グルジエフ、ロベール・ド・モンテスキウ、ジル・ド・レエ、サン・ジュスト、ヘリオガバルスといった〈絶対の探求者〉（「あとがき」より）たちの一人として、澁澤は『ヴァテック』の作者ベックフォードの奇矯にして孤絶した生涯を、精彩ある筆致で浮き彫りにしている。

本篇の初出は「文藝」一九六六年七月号。思うにサド文学の翻訳紹介に始まった澁澤の文業は、日本的ゴシックの視点からも再評価が必要ではないのか。ピカレスクとエキゾティシズムに彩られた『唐草物語』から『高丘親王航海記』に至る晩年の創作に関しても。

塚本邦雄「狂気の揺籃——「ヴァテック」頌」

時に昭和五十年（一九七五）一月、文學季刊誌「牧神」は創刊号で「ゴシック・ロマンス——暗黒小説の系譜」と銘打つ重厚な特集を組んだ。由良君美に始まり、日影丈吉、種村季弘、荒俣宏、池内紀、井村君江、等々まことに多士済々である。

これは発行元である牧神社が、前年の九月に矢野目源一訳『ヴァテック』の生田耕作補訳・校註版を刊行したことにちなんだ企画だったとおぼしい。発行人の菅原貴緒は、思潮社在職中の昭和四十七年（一九七二）に平井呈一擬古文訳の『おとらんと城綺譚』も手がけており、「牧神」の特集中でも、平井と生田の顔合わせによる談論風発の「対談・恐怖小説夜話」（創元推理文庫『幽霊島』所収）が実現している。平井はその翌年に急逝するので、これは貴重な「遺言」となった観がある。

戦後前衛短歌の驍将にして、耽美超俗の文体を駆使した一連の小説作品でも異彩を放った塚本邦雄が、〈混血亞刺比亞夜話、東方地獄草紙〉たる『ヴァテック』と作者ベックフォードへの愛憎なかばする思いを吐露した本篇も、右のゴシック特集号に掲載された珠玉のエッセイである。

日夏耿之介「信天翁と大鴉と鳩」

コールリッジの「老水夫行」（日夏訳では「老篙之詠《うた》」）や「クリスタベル姫」からポオの「大鴉」や「ユウラリウム」まで——古怪なバラッド群に淵源する詩作品は、ゴシック文学の重要な一隅を占めるジャンルだ。

月光《つきかげ》　大地《つち》に降《ふ》り布《し》き
水銀の液汁を鎔解《とろか》しこんだ天地万物《ばんもつ》の裡《あはひ》
ああ　儂《わ》が旅《ゆ》く路は

坦々《たんたん》とただ黒い

（『黒衣聖母』所収「道士月夜の旅」より）

みずから「ゴスィック・ローマン詩體」（『黒衣聖母』序）と称する、古今独歩の詩境を確立した一代の学匠詩人・日夏耿之介は、英文学者・翻訳家としても、戦前の日本におけるゴシック文学移入の巨大な先覚者であった。

異界から飛び来る三種の化鳥《けちょう》に注目しつつゴシック詩の系譜をたどる本篇（初出は「英語研究」一九二九年七月号）は、みずから〈雑談〉と称するとおり、日夏にしては軽量級の一文だが、後出の『高野聖』をめぐる論考へと分け入るためのウォーミングアップには最適だろう。

八木敏雄「眼のゴシック」

本家英国に劣らず、米国におけるゴシックの伝統にも赫奕《かくえき》たるものがある。いや、むしろ、チャールズ・ブロックデン・ブラウンやホーソーンからポオ、メルヴィルを経て、ラヴクラフトやスティーヴン・キングに至る流れを顧みるに、ゴシックの命脈を今に繋いできたのは、新大陸の作家たちではなかったか、とすら思えるほどである。

米国ゴシック研究の先覚者として知られる八木敏雄の名著『アメリカン・ゴシックの水脈』（研究社出版／一九九二）から抜いた本篇は、そもそもが「英語青年」に連載のエッセイということもあってか、通常の論文よりも寛いだ語り口とユニークなこだわりの着眼で、ポオ作品が孕むゴシック性の一面を鮮やかに浮き彫りにしている。

富士川義之「黒猫の恐怖」

英文学者による達意のエッセイを、もう一篇。

ウォルター・ペイターやナボコフの翻訳でも知られる富士川義之には、内外の幻想文学を自在に論ずる文芸評論家としての一面もある。〈ポーから澁澤龍彦へ〉という副題が付けられた『幻想の風景庭園』（沖積舎／一九八六）は、そちら方面の代表作のひとつで、前半にポオ、ペイター、ワイルド、後半に中島敦、内田百閒、吉田健一、澁澤龍彦をめぐるエッセイが収められた東西幻想文学論集となっている。この顔ぶれを見ても、著者の文学的好みは歴然だろう。

本篇（初出は「ユリイカ」一九七三年十一月号）もその中の一篇で、図らずも右の「眼のゴシック」と軌を一にして、「アッシャー家の崩壊」の名高い冒頭部分に注目し、そこから「黒猫」へと論を進めているのが興味深い。

平井呈一「嗜屍と永生」

現在では英米怪奇小説翻訳の名匠として名高い平井呈一だが、実のところ、平井が怪奇小説翻訳に本腰を入れるのは戦後、昭和三十年代に入ってからのことだった（この件に関しては、創元推理文庫『世界怪奇実話集　屍衣の花嫁』新版解説に詳述したので御参照いただけると幸甚なり)。そのきっかけになったと思われるのが、〈世界大ロマン全集〉版『魔人ドラキュラ』(B・ストーカー著/東京創元社/一九五六)の訳業である。同書の大ヒットにより、同じ叢書の『怪奇小説傑作集I』(江戸川乱歩編/東京創元社/一九五七)や〈世界恐怖小説全集〉(一九五八~五九)の仕事が舞いこみ、これを機にゴシックに発する西欧怪奇小説の紹介作業に本格着手した……ということらしい。

「日本読書新聞」昭和四十五年(一九七〇)九月二十八日号の特集「怨念と永生――種村季弘著『吸血鬼幻想』にふれて」に掲載された本篇は、『真夜中の檻』『幽霊島　平井呈一怪談翻訳集成』(ともに創元推理文庫)という二冊の拾遺集にも未収録のエッセイである。ゴシック文学史の中に「カーミラ」から「ドラキュラ」へという流れをいち早く位置づけた一文として、貴重なものといえよう。

野町二「『死妖姫』解説」

本篇は『ゴシック文学神髄』に収録される、J・シェリダン・レ・ファニュ『死妖姫』(野町二訳/新月社/一九四八)の解説として執筆されたものである(再録にあたりタイトルを右のように改めた)。レ・ファニュの傑作「カーミラ」の翻訳としては、平井呈一訳「吸血鬼カーミラ」(創元推理文庫同名書所収)が余りにも有名だが、それより十年近くも早い昭和二十三年に、単行本の形で本邦初訳が実現していたのだった。優婉な女性言葉の一人称で綴られた平井訳とは好対照な訳しぶりの野町訳が、このまま埋もれるのは惜しいと思い、あえて再録を決めた次第。その端正な語り口と泰西怪奇文学に関する造詣のほどは、この解説文からも感じ取っていただけるものと信ずる。

前田愛「獄舎のユートピア」

最後に二本、読みごたえある長めの論考を敢えて入れてみた。どちらも本書の裏テーマである「日本人にとってのゴシック／ゴシック・ジャパネスク」の問題を考えるうえで、きわめて重要な歴史的意義のある文章だ。

近世〜近代の日本文学研究者として、わずか五十五年の生涯の間に、真に独創的かつ革新的な著作の数々を遺した前田愛には、『幻景の明治』（朝日新聞社／一九七八）『都市空間のなかの文学』（筑摩書房／一九八二）など、幻想文学読者にとってもたいそう興味深いテーマを扱った名著がある（前掲『幻想文学講義』所収のインタビュー「闇なる明治を求めて」参照）。後者から抜いた本篇（初出は岩波書店『文化の現在4　中心と周縁』一九八一年三月刊）は、有名なピラネージの〈牢獄〉版画と相照応するような、最初期の明治文学における牢獄のイメージを説いて圧巻であった。ゴシック・ジャパネスクの萌芽が、ここに！

日夏耿之介「『高野聖』の比較文学的考察」

すでに「信天翁と大鴉と鳩」のところでも触れたように、日夏耿之介こそは、日本における泰西ゴシック文学研究・紹介の偉大な先覚者であった。彼が日夏一門の俊秀たちと共に作成した一大叢書計画「奢灞都南柯叢書第一期刊行目録」および「荒唐綺譚叢刊目録」（ごく一部を除き共に未刊に終わる）を一瞥すれば、その驚くべき高水準を実感できるだろう。

その日夏が、ゴシック・ジャパネスク最初の大立者というべき文豪・泉鏡花の代表作「高野聖」について、ゴシック系のみならず海外幻想文学万般に関する持ち前の博識を総動員して、仔細かつ大胆に比較考察を行なった本篇（初出は中央公論社『明治浪曼文學史』一九五一年八月刊）を、いわば本書の「奥の院」として収録した。なお今回は、日夏特有の特殊な用字や訓《よ》みに、編者の判断でルビを振りまくった。読解の一助となれば幸いである。

ちなみに鏡花は日夏鍾愛の作家の一人であり、他にも「名人鏡花藝」をはじめ注目すべき論考は数多い。それらを集成した『鏡花文学』（研文社／一九八八）も刊行されているので、本篇を読んで関心を惹かれた向きには一読をお勧めしたい。

高原英理「人外」

江戸川乱歩「「幽霊塔」の思い出」で幕を開けた本書を締めくくる恰好のエピローグとして、高原英理の書き下ろし評論『ゴシックハート』（初出は講談社から二〇〇四年刊）の第二章にあたる本篇を採った。同書は、ゴシックの魅力を分かりやすく説いた名著である。アンソロジー『リテラリーゴシック・イン・ジャパン』（ちくま文庫／二〇一四）や創作集『抒情的恐怖群』（毎日新聞社／二〇〇九）ともども、本書との併読をお勧めしたい。

二〇一二年にちくま文庫から上梓した『幻想文学入門』が地味にロングセラーとなり、昨年（二〇一九）思いがけず重版がかかるという事態をうけて、そのゴシック文学版を企図したのが本書である。現代における〈ゴシック→ゴス〉の多面的な展開については、「学魔チルドレン」や「幻想と怪奇の英文学者」の諸賢にお任せして、老生は明治から昭和末期あたりまでの日本におけるゴシック受容を跡づけるアンソロジーを目指してみた。

『文豪たちの怪談ライブ』に続き、時ならぬコロナ禍の渦中にも拘らず、熱血担当ぶりを発揮してくださった筑摩書房編集部の砂金有美さんと、ようやく仕事を御一緒することができた装幀家の水戸部功さんに、衷心より御礼申しあげます。

二〇二〇年八月

■底本一覧

江戸川乱歩「「幽霊塔」の思い出」／『怪談入門』平凡社ライブラリー、二〇一六年

小泉八雲／平井呈一訳「「モンク・ルイス」と恐怖怪奇派」／『明治文學全集48　小泉八雲集』筑摩書房、一九七〇年

種村季弘「恐怖美考」／『怪奇幻想の文学Ⅳ　恐怖の探究』新人物往来社、一九七〇年

紀田順一郎「ゴシックの炎」／『怪奇幻想の文学Ⅲ　戦慄の創造』新人物往来社、一九七〇年

澁澤龍彦「バベルの塔の隠遁者」／『澁澤龍彦全集 7』河出書房新社、一九九三年

塚本邦雄「狂気の揺籃――「ヴァテック」頌」／「牧神」(創刊号) 牧神社、一九七五年

日夏耿之介「信天翁と大鴉と鳩」／『日夏耿之介全集』河出書房新社、二〇〇三年

八木敏雄「眼のゴシック」／『アメリカン・ゴシックの水脈』研究社出版、一九九二年

富士川義之「黒猫の恐怖」／『幻想の風景庭園　ポーから澁澤龍彥へ』沖積舎、一九八六年
平井呈一「嗜屍と永生」／『ゴシック名訳集成　吸血妖鬼譚』学研M文庫、二〇〇八年
野町二「『死妖姫』解説」／『死妖姫』新月社、一九四八年
前田愛「獄舎のユートピア」／『都市空間のなかの文学』ちくま学芸文庫、一九九二年
日夏耿之介「『高野聖』の比較文学的考察」／『サバト恠異帖』ちくま学芸文庫、二〇〇三年
高原英理「人外」／『ゴシックハート』立東舎文庫、二〇一七年

八木敏雄（やぎ・としお）1930-2012　米文学者、翻訳家。ポオおよびメルヴィルを専門とし、『白鯨』『ユリイカ』ほか多数の翻訳を手がけた。米国ゴシック研究に先鞭をつけた『アメリカン・ゴシックの水脈』をはじめ編著書も多数。

富士川義之（ふじかわ・よしゆき）1938-　英米文学者、文芸評論家。著書に『ある文人学者の肖像　評伝・富士川英郎』（読売文学賞受賞）『英国の世紀末』、訳書に『ブラウニング詩集』、編著書に『オスカー・ワイルドの世界』他多数。

野町二（のまち・すすむ）1911-1991　英文学者。『カーミラ』の本邦初訳である『死妖姫』を手がける。シェイクスピア、ダンに関する論文多数。著作に『英米文学ハンドブック』『神話の世界』、共著に『イギリス文学案内』等がある。

前田愛（まえだ・あい）1931-1987　国文学者、文芸評論家。専攻は近世と近代の日本文学。『成島柳北』（亀井勝一郎賞受賞）『都市空間のなかの文学』『近代日本の文学空間　歴史・ことば・状況』『文学テクスト入門』等著書多数。

高原英理（たかはら・えいり）1959-　小説家、文芸評論家。評論に『ゴシックハート』『ゴシックスピリット』『少女領域』他、小説に『闇の司』『エイリア綺譚集』他、編著に『リテラリーゴシック・イン・ジャパン』他がある。

◆著訳者紹介（作品収録順）

江戸川乱歩（えどがわ・らんぽ）1894-1965　小説家、エッセイスト。日本における本格ミステリーの草分けで、その発展に尽力。小説『二銭銅貨』『陰獣』『人間椅子』『孤島の鬼』、評論『幻影城』、児童書『怪人二十面相』他著作多数。

小泉八雲（こいずみ・やくも）／ラフカディオ・ハーン 1850-1904　小説家、ジャーナリスト。ギリシアに生まれ、英米を経て日本に帰化。妻セツの協力のもと多数の著作を執筆。著書に『知られぬ日本の面影』『骨董』『怪談』等がある。

平井呈一（ひらい・ていいち）1902-1976　英米文学翻訳家。英国十九世紀末文学や『吸血鬼ドラキュラ』他怪奇小説の翻訳・紹介を手がける。『全訳小泉八雲作品集』（日本翻訳文化賞受賞）他訳書多数。小説集に『真夜中の檻』。

種村季弘（たねむら・すえひろ）1933-2004　独文学者、エッセイスト。ドイツ語圏を中心に、魔術的幻想的な文学・美術・映画やオカルティズムの研究・翻訳に従事。ホフマン、マゾッホ他の翻訳や著作集『種村季弘のラビリントス』等。

紀田順一郎（きだ・じゅんいちろう）1935-　評論家、小説家、翻訳家。『世界幻想文学大系』他の叢書を企画し海外幻想文学の紹介普及に貢献。著書に『幻想と怪奇の時代』（日本推理作家協会賞受賞）『古本屋探偵の事件簿』他多数。

澁澤龍彦（しぶさわ・たつひこ）1928-1987　仏文学者、小説家、エッセイスト。サドの翻訳や西欧異端文化の紹介者として注目され、晩年は『唐草物語』（泉鏡花文学賞受賞）『高丘親王航海記』（読売文学賞受賞）他の小説でも知られた。

塚本邦雄（つかもと・くにお）1920-2005　歌人、小説家、エッセイスト。『水葬物語』『日本人霊歌』（現代歌人協会賞受賞）等の歌集で、前衛短歌運動の旗手となる。『紺青のわかれ』『連弾』他絢爛たる文体の小説作品も手がけた。

日夏耿之介（ひなつ・こうのすけ）1890-1971　詩人、英文学者、翻訳家。『黒衣聖母』他の詩集で「ゴスィック・ローマン詩体」を確立、『ポオ詩集』『ワイルド全詩』他の訳詩集や『明治大正詩史』等の研究書等著書・編訳書多数。

作家名索引

【サ行】

【タ行】

【ナ行】

【ハ行】

【マ行】

【ヤ行】

【ラ行】

【ワ行】

本書は、ちくま文庫のためのオリジナル編集である。

本文表記は、原則として新漢字を使用し、旧仮名遣いについては発表時の表記を優先した。また、読みやすさを考慮し、振り仮名を補った箇所もある。

今日の人権意識に照らして不当・不適切と思われる語句や表現については、作品の時代的背景と文学的価値とにかんがみ、そのままとした。

劇画　ヒットラー　水木しげる

ドイツ民衆を熱狂させた独裁者アドルフ・ヒットラーとはどんな人間だったのか。ヒットラー誕生からその死まで、骨太な筆致で描く伝記漫画。

悪魔くん千年王国　水木しげる

途方もない頭脳の悪魔君が、この地上に人類のユートピア「千年王国」を実現すべく、知力と魔力の限りを尽して闘う壮大な戦いの物語。（佐々木マキ）

河童の三平　水木しげる

豊かな自然の中で、のびのびと育った少年三平と、河童・狸・小人・死神そして魔物たちが繰りひろげる、ユーモラスでスリリングな物語。（石子順造）

のんのんばあとオレ　水木しげる

「のんのんばあ」といっしょにお化けや妖怪の住む世界をさまよっていたあの頃――漫画家・水木しげるの、とてもおかしな少年記。（井村君江）

ゲゲゲの鬼太郎（全7巻）　水木しげる

ご存知ゲゲゲの鬼太郎とねずみ男をはじめ、妖怪たちがくり広げる冒険物語。水木漫画人気を一気に高めた時期の鬼太郎作品すべてを、全七冊に収録。

つげ義春コレクション（全9冊）　つげ義春

マンガ表現の歴史を変えた、つげ義春。初期代表作から「ガロ」以降すべての作品、さらにイラスト・エッセイを集めたコレクション。

つげ義春の温泉　つげ義春

マンガ家つげ義春が写した温泉場の風景。一九六〇年代から七〇年代にかけて、日本の片すみを旅した、つげ義春の視線がいま鮮烈によみがえってくる。

私の絵日記　藤原マキ

つげ義春夫人が描いた毎日のささやかな幸せ。家族三人の散歩。子どもとの愉快な会話。口絵8頁。「妻、藤原マキのこと」＝つげ義春。（佐野史郎）

おそ松くんベスト・セレクション　赤塚不二夫

みんなのお馴染み、松野家の六つ子兄弟が大活躍！　日本を代表するギャグ漫画の傑作集。イヤミ、チビ太、デカパン、ハタ坊も大活躍。（赤塚りえ子）

バカ田大学なのだ!?　赤塚不二夫

マンガ史上最高のキャラクター、バカボンのパパを主人公にした一冊！　なぜママと結婚できたのかなどの謎が明かされる。（椹木野衣）

百日紅《さるすべり》（上・下）　杉浦日向子

北斎、お栄、英泉、国直……絵師たちが闊歩する文化文政期の江戸の街を多彩な手法で描き出す代表作の完全版、初の文庫化。（夢枕獏）

合葬　杉浦日向子

江戸の終りを告げた上野戦争。時代の波に翻弄された彰義隊の若き隊員たちの生と死を描く歴史ロマン。第13回日本漫画家協会賞優秀賞受賞。（小沢信男）

YASUJI東京　杉浦日向子

明治の東京と昭和の東京を自在に往還し、夭折の画家井上安治が見た東京の風景を描く静謐な世界。他に単行本未収録四篇を併録。（南伸坊）

COM傑作選（上・下）　中条省平編

60年代末に、マンガ界に革命を起こした伝説の雑誌。手塚治虫、永島慎二をはじめ、矢代まさこ、岡田史子らの作品を再録。（中条省平）

ビブリオ漫画文庫　山田英生編

古書店、図書館など、本をテーマにした傑作漫画集。主な収録作家――水木しげる、永島慎二、松本零士、つげ義春、楳図かずお、諸星大二郎ら18人。

水鏡綺譚　近藤ようこ

戦国の世、狼に育てられ修行をするワタルと、記憶をなくした鏡子の物語。著者自身も一番好きだったという代表作。推薦文＝高橋留美子（南伸坊）

増補　ハナコ月記　吉田秋生

「オトコってどおしてこうなの？」とハナコさん。「オンナってやつは」とイチローさん。ウフフと笑いがこみあげるオールカラー。（糸井重里）

ムーミン・コミックス　セレクション1
ムーミン谷へようこそ　トーベ・ヤンソン＋ラルス・ヤンソン　冨原眞弓編訳

ムーミン・コミックスのベストセレクション。1巻はムーミン谷で暮らす仲間たちの愉快なエピソードを4話収録。オリジナルムーミンの魅力が存分に。

カムイ伝講義　田中優子

白土三平の名作漫画『カムイ伝』を通して、江戸の社会構造を新視点で読み解く。現代の階層社会の問題が見えると同時に、エコロジカルな未来も見える。

白土三平論　四方田犬彦

60年代に社会構造を描き出した『カムイ伝』、蜂起の歴史哲学を描いた『忍者武芸帳』等代表作、そして「食物誌」まで読み解く。書き下ろしを追加。

超芸術トマソン　赤瀬川原平
都市にトマソンという幽霊が！　街歩きに新しい楽しみを、表現世界に新しい衝撃を与えた超芸術トマソンの全貌。新発見珍物件増補。（藤森照信）

日本美術応援団　赤瀬川原平／山下裕二
雪舟の「天橋立図」凄いけどどこかヘン!?　光琳にはなくて宗達にはある〝乱暴力〟とは？　教養主義にとらわれない大胆不敵な美術鑑賞法‼

ぼくなりの遊び方、行き方　横尾忠則
日本を代表する美術家の自伝。登場する人物、起こる出来事その全てが日本のカルチャー史！　壮大な物語はあらゆるフィクションを超える。（川村元気）

モチーフで読む美術史　宮下規久朗
絵画に描かれた代表的な「モチーフ」を手掛かりに美術を読み解く、画期的な名画鑑賞の入門書。カラー図版約150点を収録した文庫オリジナル。

しぐさで読む美術史　宮下規久朗
西洋美術では、身振りや動作で意味や感情を伝える。古今東西の美術作品を「しぐさ」から解き明かす『モチーフで読む美術史』姉妹編。図版200点以上。

春画のからくり　田中優子
春画では、女性の裸だけが描かれることはなく、男女の絡みが描かれる。男女が共に楽しんだであろう性表現に凝らされた趣向とは。図版多数。

ROADSIDE JAPAN 珍日本紀行 東日本編　都築響一
秘宝館、意味不明の資料館、テーマパーク……。路傍の奇跡ともいうべき全国の珍スポットを走り抜ける旅のガイド、東日本編一七六物件。

ROADSIDE JAPAN 珍日本紀行 西日本編　都築響一
蝋人形館、怪しい宗教スポット、町おこしの苦肉の策が生んだ妙な博物館。日本の、本当の秘境は君のすぐそばにある！　西日本編一六五物件。

既にそこにあるもの　大竹伸朗
画家、大竹伸朗「作品への得体の知れない衝動」を伝える20年間のエッセイ。文庫では新作を含む木版画、未発表エッセイ多数収録。（森山大道）

私の好きな曲　吉田秀和
永い間にわたり心の糧となり魂の慰藉となってきた、最も愛着の深い音楽作品について、その魅力を語る、限りない喜びにあふれる音楽評論。（保苅瑞穂）

グレン・グールド　青柳いづみこ
20世紀をかけぬけた衝撃の演奏家の遺した謎をピアニストの視点で追い究め、ライヴ演奏にも着目、つねに斬新な魅惑と可能性に迫る。（小山実稚恵）

Ai　ジョン・レノンが見た日本　ジョン・レノン絵　オノ・ヨーコ序
ジョン・レノンが、絵とローマ字で日本語を学んだスケッチブック。「おだいじに」「毎日生まれかわります」などジョンが捉えた日本語の新鮮さ。

アンビエント・ドライヴァー　細野晴臣
はっぴいえんど、YMO……日本のポップシーンで様々な花を咲かせ続ける著者の進化し続ける自己省察。帯文＝小山田圭吾（テイ・トウワ）

skmt　坂本龍一とは誰か　坂本龍一＋後藤繁雄
坂本龍一は、何を感じ、どこへ向かっているのか？　独特編集者・後藤繁雄のインタビューにより、独創性の秘密にせまる。予見に満ちた思考の軌跡。

ゴッチ語録　決定版　後藤正文
ロックバンドASIAN KUNG-FU GENERATIONのフロントマンが綴る音楽のこと。対談＝宮藤官九郎他。コメント＝谷口鮪（KANA-BOON）

ホームシック　ECD＋植本一子
ラッパーのECDが、写真家・植本一子に出会い、家族になるまで。植本一子の出産前後の初エッセイも。二人の文庫版あとがきも収録。（窪美澄）

キッドのもと　浅草キッド
生い立ちから凄絶な修業時代、お笑い論、家族への思いまで。孤高の漫才コンビが仰天エピソード満載で送る笑いと涙のセルフ・ルポ。（宮藤官九郎）

小津安二郎と「東京物語」　貴田庄
小津安二郎の代表作「東京物語」はどのように誕生したのか？　小津の日記や出演俳優の発言、スタッフの証言などをもとに迫る。文庫オリジナル。

しどろもどろ　岡本喜八
「面白い映画は雑談から生まれる」と断言する岡本喜八。映画への思い、戦争体験……、シリアスなことでもユーモアを誘う絶妙な語り口が魅了する。

ゴジラ　香山滋
今も進化を続けるゴジラの原点。太古生命への讃仰、原水爆への怒りなどを込めた、原作者による小説・エッセイなどを集大成する。（竹内博）

品切れの際はご容赦ください

ギリシア悲劇（全4巻）
大場正史訳
古沢岩美・絵

荒々しい神の正義、神意と人間性の調和、人間の激情と心理。三大悲劇詩人（アイスキュロス、ソポクレス、エウリピデス）の全作品を収録する。

バートン版 千夜一夜物語（全11巻）
宮下志朗訳

めくるめく愛と官能に彩られたアラビアの華麗な物語――奇想天外の面白さ、世界最大の奇書の名訳による決定版。鬼才・古沢岩美の甘美な挿絵付。

ガルガンチュア
ガルガンチュアとパンタグリュエル1
フランソワ・ラブレー
宮下志朗訳

巨人王ガルガンチュアの誕生と成長、冒険の数々、さらに戦争とその顛末……笑いと風刺が炸裂するラブレーの傑作を、驚異的に読みやすい新訳でおくる。

文読む月日（上・中・下）
トルストイ
北御門二郎訳

一日一章、一年三六六章。古今東西の聖賢の名言・箴言を日々の心の糧となるよう、晩年のトルストイが心血を注いで集めた一大アンソロジー。

ランボー全詩集
アルチュール・ランボー
宇佐美斉訳

束の間の生涯を閃光のようにかけぬけた天才詩人ランボー――稀有な精神が紡いだ清冽なテクストを、世界的ランボー学者の美しい新訳でおくる。

ボードレール全詩集I
シャルル・ボードレール
阿部良雄訳

詩人として、批評家として、思想家として、近年重要度を増しているボードレールのテクストを世界的な学者の個人訳で集成する初の文庫版全詩集。

高慢と偏見（上・下）
ジェイン・オースティン
中野康司訳

互いの高慢さから偏見を抱いて反発しあう知的な二人がやがて真実の愛にめざめてゆく……絶妙な展開で深い感動をよぶ英国恋愛小説の名作の新訳。

分別と多感
ジェイン・オースティン
中野康司訳

冷静な姉エリナーと、情熱的な妹マリアン。好対照をなす姉妹の結婚への道を描くオースティンの永遠の傑作。読みやすくなった新訳で初の文庫化。

荒涼館（全4巻）
C・ディケンズ
青木雄造他訳

上流社会、政界、官界から底辺の貧民、浮浪者まで巻き込んだ因縁の訴訟事件。小説の面白さをすべて盛り込み壮大なスケールで描いた代表作。（青木雄造）

ソーの舞踏会
バルザック
柏木隆雄訳

名門貴族の美しい末娘は、ソーの舞踏会で理想の男性と出会うが身分は謎だった……驕慢な娘の悲劇を描く表題作に、『夫婦財産契約』『禁治産』を収録。

コスモポリタンズ
サマセット・モーム
龍口直太郎訳
舞台はヨーロッパ、アジア、南島から日本まで。故国を去って異郷に住む〝国際人〟の日常にひそむ事件のかずかず。珠玉の小品30篇。（小池滋）

眺めのいい部屋
E・M・フォースター
西崎憲／中島朋子訳
フィレンツェを訪れたイギリスの令嬢ルーシーは、純粋な青年ジョージに心惹かれる。恋に悩み成長する若い女性の姿と真実の愛を描く名作ロマンス。

ダブリンの人びと
ジェイムズ・ジョイス
米本義孝訳
20世紀初頭、ダブリンに住む市民の平凡な日常をリアリズムに徹した手法で描いた短篇小説集。リズミカルで斬新な新訳。各章の関連地図と詳しい解説付。

オーランドー
ヴァージニア・ウルフ
杉山洋子訳
エリザベス女王お気に入りの美少年オーランドー、ある日目をさますと女になっていた――4世紀を駆ける万華鏡ファンタジー。（小谷真理）

バベットの晩餐会
I・ディーネセン
桝田啓介訳
バベットが祝宴に用意した料理とは……。一九八七年アカデミー賞外国語映画賞受賞作の原作と遺作「エーレンガート」を収録。（田中優子）

キャッツ
T・S・エリオット
池田雅之訳
劇団四季の超ロングラン・ミュージカルの原作新訳版。あまのじゃく猫におちゃめ猫、猫の犯罪王に鉄道猫。15の物語とカラーさしえ14枚入り。

ヘミングウェイ短篇集
アーネスト・ヘミングウェイ
西崎憲編訳
ヘミングウェイは弱く寂しい男たち、冷静で寛大な女たちを登場させ「人間であることの孤独」を描く。繊細で切れ味鋭い14の短篇を新訳で贈る。

動物農場
ジョージ・オーウェル
開高健訳
自由と平等を旗印に、いつのまにか全体主義や恐怖政治が社会を覆っていく様を痛烈に描き出す。『一九八四年』と並ぶG・オーウェルの代表作。

トーベ・ヤンソン短篇集
トーベ・ヤンソン
冨原眞弓編訳
ムーミンの作家にとどまらないヤンソンの作品の奥行きと背景を伝える短篇のベスト・セレクション。「愛の物語」「時間の感覚」「雨」など、全20篇。

誠実な詐欺師
トーベ・ヤンソン
冨原眞弓訳
〈兎屋敷〉に住む、ヤンソンを思わせる老女性作家。彼女に対し、風変わりな娘がめぐらす長いたくらみとは？　傑作長編がほとんど新訳で登場。

猫語の教科書
ポール・ギャリコ　灰島かり訳
ある日、編集者の許に不思議な原稿が届けられた。それはなんと、猫が書いた猫のための「人間のしつけ方」の教科書だった……⁉　（大島弓子）

ムーミン谷のひみつ
冨原眞弓
子どもにも大人にも熱烈なファンが多いムーミン。その魅力の源泉を登場人物に即して丹念に掘り起こす、とっておきのガイドブック。イラスト多数。

ムーミンを読む
冨原眞弓
ムーミンの第一人者が一巻ごとに丁寧に語る、ムーミン物語の魅力！　徐々に明らかになるムーミン一家の過去や仲間たち。ファン必読の入門書。

グリム童話（上・下）
池内紀訳
「赤ずきん」『狼と七ひきの子やぎ』「いばら姫」「白雪姫」等おなじみのお話と、新訳「コルベス氏」「すすまみれ悪魔の弟」等を、ひと味違う新鮮で歯切れのよい訳で贈る。

不思議の国のアリス
ルイス・キャロル　柳瀬尚紀訳
おなじみキャロルの傑作。子どもむけにおもねらず、ことば遊びを含んだ、透明感のある物語を原作の香気そのままに日本語に翻訳。（楠田枝里子）

アーサー王の死　中世文学集Ⅰ
T・マロリー　厨川《くりやがわ》文夫／圭子編訳
イギリスの伝説の英雄・アーサー王とその円卓の騎士団の活躍ものがたり。厖大な原典を最もうまく編集したキャクストン版で贈る。（厨川文夫）

アーサー王ロマンス
井村君江
アーサー王と円卓の騎士たちの謎に満ちた物語。戦いと愛と聖なるものを主題にくり広げられる一大英雄ロマンスの、エッセンスを集めた一冊。

ケルト妖精物語
W・B・イエイツ編　井村君江編訳
群れなす妖精もいれば一人暮らしの妖精もいる。不思議な世界の住人達がいきいきと甦る。イエイツが贈るアイルランドの妖精譚の数々。

ケルトの神話
井村君江
古代ヨーロッパの先住民族ケルト人が伝え残した幻想的な神話の数々。目に見えない世界を信じ、妖精たちと交流するふしぎな民族の源をたどる。

炎の戦士クーフリン／黄金の騎士フィン・マックール
ローズマリー・サトクリフ　灰島かり／金原瑞人／久慈美貴訳
神々と妖精が生きていた時代の物語。かつてエリンと言われた古アイルランドを舞台に、ケルト神話に名高いふたりの英雄譚を1冊に。（井辻朱美）

星の王子さま
サン＝テグジュペリ
石井洋二郎訳

飛行士と不思議な男の子。きよらかな二つの魂の出会いと別れを描く名作――透明な悲しみが読むものの心にしみとおる、最高度に明快な新訳でおくる。

星の王子さま、禅を語る
重松宗育

『星の王子さま』には、禅の本質が描かれている。住職でアメリカ文学者でもある著者が、難解な禅の哲学を指南するユニークな入門書。（西村惠信）

クラウド・コレクター〈手帖版〉
クラフト・エヴィング商會

得体の知れない機械、奇妙な譜面や小箱、酒の空壜……。不思議な国アゾットへの驚くべき旅行記。単行本版に加筆、イラスト満載の〈手帖版〉。

ないもの、あります
クラフト・エヴィング商會

堪忍袋の緒、舌鼓、大風呂敷……よく耳にするが、一度として現物を見たことがない物たちを取り寄せてお届けする。文庫化にあたり新商品を追加。

生きることの意味
高《コ》史《サ》明《ミョン》

さまざまな衝突の中で死を考えるようになった一朝鮮人少年。彼をささえた人間のやさしさを通して、生きることの意味を考える。（鶴見俊輔）

まちがったっていいじゃないか
森毅

人間、ニブイのも才能だ！　まちがったらやり直せばいい。少年のころを振り返り、若い読者に肩の力をぬかせてくれる人生論。（赤木かん子）

君たちの生きる社会
伊東光晴

なぜ金持や貧乏人がいるのか。エネルギーや食糧問題をどう考えるか。複雑になった社会の仕組みや動きをもう一度捉えなおす必要がありそうだ。

友だちは無駄である
佐野洋子

でもその無駄がいいのよ。つまらないことや無駄なことって、たくさんあればあるほど魅力なのよね。一味違った友情論。（亀和田武）

心の底をのぞいたら
なだいなだ

つかまえどころのない自分の心。知りたくてたまらない他人の心。謎に満ちた心の中を探検し、無意識の世界へ誘う心の名著。（香山リカ）

自分のなかに歴史をよむ
阿部謹也

キリスト教に彩られたヨーロッパ中世社会の研究で知られる著者が、その学問的来歴をたどり直すことを通して描く〈歴史学入門〉。（山内進）

ちくま文庫

ゴシック文学入門《ぶんがくにゅうもん》

二〇二〇年九月十日　第一刷発行

編　者　東　雅夫（ひがし・まさお）
発行者　喜入冬子
発行所　株式会社　筑摩書房
東京都台東区蔵前二―五―三　〒一一一―八七五五
電話番号　〇三―五六八七―二六〇一（代表）
装幀者　安野光雅
印刷所　株式会社精興社
製本所　加藤製本株式会社

ISBN978-4-480-43694-8　C0193